LA

SUR L'ÎLE DÉSERTE

Catalogage avant publication de Bibliothèque et Archives nationales
du Québec et Bibliothèque et Archives Canada

Laberge, Rosette
La noble sur l'île déserte : l'histoire vraie de Marguerite de Roberval,
abandonnée dans le Nouveau Monde
ISBN 978-2-89585-119-6
1. Roberval, Marguerite de - Romans, nouvelles, etc. I. Titre.
PS8623.A24N62 2011   C843'.6   C2010-942155-8
PS9623.A24N62 2011

Les Éditeurs réunis bénéficient du soutien financier de la SODEC
et du Programme de crédit d'impôt du gouvernement du Québec.

Nous remercions le Conseil des Arts du Canada
de l'aide accordée à notre programme de publication.

Nous reconnaissons l'aide financière du gouvernement du Canada
par l'entremise du Fonds du livre du Canada pour nos activités d'édition.

*Édition :*
LES ÉDITEURS RÉUNIS
www.lesediteursreunis.com

*Distribution au Canada :*       *Distribution en Europe :*
PROLOGUE                          DNM
www.prologue.ca                   www.librairieduquebec.fr

 *Suivez Les Éditeurs réunis sur Facebook.*

Pour communiquer avec l'auteure : rosette.laberge@cgocable.ca

Imprimé au Canada

Dépôt légal : 2011
Bibliothèque et Archives nationales du Québec
Bibliothèque nationale du Canada
Bibliothèque nationale de France

# ROSETTE LABERGE

# LA *Noble*
## SUR L'ÎLE DÉSERTE

L'HISTOIRE VRAIE DE MARGUERITE DE ROBERVAL,
ABANDONNÉE DANS LE NOUVEAU MONDE

*Roman historique*

LES ÉDITEURS RÉUNIS

*À Lucas, pour tout ce qu'il y a de merveilleux en lui.*
*«Merci de faire partie de ma vie!»*

# Chapitre 1

*Le 14 avril 1542 – Port de La Rochelle*

Marguerite a à peine mis le pied sur le pont de l'un des trois navires en partance pour le Nouveau Monde que tous les yeux se tournent vers elle. Elle fait mine de ne rien voir et garde la tête légèrement baissée, se concentrant sur la distance qui la sépare de son oncle, le sieur de Roberval. D'aussi loin qu'elle se souvienne, elle n'a jamais apprécié que tous ces regards insistants se posent sur elle quand elle se pointe quelque part, et ce n'est pas faute d'avoir essayé de s'y habituer. Pour elle, la réelle beauté des gens n'a rien à voir avec l'apparence physique. Et puis la vie lui a prouvé plus d'une fois que la beauté apparente ne rime pas toujours avec la bonté. Au sein de la petite et de la grande noblesse, elle n'a pas rencontré que de belles personnes.

«Facile à dire quand on est aussi belle que la plus belle des fleurs, ne cesse de lui répéter Damienne, sa fidèle servante. Si vous aviez autant de chair molle que j'en ai, vous penseriez tout autrement, croyez-moi. En tout cas, pour ma part, je ne lis pas grand-chose de beau dans les yeux des personnes que je croise. Parfois, le seul souvenir de l'une de ces rencontres m'empêche de dormir. Ah! mais n'allez pas croire que je suis jalouse de vous! Pas du tout! Je vous aime bien trop pour cela! Mais moi aussi, j'aimerais sentir le regard chaud des gens sur ma peau. Une fois, une seule fois.»

Quand Damienne lui tient ce discours, Marguerite ne peut résister à l'envie de la prendre dans ses bras et de la serrer très fort en lui disant:

— Mais tu es la plus belle des femmes que je connaisse.

Depuis sa naissance, il y a dix-neuf ans, Marguerite a passé plus de temps avec Damienne qu'avec ses parents. Sa mère est morte alors qu'elle n'avait que dix ans. Elle était si malade qu'elle était alitée la plupart du temps. Marguerite n'avait pas le droit d'aller la voir, sauf le soir, avant de se mettre au lit. C'était son moment préféré de la journée. Elle se couchait à côté de sa mère et se collait contre elle autant qu'elle le pouvait. Elle l'écoutait lui raconter une histoire. Soir après soir, la petite fille ne pouvait s'empêcher de demander à sa maman de lui relire la même, prétextant qu'elle n'avait pas tout compris, ce qui faisait sourire sa mère. C'est alors que son père se pointait et disait :

— Il faut laisser ta maman se reposer. Viens, Damienne t'attend.

— À demain, ma petite fille, murmurait sa mère.

— Bonne nuit, répondait bien à regret Marguerite.

Le cœur triste, la fillette donnait la main à son père et le suivait jusqu'à sa chambre sans parler. Une fois couchée, elle remontait ses couvertures par-dessus sa tête et laissait libre cours à ses larmes, pour ensuite fredonner quelques chansons jusqu'à ce que le sommeil la gagne enfin. Elle aurait tant aimé rester un peu avec sa mère, dormir à ses côtés ; mais chaque fois qu'elle se risquait à aller la retrouver, elle rencontrait son père sur son chemin. À croire qu'il passait son temps à surveiller la porte de la chambre de son épouse. Elle aurait désiré faire des activités avec sa maman, comme son amie Marie-Anne, la fille de Marin, l'homme d'écurie. Aller pique-niquer, monter à cheval, cueillir des petits fruits, faire la cuisine.

— Prépare-toi, Marguerite, lui disait Marie-Anne ; maman nous emmène pique-niquer sur le bord de la rivière.

— J'arrive, s'écriait joyeusement la fillette.

Enfin, elle aurait tant souhaité avoir une vie normale d'enfant. Elle n'a manqué de rien, mais en même temps l'essentiel lui a manqué. De toute sa vie, elle n'a jamais pu voir sa mère plus de vingt minutes par jour et c'était lorsque son père était absent. C'est seulement dans ces occasions qu'elle pouvait profiter des quelques minutes de grâce. Ces jours-là, elle avait encore plus mal quand elle se retrouvait sous ses draps, comme si le simple fait de faire durer le plaisir venait décupler sa peine. Elle se souvient encore de la journée où sa mère est morte ; elle n'a même pas pu lui faire ses adieux. Elle a tout tenté pour se faufiler dans la pièce, mais chaque fois son père l'en empêchait :

— Je veux que tu gardes un bon souvenir d'elle. Va vite rejoindre Damienne.

Du haut de ses dix ans, Marguerite ne comprenait pas. Lorsque sa mère était vivante, elle ne pouvait pas la voir à cause de sa maladie ; et maintenant qu'elle était morte, elle ne pouvait pas la voir non plus. Elle voulait seulement lui caresser les cheveux une dernière fois et déposer un baiser sur son front. Aujourd'hui encore, ce souvenir lui crève le cœur. Elle n'en a jamais voulu à son père pour cela, elle le respectait bien trop, mais la mort de celui-ci n'a pas été aussi marquante que celle de sa mère. Pourtant, il a toujours été présent pour elle, malgré ses nombreuses occupations. Il s'est toujours assuré qu'elle avait tout ce qu'il lui fallait, et plus encore. Réservé et distant, il n'a jamais fait l'effort d'établir un lien avec sa fille, et elle, de son côté, n'a jamais osé prendre sa place. C'est ainsi qu'ils ont partagé la même maison pendant dix-sept ans, mais sans vraiment se parler, sauf pour les nécessités de la vie. Le jour de la mort de son père, Marguerite a bien versé quelques larmes, mais sans plus.

À première vue, son oncle a quelques airs de famille avec son père. Celui qu'on nomme familièrement le «petit roi de Vimeu», à la cour, garde la tête bien haute, à tel point qu'on dirait qu'il va toucher le ciel. En réalité, il serait plus juste de dire qu'il est si fier qu'il semble vivre sur un nuage. Ce n'est pas tous les jours que le roi de France vous charge d'aller fonder une colonie française dans le Nouveau Monde, cette terre nouvelle qui excite l'imagination de tant de Français. Le sieur de Roberval s'enorgueillit surtout parce qu'il a été choisi pour remplacer Jacques Cartier, l'ancien capitaine et maître pilote des navires et vaisseaux de mer de François I$^{er}$, alors que celui-ci était sur le point de partir. Il est vrai que le sieur de Roberval entretient une relation très particulière avec le roi, et ce, depuis sa plus tendre enfance. Pour tout dire, le roi faisait partie de tous ses jeux d'enfant, ce qui lui a permis d'établir une relation enviable avec lui. De nature gourmande, le sieur de Roberval sait profiter depuis toujours de tous les privilèges qui s'offrent à lui. En matière de calculateur, il n'a pas son égal. Il est toujours là au bon moment. Comme il n'est pas marin de profession, le roi l'a même confié aux bons soins de son capitaine pilote, Jean Fonteneau, dit Alfonse. Le sieur de Roberval dirigera l'expédition, alors qu'Alfonse se chargera de la navigation.

Offusqué par le brutal changement de cap du roi, Cartier a quand même levé les ancres, avec ses cinq vaisseaux, le 23 mai 1541. C'est donc accompagné d'immigrants, de marins et de soldats qu'il a quitté le port de La Rochelle par une journée on ne peut plus maussade. C'était il y a onze mois. Fort de quelques expériences loin de la France, il a prévu du bétail et des provisions pour deux ans. Pour y arriver, il a vendu tout ce qu'il possédait. Il a aussi emprunté tout ce qu'il pouvait, promettant mer et monde à qui voulait bien l'écouter. Cette fois, il a bien l'intention de rapporter une montagne d'or et de diamants. D'ailleurs, ce n'est qu'à cette condition qu'il pourra éviter la ruine à son retour. À en croire les explorateurs de l'époque, le Nouveau Monde regorge de richesses. L'or et les diamants s'y trouvent à profusion. Certains prétendent même que les épices poussent sur la neige et que les Sauvages gardent jour et nuit des trésors immenses.

Le sieur de Roberval regarde fièrement sa nièce s'avancer vers lui. Quand elle arrive à sa hauteur, elle relève la tête et lui sourit.

De but en blanc, celui-ci lui lance d'un ton sec, sans même prendre le temps de la saluer :

— Tu t'installeras dans ma cabine, tu y seras plus en sécurité.

— Ce n'est pas nécessaire, je vous assure, répond poliment Marguerite, je serai très bien avec les autres voyageurs.

— Ne discute pas, tout est arrangé. Va voir le capitaine, là-bas, il va t'y amener.

— Mais je n'ai pas du tout envie d'aller m'enfermer dans ma cabine pour le moment. Je préfère rester sur le pont ; il fait si bon ! Et je ne veux rien manquer, c'est la première fois que je prends la mer ; ne vous inquiétez pas pour moi, je saurai me défendre.

— Comme tu voudras, finit par répondre le sieur de Rober-val, du bout des lèvres. Ne viens pas te plaindre si les hommes s'en prennent à toi, je t'aurai avertie.

Le sieur de Roberval déteste qu'on le contrarie. De nature autoritaire, il a l'habitude de se faire obéir au doigt et à l'œil. De tous, sauf de Marguerite. Depuis la mort de son frère, il ronge son frein lorsqu'il voit sa nièce. Il a vite constaté que sous des apparences de femme fragile se cache une créature dotée d'une grande force de caractère, une créature capable de démesure à ses heures. Ce sont des qualités qu'il apprécie grandement chez un homme, mais pas chez une femme, et encore moins chez sa nièce. Il aurait préféré, et de loin, qu'elle soit l'une de celles que l'on peut manipuler aisément, ce qui est le cas de la majorité des femmes qu'il connaît. Il a dû déployer bien des efforts pour la convaincre de l'accompagner dans le Nouveau Monde. Il lui a promis des tas de choses pour qu'elle accepte son offre. « Je te ferai construire une école. Tu seras la première à enseigner dans le Nouveau Monde. Réfléchis bien, jamais tu n'auras cette chance si tu restes ici. » Chaque fois qu'il revenait à la charge, Marguerite avait de moins en moins de réticences. Depuis qu'elle est toute petite, elle rêve de montrer ce qu'elle sait aux autres. C'est d'ailleurs elle qui a appris à lire et à écrire à son amie Marie-Anne. Et puis, elle doit bien l'admettre, son oncle a raison. En France, jamais personne ne lui permettra d'enseigner. Quand on naît noble, les petits emplois ne sont pas pour vous.

Marguerite salue son oncle et se tourne vers Damienne :

— Viens me rejoindre dès que tu auras déposé nos bagages dans la cabine, on aura bien le temps de s'enfermer les jours de pluie.

La servante se dirige d'un pas lent vers le capitaine du bateau. Les journées chaudes, ses jambes enflent et la font souffrir. Et ce n'est que le mois d'avril. Mais Damienne prend son mal en patience, elle n'est pas là pour se plaindre, mais bien pour veiller sur sa maîtresse.

Il y a tant à voir que Marguerite ne sait plus où regarder. Du pont, on a une tout autre vue du port de La Rochelle. Comme dans toutes les villes portuaires, c'est ici que la vie bat son plein. De petits groupes de gens discutent çà et là. Des pêcheurs reviennent et montrent fièrement leurs prises. Certains offrent leur marchandise en criant, alors que d'autres attendent les clients, bien installés derrière leur étal. Une forte odeur d'algues flotte partout, une odeur que Marguerite aime beaucoup. La première fois que son père l'a amenée sur la côte, elle n'avait de cesse de respirer à pleins poumons tellement cette odeur lui plaisait. Elle aime beaucoup la terre, mais elle aime la mer de tout son cœur. La mer, si rassurante et si menaçante à la fois. C'est la perspective de naviguer aussi loin qui a pesé le plus lourd dans sa décision de faire partie du voyage de son oncle. Même si elle ne sait pas du tout à quoi s'attendre. D'ailleurs, qui pourrait le savoir à part Cartier ? Le simple fait de penser qu'elle sera en mer des mois durant l'enchante. Peut-être à tort. Mais seul l'avenir le lui dira.

Quelques minutes plus tard, Damienne vient la rejoindre. Excitée par ce qu'elle voit, Marguerite lui montre tout ce qu'elle a pu observer depuis qu'elle est à bord. La servante regarde sa maîtresse et sourit. On dirait une petite fille. La vie ne pouvait pas lui faire plus beau cadeau que celui de vieillir aux côtés de Marguerite. Elle l'aime plus que tout au monde et elle donnerait sa vie pour elle. Elle n'était pas enthousiaste à l'idée de s'embarquer pour le Nouveau Monde ; l'aventure, ce n'est pas son fort. Mais pour faire plaisir à Marguerite, elle ferait n'importe quoi, même s'embarquer sur un navire, alors qu'elle est loin d'être certaine d'avoir le pied marin.

— Regarde, Damienne, comme c'est beau, s'écrie Marguerite. J'adore cette ville. Ici, on a l'impression d'être vivant.

— Permettez-moi de vous dire que je préfère notre Pontpoint, répond Damienne. La ville, très peu pour moi. Il n'y a même pas d'arbres.

— Tu ne trouves pas que tu exagères ? lui dit Marguerite en riant. Il y en a partout, mais c'est certain qu'ils sont moins touffus que ceux de chez nous. Rassure-toi, je ne vivrais pas ici, mais de toutes les villes que j'ai visitées avec mon père, c'est ma préférée. La vue est imprenable de tous les côtés.

— C'est vrai que c'est beau. Savez-vous quand on doit lever les ancres ?

— Non, en mettant le pied sur ce navire, j'ai décidé de me laisser porter. Tu devrais faire la même chose, crois-moi.

— Ce n'est pas que je ne veuille pas, mais j'ai déjà mal au cœur et on est encore au port. Et comme on dit, plus vite on va partir, plus vite on va arriver.

— Ma pauvre Damienne, nous en avons pour des semaines en mer, voire des mois. J'espère de tout cœur que tu ne seras pas malade pendant la traversée, parce que je vais m'en vouloir de t'avoir emmenée.

— Il n'était pas question que je vous laisse partir toute seule avec votre oncle. J'aime mieux avoir mal au cœur pendant des mois que vous savoir seule, aux prises avec lui.

— Arrête de voir le mal partout, je suis certaine que tu te trompes. Sa seule intention est de me faire profiter de ce voyage. Je suis sûre que tu le juges trop sévèrement.

— Si vous voulez mon avis, je ne gagerais pas là-dessus. Votre oncle n'est pas le genre de personne à faire quoi que ce soit si ça ne lui rapporte pas gros, croyez-moi.

Pour mettre fin à cette discussion qui commence à l'ennuyer, Marguerite passe un bras autour des épaules de Damienne et lui colle un baiser sur la joue. Ce geste est peu habituel entre une maîtresse et sa servante, mais des liens particuliers unissent les deux femmes ; c'est une relation qui fait d'ailleurs l'envie de bien des servantes à Pontpoint. Marguerite considère Damienne comme un membre à part entière de sa famille, et ce, depuis toujours. Jamais la servante ne s'est sentie comme une simple domestique. Elle sait à quel point elle compte pour sa maîtresse et cela lui fait chaud au cœur.

*** 

Le sieur de Roberval est le seul membre de la famille de Marguerite à être proche d'elle. Elle a bien quelques cousins installés ici et là en France, mais elle ne les côtoie pas. Depuis la mort de son père, il y a deux ans, son oncle lui rend visite beaucoup plus souvent qu'avant, même qu'il est arrivé à la jeune femme de se demander pourquoi, du jour au lendemain, il s'était mis à venir à Pontpoint. Hiver comme été, il chevauche des heures durant, rien que pour prendre de ses nouvelles, ce qui, tout compte fait, l'étonne quand même un peu. Marguerite a beau être naïve, son petit doigt lui dit qu'il y a anguille sous roche. « À moins qu'il en veuille à mes terres. Non, je suis certaine que je me trompe. Il en possède encore plus que moi. Je ne devrais pas le juger aussi sévèrement. Voilà que Damienne commence à déteindre sur moi. Je devrais faire attention. »

Le sieur de Roberval ne l'a pas crié sur tous les toits, mais même si le roi a financé son expédition, l'homme y a investi passablement d'argent de sa poche. Il a dû user d'imagination pour financer son expédition. Ces derniers mois, il a vendu sa propriété de Bacoüel et s'est même livré au pillage de nombreux navires étrangers. Pour tout dire, il ne lui reste rien, sauf l'or et les diamants qu'il compte bien rapporter du Nouveau Monde ; mais il ne l'avouera jamais à sa nièce. Heureusement Marguerite ne sait pas à quel point sa présence aux côtés de son oncle est importante pour lui. Le sieur de Roberval a bien des défauts, mais il sait compter mieux que quiconque. Quand il a appris la mort de son frère, il ne l'a pas pleuré très longtemps. Il s'est retrouvé seul au monde avec sa nièce, qu'il connaissait peu, mais on peut dire que cette mort lui donnait l'occasion, non pas servie sur un plateau en argent, mais en or, d'augmenter son pécule. Enfin, c'est ce qu'il croyait, jusqu'à ce qu'il se mette à rendre visite à Marguerite. Il s'est vite aperçu que la pauvre petite orpheline était loin d'être sotte. Surtout que la présence constante de Damienne aux côtés de la jeune femme lui complique passablement les choses. Même si elle n'est pas éduquée, la servante veille aux intérêts de sa maîtresse, comme une lionne garde un œil sur ses petits.

En ayant Marguerite près de lui, le sieur de Roberval s'assure au moins qu'elle ne se mariera pas pendant son absence, ce qui n'est pas rien. Si, par malheur, elle tombait dans les bras du premier venu, il pourrait dire adieu à tout ce qu'elle possède, et c'est un coup qu'il ne pourrait accuser. Certes, il ne la demandera pas lui-même en mariage ; après tout, elle est sa nièce, mais en l'ayant à ses côtés, il aura au moins deux ans devant lui pour la convaincre de le laisser exploiter ses terres. Et avec un peu de chance, elle acceptera même de rester dans le Nouveau Monde pour y enseigner. Il fera bien sûr tout son possible pour qu'elle prenne cette décision. Ainsi, il pourra disposer de ses propriétés à sa guise, sans aucune crainte d'être dérangé.

Les trois navires du sieur de Roberval sont côte à côte. Depuis une bonne heure, bétail et provisions sont mis à bord de l'un d'entre eux. Au total, deux cents personnes seront du voyage. La Bretagne en a profité pour vider ses prisons de quelques détenus. Chaîne aux pieds, les forçats avancent difficilement. Ils seront libérés seulement lorsqu'on ne verra plus les côtes. Probable que s'ils avaient eu le choix peu d'entre eux auraient choisi de s'embarquer pour le Nouveau Monde. Même si la prison n'a rien d'un palace, certains sont prêts à gager que le bagne est encore mieux que de s'embarquer pour cette terre inconnue. Plusieurs ouvriers se sont engagés. À terre, les emplois se font rares ces temps-ci. Ce sont d'ailleurs les seules personnes payées pour faire la traversée. Dans une semaine, le roi versera la première moitié de leur rente à leur famille pour les deux ans que doit durer le voyage. Quelques gentilshommes assoiffés d'aventure font leur entrée. On les reconnaît vite à leurs habits et à leurs bagages. Finalement, quelques femmes ferment le bal. Prostituées et orphelines ont vite fait connaissance. Pour les premières, avoir le gîte et le couvert pendant tout le voyage est une affaire en or. Pour les secondes, encore plus pauvres que leurs compagnes, ce voyage représente une chance unique de changer de vie et, qui sait, de se faire demander en mariage par un gentilhomme au beau milieu de la mer. La présence des femmes, à bord, est redoutée par les marins superstitieux. Le sieur de Roberval a dû débattre son point plus d'une fois auprès d'eux pour leur faire accepter la chose. «Comment voulez-vous fonder une colonie avec seulement des hommes? Pensez-y un peu! Je vous promets qu'elles ne vous gêneront pas. Je vais les installer à un endroit où je pourrai garder un œil sur elles.»

* * *

Il y a tant de choses à observer que Marguerite et Damienne ne voient pas le temps passer. Elles sursautent quand elles entendent le capitaine crier haut et fort :

— Remontez le pont, il est le temps de larguer les amarres !

La seconde d'après, les deux femmes éclatent de rire. Au moment où les marins allaient s'exécuter, un homme se met à crier de toutes ses forces :

— Attendez-moi, j'arrive ! Vous ne pouvez pas me laisser ici !

Essoufflé, le retardataire monte sur le navire en courant pour s'arrêter à quelques pas de Marguerite. Contrairement à son habitude, cette fois, elle ne baisse pas la tête, elle plonge son regard dans les yeux de l'homme, aussi bleus que les flots en plein soleil. Au bout de quelques secondes, il se ressaisit et bafouille :

— Je suis désolé, je ne voulais pas vous faire peur. Je m'appelle Francis de Mire et je suis charpentier.

Sans attendre son reste, l'homme aux cheveux bouclés salue Marguerite d'un signe de tête et s'éloigne. La jeune femme cligne des yeux une fois, deux fois, certaine qu'elle a rêvé. Témoin de ce qui vient de se passer, Damienne tire sur la manche de sa maîtresse et lui dit :

— Je ne savais pas qu'on pouvait avoir des yeux aussi bleus.

— Moi non plus, réussit à balbutier Marguerite, encore sous le choc.

# Chapitre 2

— Ma pauvre Damienne, nous sommes en mer depuis cinq jours et tu n'as pas quitté ta paillasse. Pardonne-moi de t'avoir entraînée dans cette folle aventure. Si j'avais su, jamais je ne t'aurais demandé de m'accompagner.

— Arrêtez un peu, vous n'êtes coupable de rien. Il n'était pas question que je vous laisse partir seule. Ne vous inquiétez pas, je vous jure que je vais m'habituer. Déjà, je suis bien mieux qu'hier !

— Heureusement pour toi, ajoute Marguerite. En tout cas, je n'ai pas de félicitations à faire à mon oncle. Il n'a même pas prévu le moindre remède. C'est à croire que tous ces gens qui l'accompagnent n'ont aucune importance pour lui. Tu te rends compte ? Il y a un chirurgien à bord, mais il n'a pratiquement rien avec lui.

— Il a sûrement une scie, lance Damienne.

— Je t'en prie, ne m'y fais pas penser. En tout cas, si les femmes n'avaient pas apporté quelques herbes, tu serais encore là à te vomir les tripes.

— Ne me parlez plus de cela, ajoute Damienne en frissonnant, je vous en prie. Demain, je serai sur pied, je vous le promets.

— Ma chère Damienne, il n'est pas question que tu te lèves tant que tu n'iras pas mieux.

— Mais ma place est près de vous, et non pas dans cette cabine !

— Allez, repose-toi, je vais dessiner sur le pont.

— Promettez-moi de faire attention.

— Voyons, Damienne, je te rappelle que nous sommes sur un navire. Que veux-tu qu'il m'arrive ?

— On n'est jamais trop prudent, croyez-moi. Je sais que vous n'aimez pas l'entendre, mais faites attention à votre oncle et à tous les hommes que vous croiserez.

— Ils ne peuvent pas me faire grand-chose. Et pour mon oncle, avoue qu'il est plutôt gentil, il m'a cédé sa cabine.

— J'espère que je me trompe, mais il ne me dit rien de bon, cet homme.

Une fois sur le pont, Marguerite fait quelques pas. Elle réfléchit aux propos de Damienne. Et si la servante avait raison au sujet de son oncle ? Si tel est le cas, alors il aurait mieux valu qu'elle reste tranquille à Pontpoint. Là-bas, elle était en sécurité. Comme il est trop tard pour revenir en arrière, la seconde d'après elle chasse ces idées en se passant une main sur le front. Hier, le capitaine lui a dit qu'ils en auraient pour au moins trois mois avant d'arriver au Nouveau Monde, « si les vents sont favorables », a-t-il cru bon d'ajouter. Elle aura donc tout ce temps pour se faire une idée plus juste de son oncle. Elle est pourtant certaine qu'il lui avait assuré que le voyage durerait deux mois, tout au plus ; mais elle a sûrement mal compris.

Contrairement au jour où ils ont quitté la France, aujourd'hui la mer est calme, tellement qu'on dirait que quelqu'un a jeté une nappe sans aucun pli dessus. Marguerite est fascinée par ce qu'elle voit. De l'eau à perte de vue de tous les côtés. Pas un seul oiseau ! Pas un seul moustique non plus ! Ils sont seuls au milieu de nulle part. Des tas de questions se bousculent dans sa tête. Tomberont-ils dans le vide quand ils arriveront au bout de ce qu'elle ne voit même pas ? Trouveront-ils le chemin jusqu'au Nouveau Monde ? Qu'est-ce qui les attend dans ce pays ? Survivront-ils à l'hiver ? Se feront-ils attaquer par des bêtes sauvages ? Les navires résisteront-ils aux vagues ? Et aux tempêtes ?

Elle ne sait pas grand-chose du Nouveau Monde, sauf ce que son oncle a bien voulu lui en dire. Inutile de préciser que le sieur n'a pas insisté sur ce qui aurait pu risquer de la faire changer d'idée. Il lui a vanté les nombreux avantages du voyage, ne lui donnant pas la possibilité de penser à autre chose qu'à toutes les merveilles qu'il lui a fait miroiter. Le regard perdu dans le vide, Marguerite se demande encore ce qui l'a poussée à suivre son oncle dans cette folle aventure. Elle vivait alors des jours tranquilles dans sa propriété de Pontpoint. Mais à bien y penser, c'était peut-être cela, le problème. En réalité, depuis la mort de son père, elle ressent un grand vide, pas tellement parce que son père n'est plus là, mais plutôt parce qu'elle s'est retrouvée seule au monde. Certes, ils n'étaient pas très proches l'un de l'autre, mais le simple fait de prendre un repas de temps en temps avec lui la rendait heureuse. Depuis, outre quelques soirées sans grand intérêt avec la noblesse du coin et ses promenades quotidiennes à cheval, elle a l'impression d'exister, tout simplement, alors qu'elle veut se rendre utile. Le seul problème, c'est qu'elle ne sait pas comment s'y prendre.

Jusqu'à ce que son oncle lui parle du Nouveau Monde, jamais l'idée de s'aventurer aussi loin ne lui avait effleuré l'esprit. Mais avec le temps, elle s'est mise à rêver de cet endroit rempli de mystère. Elle pourrait enfin montrer aux autres ce qu'elle sait, dans sa propre école ; c'est ce que son oncle lui a promis. Dans ce pays, tout est à faire. Elle pourra participer au développement d'un monde nouveau. Bien sûr, à ce moment-ci, elle ignore combien de temps elle restera là-bas, mais elle verra bien lorsqu'elle sera sur place. Peut-être que cet endroit lui plaira suffisamment pour qu'elle y passe le reste de sa vie.

Marguerite remonte son châle sur ses épaules et s'assoit en plein soleil. Depuis qu'ils ont quitté La Rochelle, la température a chuté de plusieurs degrés. Avril sur la côte, c'est bien, mais au large, c'est tout autre chose. Bien qu'elle ait apporté ses vêtements les plus chauds, elle se demande s'ils le seront assez pour passer l'hiver. Chaque fois qu'elle a tenté d'en savoir plus sur le sujet, son oncle s'est dépêché de faire diversion. Tout ce qu'il lui a dit, c'est : «Apporte ce que tu as de plus chaud. Comme tu sais, c'est plus facile d'en enlever, ma fille.» Marguerite ne peut s'empêcher de penser à tous ceux qui sont montés nu-pieds à bord des bateaux.

Maintenant totalement absorbée par son dessin, elle sursaute quand son oncle lui dit d'un ton rempli de sarcasme :

— Alors, ma fille, ta vieille servante va-t-elle survivre ?

— En tout cas, ce ne sera pas grâce à vous, lui répond-elle sur-le-champ. Vous serez bien mal pris si quelqu'un tombe malade pendant le voyage.

— On verra. Tu aurais dû la laisser à Pontpoint, c'était là sa place, pas sur ce navire.

— Au risque de vous offenser, je ne l'ai pas amenée pour vous, mais pour moi. Rappelez-vous : partout où je vais, Damienne m'accompagne.

— Tu lui donnes bien trop d'importance, elle n'est pas de notre rang, c'est une pauvre servante.

— Pour moi, elle est bien plus que cela. Je tiens à elle comme à la prunelle de mes yeux.

— Elle devrait être en bas, avec les autres.

— Je vous avertis, si vous l'obligez à dormir en bas, vous devrez m'y trouver une place également.

— Ne dis pas de sottise. Il n'est pas question que ma nièce partage les mêmes espaces que les moins que rien. Ça, jamais !

— Alors vous savez ce que vous avez à faire.

Sur ces mots, Marguerite se lève et tourne les talons. Elle en a assez entendu pour cette fois. Elle n'a pas fait trois pas que son oncle se met à hurler :

— Tu ne t'en tireras pas comme cela ! Je t'ai vu sortir un quignon de pain de ta poche. Tu n'es qu'un voleur !

— Mais c'est celui que j'ai eu au déjeuner, répond le marin d'une voix remplie d'inquiétude, je ne l'avais pas encore mangé. Je n'ai rien volé, je vous le jure.

— Capitaine, s'écrie le sieur de Roberval, mettez-le aux arrêts.

— Je vous en prie, le supplie l'homme, je vous jure que je n'ai rien volé.

— C'était à toi d'y penser avant. Dépêchez-vous, capitaine, je n'ai pas que cela à faire.

Quand le capitaine se présente devant le sieur de Roberval, il est essoufflé. De toute sa vie de marin, jamais il n'a eu affaire à un tyran de cette espèce, pas même chez les pirates.

— Emmenez-le, vocifère le sieur, et enchaînez-le. Deux jours sans rien boire ni manger, c'est compris ?

Témoin de la scène, Marguerite est folle de rage. Comment son oncle peut-il punir cet homme aussi sévèrement ? Elle n'en croit pas ses oreilles. Si elle s'écoutait, elle irait le voir et lui dirait sa façon de penser, mais elle se contient. La traversée ne fait que commencer, alors il vaut mieux rester en bons termes avec lui.

Quand elle rentre dans sa cabine, elle lance sa pierre noire, sa plume et son dessin sur sa paillasse et laisse libre cours à sa colère. Réveillée en sursaut, Damienne se frotte les yeux.

— Tu aurais dû l'entendre. Il a fait enchaîner un homme, seulement parce que celui-ci avait un quignon de pain dans sa poche. Il l'a accusé de l'avoir volé. Comment peut-il être aussi injuste ?

Damienne se soulève sur ses coudes avant de répondre :

— Je vous l'ai dit, votre oncle n'est pas une bonne personne.

— Et demain, que fera-t-il ? Il voudra que tu ailles dormir en bas avec les autres, peut-être ?

— Dehors ? demande Damienne, indignée. Tout, mais pas cela.

— Ne t'inquiète pas, jamais je ne le laisserai faire, tu as ma parole. Là où tu iras, j'irai. Dis donc, tu as meilleure mine. Est-ce que je me trompe ?

— Non, je me sens de mieux en mieux, même que je mange-rais un bœuf.

— Si la faim revient, c'est une très bonne nouvelle. Je vais te chercher à manger, j'en ai pour quelques minutes à peine.

— Laissez, je vais le faire moi-même.

— Il n'en est pas question. Toi, tu restes allongée jusqu'à ce que tu ailles parfaitement bien.

— Vous êtes trop bonne pour moi, jamais je ne pourrai vous remercier assez.

— Tu n'as pas à me remercier. Après tout ce que tu as fait pour moi depuis que je suis au monde, c'est tout à fait normal. Je reviens dans quelques minutes. Ne t'attends pas à ce que je te rapporte un bœuf, par exemple, parce que tu risques d'être déçue.

À ces mots, Damienne sourit. En sortant de sa cabine, Marguerite tombe nez à nez avec Francis. Il lui sourit et lui dit en inclinant légèrement la tête :

— Bonjour, comment allez-vous ?

— Je vais très bien, je vous remercie. Et vous ?

— Je suis en grande forme. J'ai été occupé, j'ai fait plein de travaux depuis notre départ. C'est la première fois que je mets le nez dehors depuis qu'on est partis. Comme dirait mon père, ce navire a du vécu et son bois aussi. Vous accepteriez de faire quelques pas avec moi ?

En entendant ces mots, Marguerite rougit. Elle en meurt d'envie, mais elle a promis à Damienne d'aller lui chercher à manger. Au bout de quelques secondes de réflexion, elle se dit que ce ne sont pas quelques minutes de plus qui vont faire la différence. Elle plonge son regard dans celui de Francis et lui dit, alors qu'elle ressent une bouffée de chaleur :

— Ce sera avec plaisir, mais quelques minutes seulement.

— Ne vous inquiétez pas, c'est tout ce dont je dispose. Venez ! Suivez-moi.

Marguerite sent son cœur battre la chamade. Elle a les jambes aussi molles que du coton. De toute sa vie, elle n'a jamais ressenti cela. Elle doit bien l'admettre, elle est loin d'être insensible au charme du jeune homme. Afin de reprendre ses esprits, elle lui dit :

— Parlez-moi un peu de vous.

— Vous savez, il n'y a pas grand-chose à dire. Je m'appelle Francis de Mire. J'ai vingt-quatre ans et je suis charpentier, comme mon père. Ma mère est couturière pour les amies du roi. J'ai trois frères et deux sœurs. Dans ma famille, je suis le seul qui résiste encore au mariage.

— Pourquoi ?

— C'est simple, je n'ai pas encore trouvé la femme de ma vie. Et vous, vous êtes mariée ?

— Non, répond Marguerite en souriant ; moi non plus je n'ai pas encore trouvé l'homme de ma vie.

— Si vous permettez, vous avez certainement repoussé quelques prétendants.

— Quelques-uns, oui, répond Marguerite d'un air gêné. Je refuse de me marier avec quelqu'un d'ennuyeux, et parmi les nobles, je dois dire qu'ils sont plutôt nombreux à l'être. Je vis à Pontpoint avec ma servante. Et vous?

— Moi, je vis à La Rochelle. Mon père travaille pour le roi. C'est comme cela que j'ai su qu'il y avait trois navires qui partaient pour le Nouveau Monde. J'avais tenté de partir avec Cartier, mais quand le roi a décidé de ne pas financer son expédition, je me suis dit qu'il valait mieux attendre le prochain départ. J'avais très envie de connaître autre chose, de voir du pays, comme on dit, mais ma famille ne l'entendait pas ainsi. C'est d'ailleurs pour cela que j'ai passé près de manquer le départ. Ma mère était en larmes et mon père me suppliait de rester. Il me répétait sans cesse que si je partais je tuerais ma mère. Après, mes frères et sœurs se sont mis de la partie. Ils s'agrippaient à mes vêtements l'un après l'autre, comme de vrais enfants. Je ne savais pas qu'ils tenaient à moi à ce point-là. J'étais désespéré. D'un côté, j'avais une envie irrésistible de partir. De l'autre, je ne voulais pas leur faire de peine. Finalement, je les ai suppliés de me laisser aller et je leur ai dit à quel point je les aimais. Quand je les ai quittés, ils étaient tous en larmes ; c'est l'image que j'ai gardée d'eux.

— Cela n'a pas dû être facile.

— Pas vraiment, non, surtout que nous sommes une famille très unie. Pour tout vous dire, ils me manquent, mais j'ai fait mon choix et je l'assume. Mais vous, que faites-vous sur ce navire ?

Marguerite lui raconte ce qui l'a décidée à s'embarquer pour le Nouveau Monde. Pendant qu'elle reprend son souffle, Francis lui dit en souriant :

— Il faut que j'y retourne, si je ne veux pas qu'ils me jettent aux requins. Venez, je vous raccompagne.

— Allez-y, je dois passer à la cuisine.

— À bientôt !

Marguerite est sous le charme. Il n'est pas seulement beau, il est intelligent et sensible. Elle se dirige vers la cuisine. Au moment où elle allait entrer, elle entend des cris, qui ne sont pas des cris de joie. Même si elle craint ce qu'elle va trouver de l'autre côté de la porte, elle la pousse et le spectacle qu'elle a sous les yeux n'a rien de réjouissant. Le cuisinier s'en est pris à son aide et lui a planté un couteau dans le bras. Le pauvre hurle à fendre l'âme. Prenant son courage à deux mains tout en s'efforçant de ne pas regarder le bras blessé de l'homme, elle s'avance et ordonne au cuisinier :

— Sortez d'ici, et vite.

Puis, à l'adresse de l'aide :

— Et vous, ne bougez pas, je vais chercher le chirurgien.

Elle court jusqu'à la cloche et la fait sonner de toutes ses forces. La minute d'après, le chirurgien arrive.

— Suivez-moi, c'est à la cuisine !

Une fois le médecin sur place, elle prend vite un quignon de pain et un bol de soupe et retourne à sa cabine. Il est inutile qu'elle reste à la cuisine, elle ne serait d'aucune utilité. Elle ne supporte pas très bien la vue du sang.

# Chapitre 3

Au moment où Marguerite et Damienne sortent de leur cabine pour aller prendre l'air, elles se font repousser à l'intérieur, d'un geste brusque, par le sieur de Roberval. Dans tous ses états, il s'écrie :

— Barricadez-vous à l'intérieur, et vite ! L'un des prisonniers s'est échappé.

— Mais où voulez-vous qu'il aille ? demande Marguerite, qui voudrait bien comprendre ce qui se passe.

— Ne discutez pas, ajoute-t-il sur un ton qui révèle que le sieur ne tolérera aucune répartie. Faites ce que je vous dis : entrez et fermez la porte à clé. Je viendrai vous avertir quand vous pourrez sortir.

— Venez, entrez vite, dit Damienne en tirant sa maîtresse par le bras. Pour une fois, je suis d'accord avec votre oncle, il vaut mieux rester dans notre cabine jusqu'à ce que les choses se tassent.

— Mais qu'est-ce que vous avez tous ? Nous sommes en pleine mer ! Où voulez-vous qu'il aille ?

— Ma pauvre Marguerite, vous n'avez pas écouté assez d'histoires de pirates.

— Mais nous sommes sur un navire du roi, pas sur un de pirates !

— Je sais, mais les marins ont tous des airs de famille. Pour avoir entendu des dizaines d'histoires sur eux, je vous avoue que, pour le moment, je ne me sens pas vraiment en sécurité. Vous n'avez pas idée de tout ce qu'on peut faire en mer. On a déjà vu des navires changer de capitaine et de direction en une fraction de seconde. Ce sont loin d'être des enfants de chœur que votre oncle a embarqué, vous savez. J'aime mieux ne pas savoir pourquoi ils étaient en prison. Pour tout vous dire, je préfère que ce soit votre oncle qui soit à la tête de l'expédition, plutôt que le meilleur prisonnier qui se trouve à bord.

— Arrête, Damienne, tu es en train de me faire peur. Si eux ne peuvent pas aller bien loin, nous non plus.

— Je n'avais pas l'intention de vous effrayer, mais il vaut mieux être prudentes. Avec ces hommes-là, on ne sait jamais ce qui peut arriver.

Pendant ce temps, sur le pont, le sieur de Roberval et le capitaine tentent de faire entendre raison au prisonnier évadé. Une bonne demi-douzaine d'hommes d'équipage se tiennent de chaque côté d'eux. Le forçat a mis son couteau sur la gorge d'une orpheline et menace de lui couper le cou s'il n'obtient pas ce qu'il veut. La jeune fille est morte de peur. Des gouttes de sueur perlent sur son front. Il la tient si serrée qu'elle ne peut même pas émettre le moindre son. Son visage est rouge écarlate.

— N'empirez pas votre situation, lâchez-la, ordonne le capitaine. Faites ce que je vous dis, et vite, c'est votre dernière chance de vous en sortir.

— Je ne la lâcherai pas tant que vous ne me donnerez pas ce que je veux. Je n'ai plus rien à perdre.

— Vous n'êtes pas vraiment en position de négocier, ajoute le capitaine d'un ton ferme. Vous êtes seul et, en plus, vous ne pouvez aller nulle part. Si j'étais à votre place, je laisserais partir la fille et je retournerais bien sagement à mes occupations.

— Il n'en est pas question, hurle le prisonnier. Si vous ne faites rien, je la tue. Je vous conseille de me prendre au sérieux. C'est invivable sur ce navire de merde. On travaille comme des forcenés, on ne mange pas à notre faim et il fait une chaleur étouffante. La moitié d'entre nous est malade. On n'est pas des chiens! C'est pire qu'en prison, ici! Il faut que cela change!

Au moment où le capitaine allait répondre à l'homme, le sieur de Roberval lui met la main sur le bras pour l'arrêter et lance d'un ton méprisant :

— Sachez qu'on ne vous retient pas, monsieur, vous pouvez y retourner quand vous voulez dans votre palais; mais pour cela, il va vous falloir beaucoup de courage pour nager jusque-là.

Le sieur de Roberval commence à voir rouge.

— Je vous préviens, lance-t-il au prisonnier, ma patience a des limites. Lâchez la fille, sinon je ne réponds plus de rien.

— Je la lâcherai quand vous m'assurerez que les choses vont changer.

Le sieur de Roberval a horreur des choses qui traînent en longueur. Mais il déteste encore plus se faire diriger. Il soutient le regard de l'homme, sort son fusil, le pointe dans sa direction et tire à bout portant sans plus de discussion. La fille, mainte-nant dégagée, pousse un cri strident, avant de prendre ses jambes à son cou. L'homme, pour sa part, s'est écroulé sur le pont dans un grand bruit. D'un air décidé, le sieur de Rober-val s'approche pour s'assurer qu'il est bien mort. Il lui ferme les yeux d'un geste brusque et le pousse du bout de sa botte pour le retourner sur le ventre.

— Faites-le porter dans la cuisine et demandez qu'on l'attache à l'une des poutres, afin qu'il soit bien en vue, dit-il au capitaine. Le voir ainsi devrait en décourager quelques-uns. Nous ne pouvons tolérer une telle attitude. Envoyez quelqu'un pour nettoyer le pont. Je vous attends à la salle de navigation. Et vous, ajoute-t-il d'un ton sec à l'intention des hommes d'équipage, retournez à vos occupations, vous n'avez plus rien à faire ici.

La seconde d'après, il essuie son fusil avec son mouchoir et le range dans la poche de sa veste. Il ne lui reste plus qu'à attendre la visite de l'aumônier, qui ne devrait pas tarder.

Quand il passe à la hauteur de la cabine de sa nièce, il frappe sur la porte à grands coups de poing.

— Tout est rentré dans l'ordre, crie-t-il, vous pourrez sortir dans quelques minutes.

Sans attendre de réponse, le sieur poursuit son chemin. Le vent vient de virer de bord, il faudra peut-être revoir l'itinéraire.

Marguerite et Damienne ont sursauté en entendant les coups frappés à leur porte. Il faut dire que toute cette situation les a rendues passablement nerveuses. Quand le sieur de Roberval leur a intimé l'ordre de rester dans leur cabine, elles se sont blotties l'une contre l'autre sur la paillasse de Damienne et ont prié de toutes leurs forces. Elles ont très bien entendu le coup de feu. Il a retenti si fort qu'elles se sont même demandé s'il n'avait pas traversé les murs de leur cabine.

L'effet de surprise passé, elles se regardent et, d'un air entendu, se dirigent vers la porte pour aller aux nouvelles. En sortant, elles passent près de se heurter aux deux marins qui transportent le cadavre du prisonnier. Les deux femmes n'ont pas besoin d'explication pour comprendre ce qui s'est passé. Marguerite est indignée :

— Comment a-t-il pu oser tirer sur un homme ?

— Ma chère petite, dites-vous qu'il valait sûrement mieux perdre une vie que perdre le contrôle du navire.

— Arrête, Damienne, tu me donnes la chair de poule. Il y aurait certainement eu moyen de discuter.

— Malheureusement, ce n'est pas toujours possible. Je suis loin de tout savoir, mais mon père disait qu'on ne gère pas les choses en mer comme on les gère sur terre. Ici, on n'a pas toujours le temps de discuter. Imaginez un peu si tout un chacun faisait ce qu'il voulait. Le voyage pourrait devenir infernal.

— Et en plus, voilà que tu me parles d'enfer, moi qui tremble de peur en entendant ce mot. Tu ne fais vraiment rien pour me remonter le moral, j'aime autant te le dire.

Concentrée sur ce qu'elle s'apprête à ajouter, Damienne n'a pas fait attention à ce que sa maîtresse vient de dire. Elle poursuit sur sa lancée :

— Si la mer pouvait parler, elle vous raconterait les pires horreurs ! Vous ne pouvez même pas imaginer ce qu'elle vous narrerait. Et n'oubliez pas une chose : votre oncle et le capitaine doivent faire régner l'ordre à bord, à tout prix. C'est la consigne qu'ils ont reçue du roi.

— Tu ne vas pas me dire que c'est pratique courante de tirer sur les gens comme cela ?

— Mon père disait que la mer n'est pas un lieu pour discuter, mais plutôt pour trouver la meilleure solution, le plus rapidement possible. Imaginez, s'il y a un violent orage qui menace d'arracher les voiles, on n'a pas trois heures pour réfléchir à ce qu'on doit faire ; non, on doit agir, et vite, parce qu'il y a des chances que dans une minute il soit déjà trop tard. Vous conviendrez avec moi que, dans un tel cas, il vaut mieux sacrifier les voiles que de se faire renverser par le vent.

— Je comprends pour les voiles, mais pour les hommes, tu n'y penses pas ? Cela veut dire que chaque fois que quelqu'un ne fait pas notre affaire, on le tue. Tout cela n'a aucun sens ! Nous ne sommes pas des milliers. À mon avis, il vaut mieux y aller avec modération si l'on ne veut pas finir le voyage tout seul.

— Vous avez raison sur ce point, mais on dirait que l'homme a besoin de se faire secouer pour connaître les limites qu'on lui impose.

— Dois-je comprendre qu'il risque d'y avoir d'autres rébellions ?

— J'aimerais vous dire non, mais plus ça fera longtemps que nous serons en mer, plus les esprits s'échaufferont. Nous vivons sur une sorte de ville flottante, mais une très petite ville. Nous sommes serrés les uns contre les autres. Et dites-vous que notre cabine est très spacieuse comparée à celle des autres passagers. Pour ce qui est des matelots et des femmes, on ne parle même pas de cabine.

— On dirait que tu y es déjà allée !

— D'une certaine façon, on peut dire cela.

— Un instant, tu ne t'en tireras pas aussi facilement. Viens t'asseoir et dis-moi tout.

— Ah ! C'est bien parce que vous me le demandez. Je n'en ai jamais parlé à personne. J'étais très jeune. Je devais avoir sept ans, huit ans peut-être. Mon père a tenté sa chance en mer.

— Mais attends, j'ai toujours pensé que ta famille était au service de la mienne depuis des dizaines d'années.

— Oui et non. Un jour, mon père a demandé au vôtre de le laisser partir quelques mois ; il s'était engagé sur un navire. Il voulait s'acheter un lopin de terre. C'était son rêve depuis qu'il était enfant. Même s'il était très économe, il n'arrivait pas à amasser assez d'argent. N'allez pas croire que je suis en train de dire que mes parents étaient mal payés par les vôtres ! Je sais jusqu'à quel point nous sommes chanceux d'être à votre service.

Marguerite ne prend pas la peine de relever le dernier commentaire de Damienne. Elle la connaît suffisamment pour savoir que jamais la servante n'oserait critiquer ses conditions de vie à ses côtés.

— Eh bien ! poursuit Damienne, on lui avait promis mer et monde. Il travaillerait sur un navire qui se rendait dans les Caraïbes pour aller chercher des épices et des tissus. Il serait en mer six mois, tout au plus, et reviendrait avec plus d'argent en poche qu'il lui en fallait pour acheter son bout de terrain. Il était enchanté par cette idée. Ma mère, elle, ne cessait de lui demander s'il était bien certain de vouloir partir. Elle n'aurait pas pu l'expliquer, mais elle avait peur pour lui, ce qui n'était pas dans ses habitudes. Le jour de son départ, nous sommes allées à Saint-Malo avec lui, et là, nous avons vu ce que nous aurions préféré ne jamais voir. Mon père n'avait pas encore mis les deux pieds sur le pont qu'un des hommes d'équipage le bousculait pour le faire avancer. Ma mère criait : « Nicolas, reviens ! Nicolas, reviens ! » Mais il était trop tard pour faire marche arrière ; en fait, il était trop tard pour mon père. Son orgueil en aurait trop souffert. Quelques secondes après, il disparaissait de notre vue. Ma mère a pleuré tout le long du chemin du retour. Elle a aussi pleuré durant tout le temps que mon père a été parti. Quand il est enfin revenu, six mois plus tard, il était décharné. En si peu de temps, il avait vieilli d'au moins dix ans. C'est juste à sa voix que j'arrivais à le reconnaître. Ma mère l'a soigné jour et nuit jusqu'à ce qu'il soit de nouveau en forme, mais il n'a plus jamais été le même homme. Il était devenu secret et pensif. Son regard était d'une telle tristesse qu'il faisait peur à voir. Chaque fois que maman lui posait des questions sur ce qui s'était passé sur le bateau, il refusait de répondre ; mais un jour elle lui a dit qu'elle avait le droit de savoir. Ils me croyaient endormie, mais j'ai tout entendu.

Damienne prend une grande respiration. Marguerite se garde bien d'interrompre sa servante. Elle voit à quel point c'est difficile pour cette dernière de parler de tout cela. C'est d'ailleurs la première fois qu'elle l'entend raconter quelque chose qui la touche autant. Damienne ne parle jamais d'elle.

— Il a raconté à ma mère qu'ils étaient une centaine de matelots. Ils travaillaient sans relâche à raccommoder les voiles déchirées, ils astiquaient les ponts pour en enlever l'eau et le sel, ils pompaient l'eau, réparaient les cordages et les grandes pièces de bois, un peu comme sur notre navire. Et ça n'arrêtait jamais. Ils dormaient à peine.

— C'est sérieux ?

— Jour après jour, on leur donnait à manger une espèce de porridge froid, fait avec du mil battu. En raison de la chaleur qui régnait sur le navire, tout ce qui était périssable était vite infesté de vers. Il disait que les hommes mangeaient à la noirceur pour ne pas les voir. Mais tout cela, c'était quand il y avait à manger. Ils étaient trop nombreux ; ils n'avaient pas pu emporter assez de provision pour nourrir tout l'équipage durant la totalité du voyage.

— Es-tu en train de me dire que, tôt ou tard, nous allons être privées de nourriture ? lui demande Marguerite.

— Ne vous inquiétez pas pour nous. En haut, on ne manquera de rien, mais c'est différent pour les membres de l'équipage ; enfin, ce l'était sur le navire de mon père. Pendant que les matelots crevaient de faim, les invités du capitaine jetaient de la nourriture par-dessus bord après chaque repas.

— Mais j'y pense, ils auraient pu pêcher ! s'exclame Marguerite, la mer est remplie de poissons !

— Il paraît qu'ils n'avaient pas le temps. Autre chose, quand les hommes ne travaillaient pas assez vite, on les rouait de coups.

— C'est insensé ! lance Marguerite, indignée par tant d'injustice.

— Je suis d'accord avec vous, mais attendez, ce n'est pas fini ! La maladie les rongeait les uns après les autres : ils avaient le scorbut, ils faisaient de la fièvre. Malades, affamés et affaiblis par le manque de sommeil, ils accomplissaient leurs tâches sans rechigner, se demandant s'ils passeraient à travers cette fois encore. Et le pire, c'est que mon père croyait s'être embarqué sur un navire du roi, alors qu'en réalité c'était un navire de pirates.

— Des pirates ? répète Marguerite d'un air étonné, quelle horreur !

— D'habitude, ils ont la réputation de bien traiter leur équipage, c'est du moins ce que mon père a raconté, mais c'est comme dans tout, il y a des exceptions, et lui est tombé sur un mauvais capitaine. Pauvre homme. En plus de revenir les poches presque vides, il y a laissé sa santé et sa joie de vivre. Imaginez un instant que vous vivez dans un espace réduit, encore plus réduit que sur ce navire, et que les rats se promènent sur vos pieds en vous mordant au passage. Imaginez que là où vous dormez, l'odeur est insupportable. Imaginez un instant une centaine d'hommes qui suent à longueur de journée et qui croient dur comme fer que la crasse va les protéger des brises marines.

— J'aime mieux ne pas y penser ! Je ne peux pas croire que personne ne se lavait.

— Les gens qui se lavaient passaient pour des cinglés, alors ils préféraient faire comme le reste du groupe.

À ces mots, Marguerite frissonne. Il faut dire que jusqu'à maintenant elle n'a pas connu la misère, loin de là.

— Comment a-t-il fait pour passer au travers ? demande Marguerite.

— Je n'en ai aucune idée. Des cent matelots qui sont montés à bord, seulement cinquante sont revenus.

— C'est terrible ! Ce ne doit pas être pire que cela en enfer. Je suis vraiment désolée. Je comprends maintenant pourquoi monsieur Nicolas a toujours eu l'air d'un vieillard ; enfin, c'est l'image que j'avais de lui quand j'étais petite. Mais dis-moi, qu'est-il advenu des cinquante hommes qui ne sont pas rentrés au pays ?

— Je vous raconterai cela un autre jour, vous voulez bien ?

— D'accord, mais je ne peux pas croire qu'il se passe la même chose sur notre navire et je vais en avoir le cœur net. Viens, allons voir.

— Au risque de vous manquer de respect, Marguerite, je n'irai pas dans les quartiers des hommes et vous devriez faire de même. Ce n'est pas pour rien que votre oncle vous a installée dans sa cabine.

Marguerite, qui aurait voulu en savoir plus, réfléchit quelques secondes et dit :

— Disons que ce n'est que partie remise.

— Venez, il est l'heure d'aller manger. Vous savez à quel point votre oncle tient à ce qu'on soit là à temps.

— Je vais t'accompagner pour la forme, mais moi, je ne pourrai pas avaler une seule bouchée. C'est trop d'émotions pour une même journée.

La nuit venue, Marguerite fait des cauchemars en boucle. Elle est prisonnière d'un pirate, sur une grande île aux plages de sable blanc. Elle fait de nombreuses tentatives pour s'échapper, sans succès. À son grand désespoir, le pirate ressemble en tous points à Francis. Elle se réveille à plusieurs reprises, le front couvert de sueur. Chaque fois, elle regarde autour d'elle. Quand elle voit Damienne qui dort à poings fermés à son côté, elle se retourne, ferme les yeux et attend de succomber de nouveau au sommeil. À son réveil, Damienne lui dit :

— On dirait que vous n'avez pas fermé l'œil de la nuit.

Pour toute réponse, Marguerite marmonne :

— Ne me parle plus jamais de pirate.

La seconde d'après, elle se retourne et tombe dans un sommeil profond.

# Chapitre 4

— Allez, paresseuse, s'écrie Marguerite en brassant sa fidèle servante. Il est grand temps de te lever, nous avons une grosse journée devant nous. Debout ; sinon, tu vas devoir te passer de déjeuner.

— Mais le soleil est à peine levé, lance Damienne, et le déjeuner n'est servi qu'à sept heures. Nous avons tout notre temps.

Damienne se frotte les yeux pour se réveiller. C'est alors qu'elle se dit que sa maîtresse a sûrement pensé à quelque chose.

— Dites-moi plutôt ce que vous avez en tête, ajoute-t-elle d'une voix encore endormie.

— Eh bien ! j'ai décidé qu'à compter d'aujourd'hui nous allons mettre la main à la pâte nous aussi. Tout le monde travaille à longueur de journée sur ce navire ! Tout le monde, sauf nous. J'en ai assez de ne rien faire. Et ce n'est pas juste pour ceux qui travaillent.

Damienne connaît Marguerite comme le fond de sa poche. Elle savait depuis le début du voyage qu'un jour ou l'autre la jeune femme se fatiguerait de dessiner, de lire ou de faire de menus travaux à l'aiguille, alors qu'elle voit tout le monde s'activer autour d'elle comme les abeilles dans une ruche. Pour être franche, Damienne en avait assez elle aussi de ne rien faire. Pour elle, le travail, c'est la santé. À Pontpoint, elle commençait ses journées à cinq heures trente le matin et ne s'arrêtait jamais avant que le soleil soit couché. D'ailleurs, elle est de plus en plus à l'étroit dans ses vêtements depuis qu'elle est en mer. Elle a beau manger peu, elle engraisse à vue d'œil. En écoutant Marguerite, elle imagine déjà la réaction de son oncle. Elle est prête à gager que cela ne fera pas son affaire du tout.

— Ce n'est pas pour vous contredire, mais les autres nobles ne font rien eux non plus.

— Alors nous leur montrerons l'exemple. Si je continue, ne serait-ce qu'un jour à ne rien faire de valable, je vais devenir folle. J'ai besoin de me rendre utile. Nos deux paires de bras ne seront pas de trop, crois-moi.

— Je ne sais pas si vous êtes au courant, mais il n'y a pas de petits travaux ici. Tous, sans exception, demandent de la force et de l'endurance, bien plus que vous pouvez l'imaginer. À part réparer les voiles et les vêtements, je ne vois pas ce que nous pourrions faire, et là encore, ce ne sont pas des tâches de tout repos. J'aime mieux vous le dire, vous risquez de trouver cela bien difficile.

— Je suis prête à apprendre et le travail ne me fait pas peur. À moins que tu craignes de ne pas être à la hauteur.

— Ne vous en faites pas pour moi, les gros travaux, cela me connaît. Mais votre oncle n'acceptera jamais que vous vous mêliez aux membres de l'équipage, «au peuple», comme il se plaît si bien à le dire.

— Laisse mon oncle en dehors de tout cela. Je suis assez grande pour décider de ce que je veux faire. Allez, dépêche-toi, je te donne deux minutes pour te préparer.

— Oui, mon commandant, répond Damienne d'un ton qu'elle veut sérieux.

Au fond d'elle-même, Damienne jubile. Enfin, elle va pouvoir se dégourdir un peu et, surtout, avoir l'impression de ne pas se lever pour rien, matin après matin. Certes, elle souhaite parfois avoir une meilleure vie que la sienne, mais certainement pas une vie comme celle des nobles.

\* \* \*

Quand elles rejoignent les autres femmes, ces dernières arrêtent de travailler. Toutes gardent le silence et observent les deux intruses de haut en bas. Damienne se retient de parler. Ces femmes-là, elle les connaît. Elles sont de son monde. Elle sait que Marguerite fait preuve d'un grand courage en les affrontant, mais elle sait aussi qu'elle n'aiderait pas sa maîtresse si elle intervenait tout de suite. À son tour, la servante les fixe droit dans les yeux, une à une. Aucune des femmes n'est prête à les accueillir sans d'abord être certaine que cela en vaut la peine. Toutes ont été abusées, trompées et blessées plus d'une fois. Quand on travaille dans la rue, on ne compte plus les blessures. Et quand on est orpheline, on apprend vite qu'il vaut mieux ne pas faire confiance à tout le monde. Marguerite soutient leur regard et leur sourit gentiment. N'y tenant plus, elle les salue avant de lancer :

— Nous voulons faire notre part. Vous pouvez nous dire quoi faire ?

Avant même de lui répondre, plusieurs échangent quelques commentaires :

— Non mais vous avez vu comment elle est attriquée, la demoiselle ? déclare l'une d'entre elles. À voir la finesse de sa robe, je ne lui donne pas la journée et elle sera pleine de trous. Et vous avez vu ses chaussures ? Le cuir est si fin qu'un peu d'eau salée suffira à les abîmer.

— Je l'entends déjà se plaindre du mal de dos, de dire une autre.

— Moi, je parie qu'elle n'a jamais travaillé de toute sa vie, ajoute la plus âgée de toutes. Regardez ses mains. Elle aura les doigts plein d'ampoules en un rien de temps, la pauvre. Non, elle ne tiendra pas le coup, c'est impossible.

Cette fois, Damienne en a assez entendu. Elle s'avance et dit haut et fort :

— Moi, si j'étais à votre place, je sauterais sur l'occasion. Pensez-y, deux paires de bras de plus, c'est du travail en moins pour vous. Ne vous inquiétez pas pour Marguerite, elle a du cœur au ventre, vous verrez. Laissez-lui au moins une chance !

Les femmes regardent toutes la jeune fille. Elles l'examinent dans ses moindres détails. C'est qu'elles n'ont pas l'habitude de frayer avec les gens de la noblesse.

— Venez ici, ma petite dame, s'écrie enfin Marie-Louise, une grande blonde à la poitrine bien ronde. Je vais vous montrer comment on répare les voiles. Et vous, ajoute-t-elle à l'intention de Damienne, occupez-vous de réparer les cordages avec Anne, là-bas. C'est la petite rousse au fond.

Marguerite est contente de la tournure des événements. Pendant un moment, elle a craint que les femmes refusent leur aide. Elle rejoint Marie-Louise et écoute attentivement ses instructions. Marguerite travaille sans relâche, jusqu'à ce que son oncle passe par là. Quand il la voit, il s'arrête net et s'écrie :

— Qui t'a autorisée à venir traîner ici ? Retourne dans ta cabine, et vite. Ces travaux ne sont pas de ton rang.

Il se tourne ensuite vers Damienne et ajoute :

— Vous aussi. Tenez-vous-le pour dit, je ne veux pas avoir à vous le répéter, c'est compris ?

Mais aucune des deux ne bouge. Mécontent de les voir défier son autorité, le sieur de Roberval sent la moutarde lui monter au nez. La seconde d'après, il s'emporte :

— Marguerite, je t'ai dit de retourner dans ta cabine avec Damienne, maintenant.

Cette fois, ça en est trop pour Marguerite. Elle s'approche de son oncle et lui dit, en le toisant :

— Je ne retournerai pas dans ma cabine, lui répond-elle d'une voix douce, mais ferme, sauf pour aller dormir. J'ai décidé de travailler, comme toutes les femmes, et je ne changerai pas d'avis, que cela vous plaise ou non. Si c'est tout ce que vous aviez à me dire, vous allez m'excuser, mais le travail m'appelle.

Le sieur de Roberval est rouge jusqu'à la racine des cheveux, tellement il est en colère. Sa nièce est aussi têtue qu'une mule et elle se permet de lui faire perdre la face devant des membres de son équipage. Cette fois, elle a dépassé les limites et a besoin d'une bonne leçon.

— Tu devrais savoir que je n'accepte pas qu'on ne m'obéisse pas. Je serai donc dans l'obligation de te punir.

— Je vous écoute, répond fièrement Marguerite, mais faites vite, car j'ai à faire.

Si elle était à sa portée, il lui administrerait une claque en arrière de la tête, dont elle se souviendrait toute sa vie, mais il vaut mieux qu'il se contienne. Marguerite n'est pas sous ses ordres. Peu importe comment elle agit, avant toute chose, elle est un membre de sa famille. Et il n'a pas les moyens de se la mettre à dos. Par contre, il ne peut pas tolérer un tel comportement, pas devant les autres. Elle peut bien travailler jour et nuit si cela lui chante, il va d'abord falloir qu'elle mérite sa place. Et lui, le sieur de Roberval, refuse de perdre la face. Aussi la punition qu'il va lui donner doit-elle être percutante pour tout le monde. S'il ne s'agissait pas de sa nièce, ce serait vite réglé ; mais là, il doit quand même la ménager un peu.

— Pour ta punition, déclare-t-il d'un ton sévère, comme tu as l'air de t'amuser, tu devras travailler jusqu'à la tombée de la nuit, sans rien boire ni manger. Et demain, tu répéteras le même exercice. Après cela, on verra bien si tu veux toujours travailler à la sueur de ton front.

Puis il se tourne vers Damienne et lui dit :

— Pour vous, la punition est doublée et, à compter d'aujourd'hui, je veux vous voir au travail de l'aurore jusqu'au coucher du soleil, beau temps mauvais temps. Est-ce que je me suis bien fait comprendre ?

Damienne ne laisse paraître aucune réaction. Pour sa part, Marguerite regarde son oncle, le visage impassible. Elle a bien saisi son petit jeu et elle trouve cela honnête, sauf pour Damienne. C'est pourquoi elle se permet d'ajouter, au moment où son oncle allait tourner les talons :

— J'accepte d'être punie, mais je refuse l'injustice. Vous le savez, là où je suis, Damienne y est. C'était la condition pour que je sois du voyage et elle n'a pas changé. Alors Damienne me suivra où que j'aille, et pour vous prouver ma bonne foi, je ferai quatre jours en ligne moi aussi.

— C'est comme tu veux, Marguerite, lui dit son oncle sans se retourner, libre à toi de souffrir encore plus.

La seconde d'après, le sieur de Roberval disparaît de leur vue. Au même moment, toutes les femmes poussent une grande expiration, un peu comme si elles avaient retenu leur souffle pendant un moment. Aucune ne se permet de faire le moindre commentaire. Même si le sieur de Roberval n'a pas levé la main sur l'une d'elles, elles le craignent. Pour son ton brusque et haut perché. Pour sa manière forte de régler les problèmes. Pour son dédain des petites gens comme elles. Elles ont vite compris qu'avec lui il n'est pas possible de se rapprocher des nobles présents sur le navire. Dès la première journée, il a édifié une forteresse autour d'eux, et gare à celle qui tenterait de l'escalader. Le maître à bord a la mèche courte et elles l'ont compris depuis longtemps. Elles ont d'ailleurs eu le temps d'admirer à loisir le corps du marin qui a osé revendiquer un meilleur sort. Quand il a enfin été jeté à la mer, il dégageait une odeur si nauséabonde que plusieurs préféraient se priver de manger, et ainsi ne pas le sentir. Cette mise en scène a eu les effets escomptés ; depuis, tous travaillent sans rechigner, et pourtant les conditions de vie sont loin de s'être améliorées à bord.

— Bon, au travail, lance Marguerite pour dérider un peu l'atmosphère. Croyez-vous être en mesure de me trouver assez de travail jusqu'à ce que le soleil se couche ?

— Vous n'avez aucune crainte à avoir, lui répond joyeusement Marie-Louise. Vous pouvez travailler jour et nuit si vous le voulez, il y aura toujours à faire. Vous avez vu dans quel état sont les voiles ? Rien que pour réparer celle-ci, nous en avons pour une bonne semaine et c'est sans compter celles qui attendent à la cale.

— Je suis prête, s'écrie Marguerite.

— Si vous me permettez un petit conseil, ajoute Marie-Louise, prenez votre temps si vous ne voulez pas avoir les mains pleines d'ampoules avant la fin de la journée. J'aime autant vous avertir, le capitaine n'aime pas quand les voiles sont tachées de sang. Même s'il est moins dur que votre oncle, croyez-moi, il a son franc-parler lui aussi.

— C'est promis, répond Marguerite, je vais faire très attention de ne pas laisser ma trace sur les voiles.

Quand le soleil se couche enfin, Marguerite est à bout. Il y a déjà un bon moment que ses doigts ne lui obéissent plus, mais quand les femmes ont vu avec quel acharnement elle travaillait, elles l'ont prise sous leur aile et la couvre chaque fois que son oncle fait son apparition. Marguerite est si fatiguée qu'elle ne pourrait pas travailler une seule minute de plus. Elle fait signe à Damienne et les deux femmes prennent le chemin de leur cabine. Ce soir-là, elles n'échangent pas un seul mot, elles retirent leurs chaussures et leurs vêtements, se préparent pour la nuit et se laissent tomber sur leur paillasse. La seconde d'après, elles dorment à poings fermés et ouvrent les yeux lorsque le soleil se pointe ; le petit matin est venu beaucoup trop vite.

# Chapitre 5

Pendant les quatre jours que dure la punition, le sieur de Roberval se pointe plusieurs fois pour s'assurer que les deux femmes
sont à leur poste. Il ne manque pas non plus une occasion de les
reprendre devant les autres femmes. Damienne supporte le tout
sans difficulté, elle en a vu d'autres. Marguerite, pour sa part, se
retient de toutes ses forces de ne pas rouspéter. Elle a compris
que cette fois il vaut mieux qu'elle se taise. Jamais son oncle
n'acceptera de perdre la face devant qui que ce soit, encore moins
devant les personnes à bord. Chaque fois qu'il quitte la place, elle
ne manque pas de chialer un bon coup, ce qui fait sourire les
femmes. Elles se font de plus en plus confiance. Elles se taquinent
et rient de bon cœur.

Il arrive que Marguerite leur pose des questions sur leur vie
d'avant. Marie-Louise, la plus loquace, ne se fait jamais prier
pour raconter une histoire croustillante. Évidemment, le personnage principal est toujours un noble, la plupart du temps un
proche de la cour du roi. Même qu'une fois c'est le roi lui-même
qui s'est retrouvé devant elle. Il était complètement bourré et il y
a fort à parier qu'il ne se souvenait plus de rien le lendemain
matin, mais Marie-Louise, elle, se rappelle de tout. Il chantait à
tue-tête et ne cessait de lui faire des compliments au sujet de la
couleur de ses yeux, de la grosseur de ses seins, de la rondeur de
ses fesses, et de la beauté de sa bouche. Il lui disait aussi combien
il aimait la vie, et surtout les femmes.

— Vous auriez dû le voir, dit Marie-Louise, il était comme
vous et moi : heureux et enjoué, même. S'il n'avait pas eu sa
chevalière au doigt, jamais je n'aurais cru que c'était le roi.

— Ce que vous venez de dire ne m'étonne pas, dit Marguerite.
La rumeur veut qu'il voie aux affaires du pays seulement quand

il n'y a plus de femmes autour de lui. On peut dire que c'est un drôle de souverain.

— En tout cas, moi, j'aime mieux penser que notre pays est dirigé dans la joie par le roi actuel, au lieu de l'être par…

Marie-Louise hésite quelques secondes avant de poursuivre :

— … votre oncle, par exemple.

— Je suis bien d'accord avec vous, se dépêche d'ajouter Marguerite, avant d'éclater de rire. J'imagine la scène d'ici.

Elle est vite imitée par les autres femmes. Toutes rient de bon cœur. Depuis qu'elles ont mis les pieds sur le navire, elles travaillent d'arrache-pied, mais comme le climat de travail est bon, elles y trouvent leur compte.

C'est à ce moment précis que Francis fait son entrée. Quand il voit Marguerite, il vient à sa hauteur, la salue en soulevant son couvre-chef et lui dit :

— On m'avait dit que vous y alliez de votre contribution, je voulais voir comment vous vous en tirez. Montrez-moi vos mains.

Marguerite se sent rougir de la tête aux pieds. La seule vue du jeune homme lui rappelle à quel point elle le trouve séduisant. D'ailleurs, elle doit bien reconnaître que jusqu'à maintenant aucun homme ne lui a fait autant d'effet. D'un air gêné, elle lui montre ses mains, sans relever la tête. Conscient de la douleur que la jeune femme doit ressentir en raison de toutes ces ampoules encore apparentes, il prend ses mains dans les siennes pour les retourner. Marguerite se sent défaillir. La chaleur des mains de Francis la bouleverse au plus haut point.

— Ma pauvre Marguerite, comment faites-vous pour travailler ?

Dans un effort ultime, elle relève la tête et fixe son regard dans celui du jeune homme avant de répondre :

— Vous savez, mes mains ressemblent en tous points à celles des femmes ici présentes.

— Mais elles ont l'habitude ; pas vous.

— J'ai bien l'intention de m'habituer, ajoute-t-elle doucement. Quand je prends mes repas, maintenant, j'ai l'impression de mériter de manger, alors qu'avant c'était loin d'être le cas. Le navire est un bien petit espace, où chacun doit mettre du sien, même la nièce du commandant.

— C'est tout en votre honneur, ajoute Francis en s'inclinant légèrement pour saluer le courage de Marguerite. Bon, vous allez m'excuser, je dois retourner travailler.

Le charpentier a à peine quitté la place que Marie-Louise se dépêche de dire à la jeune noble :

— Vous avez vu comment il vous regardait ? Je mettrais ma main au feu qu'il se meurt d'amour pour vous.

— Un peu de sérieux, réplique Marguerite, ce n'est pas parce qu'un homme se préoccupe de notre bien-être qu'il est forcément amoureux de nous. Non, je pense que c'est juste parce qu'il est bien élevé.

— Allez dire cela à d'autres que moi. Je sais ce que j'ai vu, croyez-moi. La façon dont il vous regardait, cela ne trompe pas. Avouez qu'il vous plaît.

À ces mots, Marguerite redevient rouge écarlate, ce qui n'échappe pas aux femmes. Voyant l'inconfort de sa jeune maîtresse, Damienne vient à son secours :

— Allez, laissez-la tranquille un peu, vous voyez bien que vous la mettez dans l'embarras.

Marguerite ne cesse de penser à Francis. Chaque fois qu'elle sort de sa cabine, elle prie pour le croiser. C'est la première fois que cela lui arrive. Elle s'endort en pensant à lui. Elle se réveille en pensant à lui. Pour être franche, il hante toutes ses pensées, et ce, peu importe ce qu'elle est en train de faire. Quand il a tenu ses mains dans les siennes, tout à l'heure, elle n'avait qu'une envie : fermer les yeux pour se laisser bercer par sa chaleur. Chaque nuit, elle rêve qu'il la prend dans ses bras, qu'il l'embrasse doucement dans le cou, sur le front, sur les paupières et sur le nez, pour enfin effleurer ses lèvres. La passion qui les consume les bouleverse. Ils espèrent déjà que leur amour les conduira dans les bras l'un de l'autre. Elle donnerait tout ce qu'elle possède pour que son rêve devienne réalité.

En ce qui concerne ses affaires de cœur, Marguerite n'a encore rien dit à Damienne au sujet de Francis. C'est son secret, et elle entend bien le garder le plus longtemps possible ; mais avec ce qui vient d'arriver, elle sait bien que les choses ne seront plus jamais pareilles. Aucune des femmes ne manquera le moindre regard qu'elle et Francis échangeront pendant la messe, par exemple, ou quand il viendra chercher les voiles réparées. En tout cas, une chose est certaine : il vaut mieux que son oncle ne sache rien de tout cela. « Pourvu que les femmes tiennent leur langue » pense-t-elle. Comme elles le craignent toutes, il serait très étonnant qu'elles aillent vendre la mèche. « Je suis certaine que je ne coure aucun risque avec elles. Depuis le temps, je suis des leurs ; enfin, je le crois, mais je devrais en glisser un mot à Damienne. »

Ce soir-là, quand elles se mettent au lit, Marguerite se décide enfin à parler. Elle avoue à sa servante qu'elle a le béguin pour Francis. Pour toute réponse, Damienne lui sourit.

— Tu ne vas pas me dire que tu étais au courant ? lance la jeune noble.

— C'était facile à voir, répond Damienne. Chaque fois que vous le voyez, vous devenez toute rouge, vous avez chaud et vous bafouillez aussi.

— Moi qui voulais être discrète, c'est raté.

— Rassurez-vous, jusqu'à aujourd'hui, j'étais sûrement la seule à s'en être aperçue.

— C'est justement de cela que je voulais te parler. Crois-tu que les femmes vont en dire un mot à mon oncle ?

— Ne vous inquiétez pas, elles vous estiment trop pour cela. Elles vous considèrent comme leur sœur. Au contraire, elles vont vous protéger.

— Merci, Damienne, tes paroles me font du bien.

— Dormez en paix et rêvez à votre beau prince, autant que vous le voulez.

— Mais dis-moi, qu'est-ce qui va nous arriver si les femmes ont raison d'avancer que Francis ressent quelque chose pour moi ? La traversée est loin d'être finie. Nous en avons encore pour un bon mois à être captifs, et même lorsque nous serons à terre, je ne vois pas comment les choses pourront s'améliorer. Et puis, j'aime autant ne pas imaginer la réaction de mon oncle le jour où il s'en rendra compte. Avec toutes ses idées bien arrêtées au sujet de la noblesse et du peuple, on peut s'attendre au pire avec lui.

— Ne pensez pas à tout cela maintenant ; laissez aller les choses au lieu de vous inquiéter inutilement. Pour le moment, il y a bien pire que cela.

— De quoi parles-tu ?

— Vous savez comme moi qu'il y a près d'une semaine que nous n'avons plus d'eau potable. S'il ne pleut pas bientôt, nous allons avoir de sérieux problèmes.

— Et nous n'aurons plus de bière ni de vin, ajoute Marguerite en riant. Tu as raison, me voilà à discourir sur ma petite personne alors qu'il y a bien plus grave que cela. Préparer les repas avec de l'eau de mer nous fait épargner beaucoup de sel, mais les aliments sont trop salés, ce qui donne encore plus soif. Il ne nous reste qu'à prier pour que la pluie tombe et remplisse les barques et les barils.

— Moi, je vous garantis qu'il va tomber des cordes cette nuit. Comme je le dis souvent, mes jambes me font tellement souffrir que je les décrocherais pour la nuit si je le pouvais.

À ces mots, Marguerite éclate de rire. Elle imagine un instant Damienne sans ses jambes. Prise de remords, soudain, elle dit :

— Je suis désolée, je n'ai pas le droit de rire de ton malheur. Je te plains de tout mon cœur d'avoir des douleurs aux jambes, mais tu me fais tellement rire avec tes expressions ! À demain, Damienne ! Je vais prier pour qu'il pleuve à seaux.

— À demain, ma chère Marguerite !

Puis Damienne ajoute, tout bas, pour que Marguerite ne l'entende pas :

— À demain, ma fille adorée. Je suis tellement fière de toi.

Damienne ne l'a jamais dit à personne, mais elle aurait vraiment voulu être mère. Elle aurait pu se marier comme toutes les femmes de son rang ; elle a eu plusieurs demandes en mariage, mais elle a repoussé tous ces prétendants du revers de la main. À cette époque, elle trouvait qu'aucun de ceux-ci n'était à la hauteur de ses attentes. Elle souhaitait vraiment avoir des enfants, mais elle n'était pas prête à sacrifier sa qualité de vie. Certes, elle était servante, mais elle profitait des largesses de ses maîtres et avait une vie meilleure que la majorité des petites gens. Elle savait que le mariage l'aurait contrainte à une vie de misère ; elle aurait toujours dû faire l'impossible pour mettre quelque chose à manger sur la table. Elle ne voulait pas de cette vie pour les siens. Les années ont passé et le temps des demandes en mariage a pris fin. Ses parents ont vieilli et elle a repris le flambeau. Elle servirait la famille de Roberval à son tour. Puis Marguerite est venue au monde. Elle était si mignonne avec ses joues potelées et son teint rosé. Ce jour-là, en la prenant dans ses bras, Damienne s'est promis de veiller sur elle toute sa vie. Comme la santé de la mère de Marguerite était déjà chancelante, Damienne a pris la jeune noble en charge, comme s'il s'était agi de sa propre fille. D'ailleurs, au fond d'elle-même, c'est comme cela qu'elle la perçoit. Elle l'aime de tout son cœur, aussi fort qu'une mère aime son enfant. Elle donnerait sa vie pour elle. Il lui arrive de penser qu'elle ne survivrait pas si Marguerite disparaissait. Elle est toute sa vie. Elle est tout ce qu'elle aime. Elle est ce qu'elle a de plus précieux. Au fil des années, une relation peu commune s'est nouée entre les deux femmes, surtout depuis la mort de la mère de Marguerite. Quand le père de cette dernière a quitté ce monde, elles se sont encore plus rapprochées l'une de l'autre.

Quand Marguerite lui a révélé son intention de partir pour le Nouveau Monde, Damienne a essayé de la faire changer d'idée. Elle en a même perdu le sommeil pendant plusieurs nuits. Elle comprenait l'emballement de la jeune femme pour cette grande aventure, mais elle connaissait aussi les dangers qui s'y rattachaient. Voyant qu'elle n'arriverait pas à faire changer sa jeune maîtresse d'idée, elle a fini par se rallier à elle.

— Je comprendrais très bien que tu n'aies pas envie de faire ce voyage, lui disait Marguerite.

— Il n'est pas question que vous y alliez seule, répondait-elle, je vais vous accompagner.

Elle s'en souvient comme si c'était hier. Marguerite était si contente qu'elle lui avait sauté au cou et l'avait embrassée sur les deux joues. Damienne en avait les larmes aux yeux. Elle ne pouvait pas lui résister, et ce, depuis son premier battement de cils.

Avant de s'endormir, Damienne s'essuie les yeux, se tourne sur le côté et attend que le sommeil vienne la chercher pour l'amener dans un autre monde, imaginaire, celui-là. Elle doit bien l'avouer, la vie sur le navire n'a rien de reposant. Elle ne le dira pas à Marguerite, mais elle préférait de loin la vie à Pontpoint. Être captive ici ne l'enchante pas du tout, même si maintenant elle supporte bien le tangage. À son âge, elle rêve d'une vie tranquille et facile.

# Chapitre 6

C'est sous une pluie battante et froide que tous assistent à la messe ce dimanche-là. Comme à leur habitude, les trois navires sont côte à côte, afin que tout le monde entende bien les paroles de l'aumônier.

— Mes bien chers frères, mes bien chères sœurs, voyez une fois de plus à quel point la prière est puissante. Nous n'avions plus d'eau potable. Nous avons prié et voilà qu'il mouille depuis près d'une semaine.

On ne saurait dire de qui vient le commentaire, mais celui-ci n'a échappé à personne :

— La prochaine fois, il faudrait peut-être prier moins fort.

Tous éclatent de rire à ces paroles. Seul l'aumônier fait mine de n'avoir rien entendu. Tous les fidèles sont trempés jusqu'aux os. La pluie est froide. Certains claquent des dents tellement ils sont gelés, et à l'exception de quelques-uns, personne n'a de vêtements de rechange. Plus l'office s'étire, plus les croyants toussent. Encore là, seul l'homme de Dieu semble ne rien remarquer. Il termine une prière pour en commencer immédiatement une autre, aucunement à l'écoute de ses ouailles. Il faut dire qu'outre les quelques nobles et le capitaine il est le seul à être à l'abri, ce qui n'est pas rien. Même si on est au mois de juin, le temps n'est pas le même en mer que sur le continent. Les nuits sont encore très fraîches pour cette période de l'année. Étant donné que la plupart des membres de l'équipage dorment sur le pont sans couverture, il n'est pas surprenant qu'ils finissent par attraper froid.

Bien installée sous le pont avec les autres nobles, Marguerite est mal à l'aise. Elle préférerait être avec les femmes. Elle a bien voulu en parler à son oncle avant la cérémonie, mais Damienne l'a convaincue de ne pas le faire.

— Comptez-vous chanceuse qu'il ait accepté que vous mettiez la main à la pâte. Paraître aux côtés des nobles une petite heure par semaine n'est pas si terrible, vous ne pensez pas ?

— Mais ce n'est pas juste ! s'écrie Marguerite.

— Vous savez, Marguerite, la vie est tout sauf juste, et même avec la meilleure volonté du monde, ni vous ni moi ne pourrons rien y changer.

— Je vais y réfléchir.

Damienne n'aime pas beaucoup quand Marguerite lui répond qu'elle va y réfléchir ; mais que peut-elle faire de plus, sinon attendre que sa maîtresse fasse le tour de la question ? Quand elle l'a vue se diriger sous le pont, avant que la messe débute, elle a recommencé à respirer librement.

Du coin de l'œil, Marguerite surveille Francis. Il est à l'arrière, appuyé à une colonne. De temps en temps, leurs regards se croisent, au grand plaisir de la jeune femme. Elle lui sourit discrètement. Depuis le début de la traversée, elle a compris qu'il vaut mieux ne pas contrarier son oncle. Lui avouer qu'elle est amoureuse du charpentier ne lui ferait certainement pas plaisir.

Ces derniers jours, elle n'a pas eu la chance de parler avec Francis. Comme les grands vents ont été de la partie la plupart du temps, plusieurs pièces de bois ont dû être remplacées. Francis a même été obligé de donner un coup de main aux charpentiers des deux autres navires ; c'est ce que les femmes ont dit à Marguerite, alors qu'elles la trouvaient bien songeuse.

Le voir, même à distance, lui fait du bien. Elle n'a qu'à fermer les yeux pour sentir la chaleur de ses mains sur les siennes. Elle sait que ce n'est pas convenable, mais elle rêve de plus en plus souvent que les mains du jeune homme se baladent sur son corps. C'est d'ailleurs ce qui lui permet de tenir le coup au travail. Elle ne se plaint pas, mais exécuter ses tâches sur le navire, c'est ce qu'elle a fait de plus difficile de toute sa vie.

Même les cheveux collés au visage, il est encore, à ses yeux, le plus bel homme qu'il lui ait été donné de voir. Si elle ne se retenait pas, elle courrait jusqu'à lui et se jetterait dans ses bras. En fait, c'est tout ce qu'elle a envie de faire, et cette idée la rend très mal à l'aise. Marguerite est croyante. Elle ignore ce qui lui arrive, elle qui est habituellement si raisonnable. Elle a toujours cru en Dieu et craint l'enfer. Même malade, jamais elle n'a manqué une seule messe de toute sa vie. Et voilà que maintenant elle est amoureuse d'un charpentier, alors qu'elle se trouve au beau milieu de la mer. Elle ne comprend vraiment pas ce qui se passe. Cet amour ne pouvait pas plus mal tomber. Au fond d'elle-même, elle sait que c'est sans issue. S'ils s'aiment au grand jour, ils trouveront son oncle sur leur chemin. Elle serait prête à gager que Francis serait tenu responsable de leur écart, ce qu'elle refuse d'imaginer. Si, au contraire, ils décident de passer outre leur amour, elle en mourra. Elle le sait. Jamais elle n'a ressenti de tels sentiments pour quelqu'un, pas même pour sa mère, qu'elle aimait de toutes ses forces. Quand elle est en présence de Francis, elle n'est plus la même. Elle est comme la paille qui attend seulement l'étincelle pour s'embraser et ne plus jamais s'éteindre. Ce sont les femmes qui l'ont convaincue qu'il était amoureux d'elle.

— Regardez-le bien, a dit Marie-Louise, vous êtes la seule, ici, à qui il fait les yeux doux. Vous en avez, de la chance, ma petite dame. Nous vous envions toutes.

Marguerite reconnaît qu'elle a de la chance, mais encore faut-il que son oncle accepte ce prétendant d'un autre rang.

Quand l'aumônier prononce enfin le mot de la fin, tous se dépêchent de se mettre à l'abri. Ils sont trempés jusqu'aux os, mais au moins, maintenant, ils sont à l'abri du vent. Marguerite fait un petit détour en direction de Francis, dans l'espoir d'échanger quelques mots avec lui. Il n'a pas bougé de sa place, comme s'il l'attendait. Une fois à sa hauteur, elle met sa main sur l'épaule du jeune homme et lui dit :

— Vous devriez changer de vêtements ; sinon vous allez prendre froid.

— Ne vous inquiétez pas pour moi, j'ai l'habitude.

— Au contraire, je m'inquiète pour vous.

À ces mots, Francis regarde autour de lui, avant de prendre la main droite de Marguerite dans la sienne.

— Votre main est glacée, mais toujours aussi douce.

Marguerite rougit de haut en bas. Elle ne peut résister à l'envie de serrer ses doigts autour de ceux de Francis. Ce simple petit geste la transporte ailleurs, cet ailleurs où ils sont déjà tous les deux. Elle sent une vague d'amour l'envahir tout entière. Pourquoi a-t-il fallu qu'elle trouve l'amour sur ce navire, et pas sur la terre ferme ? Pourquoi a-t-il fallu qu'en plus elle voyage avec son oncle ? Si la même chose était arrivée à l'une des autres femmes, tout serait tellement plus simple. Les deux tourtereaux trouveraient un petit coin pour s'aimer, et personne ne verrait rien à redire. Certes, elle aime en grande partie la vie que ses origines lui permettent de mener, mais en ce moment elle préférerait que les choses soient plus simples, que son existence soit normale, sans apparat ni contraintes. Elle préférerait ne pas être jugée chaque fois qu'elle pose le moindre geste un tant soit peu extravagant. Quand elle est en présence de Francis, elle n'arrive plus à penser. Elle oublie jusqu'aux règles de bienséance propres à son statut, mais surtout elle oublie tout ce que sa religion lui interdit depuis le jour de sa naissance. Pour Francis, elle est prête à tout remettre en question.

Les deux amoureux se regardent dans les yeux. Jamais une conversation n'a été aussi empreinte de passion, de magie et de bonheur. De son côté, Francis pense qu'il est un homme béni d'avoir rencontré une telle jeune femme. Depuis le jour où il a posé ses yeux sur elle, son amour ne cesse de grandir. Tout comme Marguerite, il ignore ce que l'avenir leur réserve. Jusqu'à maintenant, ils se sont contentés de regards à la dérobée et de quelques effleurements de doigts. Le navire étant ce qu'il est, c'est-à-dire petit et exigu, il n'existe pas vraiment d'endroit où ils pourraient donner libre cours à leur amour. Et cela, ce serait à la condition que Marguerite partage les mêmes sentiments que lui, ce dont il n'est pas certain. Comment une jeune fille de la noblesse pourrait-elle tomber amoureuse d'un pauvre charpentier, alors qu'il n'a rien à lui offrir, sauf son amour?

Ils sont seuls sur le pont. La pluie continue à tomber abondamment. Quand Francis revient à la réalité, il lui dit sans réfléchir :

— Peut-être refuserez-vous de me parler par la suite, mais je dois vous avouer quelque chose. Je suis amoureux de vous depuis que j'ai mis les pieds sur ce navire.

Marguerite se retient de hurler de joie. Les femmes avaient donc raison : il l'aime. Elle se sent transportée de bonheur. Elle pose sa main sur la joue de Francis et lui dit à son tour :

— Moi aussi, je vous aime, Francis, de tout mon cœur.

Il lui baise la main sans la quitter des yeux. Quand ils reprennent leurs esprits, Francis lui dit :

— Il faut vraiment que j'y aille. Faites attention à vous.

— Vous aussi, répond Marguerite. Promettez-moi d'aller mettre des vêtements secs.

Il voudrait lui dire qu'il va le faire, mais les seuls vêtements de rechange qu'il a apportés sont en train de sécher dans la cale. Le métier de charpentier n'est pas très payant. Quand on réussit à manger et à se loger, il ne reste plus grand-chose pour se vêtir. C'est même son père qui a insisté pour qu'il prenne ses vêtements du dimanche avec lui. Il lui a aussi donné ses grosses bottes en cuir de vache. « Elles te seront plus utiles qu'à moi. Si on se fie à ce qu'a raconté Cartier lors de son premier voyage, tu en auras bien besoin. »

* * *

Trempée jusqu'aux os, Marguerite file à sa cabine. Elle change de vêtements et se dépêche d'aller rejoindre les femmes.

Évidemment, quand elle fait son entrée, toutes la regardent avec un petit air moqueur.

— Vous avez un bien beau sourire, ma petite dame, lance Marie-Louise. Je mettrais ma main au feu que le beau Francis vous a dit qu'il vous aimait.

— Vous aviez raison, dit Marguerite, dont le bonheur est contagieux. Il vient de m'avouer son amour.

— Et vous ? demande Damienne.

— Moi aussi, ajoute-t-elle sans hésiter ; mais je ne suis pas plus avancée, puisque je ne sais pas quoi faire.

— Laissez…

Le sieur de Roberval choisit ce moment pour faire son apparition. En le voyant, Marguerite devient blanche comme un drap. « Pourvu qu'il n'ait rien entendu » se dit-elle.

— Vous parlez plus que vous ne travaillez.

Les femmes font instantanément silence. Elles ont baissé les yeux, concentrées sur leur travail. Puis il ajoute à l'adresse de sa nièce :

— Si cela continue, je vais vous retourner dans votre cabine, toi et ta servante. Vous n'avez pas une bonne influence sur elles. Allez, au travail.

Dès qu'il disparaît de sa vue, Marguerite s'emporte :

— Non mais vous l'avez entendu ? « Vous parlez plus que vous ne travaillez. » Peu importe le travail qu'on abat, il n'est jamais content.

— Puis-je vous rappeler qu'il a toujours sur le cœur le fait que vous travaillez ? lui dit Damienne. Pour lui, votre place n'est pas ici, mais bien dans sa cabine.

— Oui, je sais, quand je suis dans sa cabine, il peut me surveiller toute la journée. Si j'avais su comment les choses se passeraient, je serais restée à Pontpoint.

— Vous n'êtes pas en train de nous dire que vous regrettez d'avoir fait la connaissance de Francis, quand même ? lui demande l'une des femmes.

— Rassurez-vous, c'est juste quand je pense à mon oncle que j'ai des regrets. Je n'arrive pas à anticiper ses réactions. Il est comme une girouette au vent. En tout cas, il ne ressemble pas beaucoup à mon père, et pourtant ils étaient frères.

— C'est souvent comme cela dans une famille, dit Damienne. Les enfants ont tous des points communs, sauf l'un d'entre eux. Il est si différent que tout le monde se demande de qui il tient.

À ce moment, Marguerite réalise que l'une des femmes tousse sans arrêt. Elle s'approche d'elle et lui dit :

— Allez vite vous changer ; sinon vous attraperez votre coup de mort.

— Je pense que c'est déjà fait, répond celle-ci. Et même si je voulais me changer, je n'ai rien d'autre à mettre que ce que j'ai sur le dos.

— Comment ont-ils pu vous laisser monter sur le navire en sachant que vous n'aviez pas d'autres vêtements ? Je ne comprends pas, mais j'ai une idée. Écoutez ! Si je ne me trompe pas, nous avons plusieurs voiles de rechange. Que diriez-vous si l'on vous faisait des vêtements avec l'une d'elles? Ce ne serait pas très chic, mais au moins vous seriez au chaud.

— Quelle bonne idée, lance Marie-Louise. Dans une seule voile, on devrait être capable de coudre un vêtement pour chacune d'entre nous.

— Et quelque chose pour vous réchauffer les pieds aussi, ajoute Marguerite.

— Vous avez raison, ajoute Marie-Louise. Marcher pieds nus sur les ponts, ça va, mais sur la terre ferme, ce sera une autre affaire. Vous ai-je dit que je vous admirais?

— Pas encore, répond Marguerite en prenant un air offusqué. Bon, mais pour le moment, il faut se débrouiller avec ce que nous avons. Vous avez la même taille que moi, je vais aller vous chercher l'une de mes robes.

— Mon Dieu, se plaint Damienne, votre oncle va sûrement faire une crise d'apoplexie en voyant cette femme vêtue de la sorte.

— Eh bien! Qu'il en fasse une! Il faudrait soigner cette pauvre fille aussi.

— Je m'en charge, répond Anne. Peu de remèdes sont à notre disposition, mais nous avons au moins quelque chose pour lui frictionner la poitrine.

— Pour bien faire, dit Marguerite, il faudrait qu'elle aille s'allonger.

— Vous n'y pensez pas? répond la femme d'un air apeuré. Jamais le sieur de Roberval n'acceptera que je laisse là mon travail. Rassurez-vous, j'y arriverai.

— Bon, j'y vais, conclut Marguerite.

Elle revient avec une robe. Elle s'approche de la femme et lui dit:

— Enfilez-la, et vite. Je vous ai apporté un châle aussi, pour vous garder au chaud.

Sans se faire prier, la femme retire ses vêtements. Quand elle passe la robe, deux grosses larmes perlent au coin de ses yeux.

— Jamais je n'ai porté quelque chose d'aussi doux.

— Et elle vous va à merveille, ajoute Marguerite en prenant la pauvre fille par les épaules.

— Merci, madame Marguerite, merci !

Le lendemain matin, ce n'est pas une femme qui est malade, mais près d'une dizaine. Elles toussent toutes à s'en vomir les tripes et elles sont pâles à faire peur. Désespérée de voir ses compagnes souffrir, Marguerite va voir son oncle pour plaider la cause des malades.

— Il faut à tout prix qu'elles se reposent quelques jours.

— Tu n'y penses pas ? Qui va réparer les voiles pendant ce temps ? Dois-je te rappeler que nous sommes au beau milieu de la mer ? Je ne peux perdre une seule paire de bras.

— Mais vous ne comprenez pas ! Si elles ne se reposent pas, ce n'est pas une paire de bras que vous perdrez, mais plusieurs.

— Si c'est tout ce que tu as à me dire, notre entretien est terminé.

Sans même laisser le temps à sa nièce d'ajouter quoi que ce soit, le sieur de Roberval la laisse en plan, au beau milieu de la salle de navigation. Décidément, elle ne le comprendra jamais.

Elle retourne trouver les femmes, mais seulement après avoir dérobé une bouteille de whisky dans la réserve de son oncle. Certes, ce n'est pas cela qui va guérir ses compagnes de travail, mais au moins elles auront l'impression d'avoir plus chaud.

— Je vous ai apporté un petit remontant, dit-elle joyeusement.

Quand elle montre la bouteille d'alcool, les femmes éclatent de rire. Marguerite en sert une rasade à chacune.

\*\*\*

Trois jours plus tard, deux femmes rendent l'âme, et trois sont très mal en point. Lorsqu'arrive le moment de jeter leur corps à la mer, prostituées et orphelines font une haie d'honneur pour les conduire à leur dernier repos. C'est en silence qu'elles retournent à leur travail. Jusqu'au coucher du soleil, aucun son ne sort de leur bouche. Elles ont voulu rendre hommage à deux des leurs, qui se sont donné corps et âme pour réparer les voiles et les cordages.

La souffrance humaine est à son comble en cet après-midi du 15 juin. Marguerite en est toute retournée. Secouée par de gros sanglots, elle s'est laissée tomber sur le plancher et elle est incapable de bouger. C'est lorsqu'elle entend crier son oncle qu'elle sort de sa torpeur :

— Au travail ! Ce n'est pas en pleurnichant que vous les ramènerez. Allez ! Ne m'obligez pas à vous punir.

Marguerite n'en croit pas ses oreilles. Comment son oncle peut-il agir de la sorte, alors qu'elles viennent de perdre deux amies et que trois autres sont entre la vie et la mort ? Cette fois, elle ne rouspète pas.

# Chapitre 7

— Je ne sais pas si vous êtes comme moi, mais je commence à avoir hâte de voir apparaître la terre. Et je serai encore plus heureuse quand je pourrai poser les deux pieds dessus.

— Moi aussi, Damienne. Pour tout te dire, mes promenades à cheval me manquent beaucoup, et nos pique-niques sur le bord de la rivière aussi. Même les soupers ennuyeux de Mme Chauveau me manquent, ce qui n'est pas peu dire. Mais comme notre voyage durera deux ans, j'essaie de me faire à l'idée ; sinon je ne passerai pas au travers.

— Ma pauvre Marguerite, dit Damienne, et moi qui suis là à me plaindre. Cela n'arrivera plus, je vous le promets.

— Tu sais bien que tu as le droit de dire ce que tu veux en ma présence, répond Marguerite en prenant sa servante par les épaules. Le pire, dans tout cela, c'est quand je me trouve sur le même pont que mon oncle et que je n'ai aucun moyen de lui échapper. Cela va te faire rire, mais maintenant, avant même qu'il commence à me parler, je me mets à chanter dans ma tête.

— Que chantez-vous ? demande Damienne, soudain très curieuse.

— Ah, c'est une vieille chanson que ma mère fredonnait. Je ne me souviens même pas du titre, mais tu m'as entendue la chanter des dizaines de fois.

— C'était il y a bien longtemps. Vous savez à quel point j'aime vous entendre chanter. S'il vous plaît, faites-le encore.

Marguerite adorait chanter. Petite, elle avait l'habitude de chantonner les ballades que sa mère lui apprenait avant de lui lire son histoire, jusqu'à ce qu'elle les sache par cœur. Dans sa chambre, après avoir pleuré un bon coup, elle finissait par s'endormir en fredonnant les airs que sa mère lui apprenait. Au matin, quand Damienne venait la chercher pour le déjeuner, elle lui chantait une nouvelle chanson. C'était chaque fois un réel plaisir pour la servante d'écouter son petit ange. À la mort de sa mère, Marguerite a cessé de chanter d'un seul coup, comme si, sans elle, les chansons n'avaient plus de sens.

Marguerite ferme les yeux quelques secondes et commence à chanter :

*Ne saurait-on trouver un messager en France*
*Qui s'en voudrait aller au jardin de plaisance*
*Dire à Robert, Robert le beau Robert*
*Que la brunette se mourait*
*Je suis Robert, Robert le beau Robert*
*Que la brunette tant aimait*
*Et quand Robert ouit les certaines nouvelles*
*Il a bridé Grison et lui a mis la selle*
*Frappa trois coups des éperons jolis*
*Pour la brunette se courir*
*Et quand Robert y fut au milieu de la ville*
*Il a oui chanter l'alouette jolie*
*Qui dans son chant, son joli chant disait*
*Que la brunette guérissait*
*Et quand Robert y fut au milieu de la chambre*
*Il avait oublié toutes ses convenances*
*Il fit trois tours, trois tours autour du lit*
*Pour la brunette réjouie*
*Brunette, suis, brunette parlez à moi*
*Mon cœur mourra s'il ne vous voit*

À la fin de la chanson, Marguerite essuie deux petites larmes au coin de ses yeux, ce qui, bien sûr, n'échappe pas à Damienne.

— C'était très beau. J'espère de tout mon cœur que cette chanson n'était que la première d'une longue série. Vous entendre chanter me fait du bien.

— Moi aussi ça me fait du bien. Quand j'étais petite, je chantais pour ne pas penser que je ne pouvais pas rester avec maman, et aujourd'hui je chante parce que mon oncle n'a rien de celui que je pensais.

— Je vous avais…

Mais Marguerite ne la laisse pas finir et ajoute en riant :

— Arrête, n'en dis pas plus ; je sais, comme à l'habitude, que tu avais raison sur bien des points. Si j'avais pris la peine de t'écouter, nous ne serions pas prisonnières sur un navire, au beau milieu de la mer, sans savoir où nous allons et si nous pourrons même retourner en France un jour. Pardonne-moi, Damienne.

— Mais je vous l'ai déjà dit, je n'ai absolument rien à vous pardonner. Où vous allez, j'y vais. Disons que je suis votre ange gardien.

— Je ne pouvais pas souhaiter un meilleur ange gardien que toi. En tout cas, j'espère que nous sommes proches de quelque chose qui ressemble à de la terre, parce que plus les jours passent, plus la tension monte. Une simple petite étincelle pourrait tout faire exploser. Tout le monde est à fleur de peau, c'est à se demander si quelqu'un ne nous a pas jeté un sort. Même les femmes n'ont plus de patience.

— Ne parlez pas de sorcellerie, je vous en prie ; sinon je ne dormirai pas pendant des nuits.

— Excuse-moi, où avais-je la tête ?

Marguerite n'est pas fière d'elle. La dernière fois qu'elle a parlé de maléfice, Damienne n'a pas fermé l'œil de la semaine. C'est pourquoi elle se dépêche de changer de sujet :

— Je ne t'ai pas dit cela ? Le capitaine m'a appris, hier, que nous approchions de Terre-Neuve. C'est la première île que nous allons voir. Il paraît que, dès que nous l'apercevrons, le continent ne sera plus très loin, quoique, si j'ai bien compris, nous dépasseront largement cette île. Le capitaine m'a aussi dit que les Basques viennent parfois jusqu'ici et même un peu plus loin pour chasser la baleine. Il paraît qu'ils ont construit des bâtiments temporaires, dont un à Terre-Neuve. Ils s'en servent pour s'abriter, dépecer les baleines et fumer la morue.

— J'espère qu'on aura l'occasion d'en manger.

— De la baleine? demande Marguerite, le sourire aux lèvres. Beurk!

— Non, de la morue, voyons. Je ne sais même pas si cela se mange, de la baleine. Je sais que son huile vaut son pesant d'or par exemple.

— Les hommes se donnent beaucoup de mal à chasser la baleine, alors ça doit rapporter.

— En tout cas, je trouve cela rassurant de savoir qu'on n'est pas les premiers à venir ici.

— Premiers ou pas, personne, sur ce navire, ne sait réellement ce qui l'attend. Je me demande encore comment j'ai pu me laisser séduire par l'idée de découvrir le Nouveau Monde. Vraiment, je n'ai pas fait preuve d'une grande intelligence le jour où j'ai dit à mon oncle que je serais du voyage.

— Ne soyez pas trop sévère avec vous, vous aviez affaire à un fin renard. Votre oncle savait exactement quoi dire pour vous convaincre. Et n'oubliez pas qu'il préparait son coup depuis belle lurette.

— Tu lui prêtes bien des intentions. Certes, il est autoritaire, directif, sans cœur…

— Aimeriez-vous que je vous aide à allonger la liste? demande gentiment Damienne.

— Non, répond Marguerite, ce ne sera pas nécessaire. Je peux bien admettre qu'il a des défauts, mais je suis certaine qu'il n'est pas aussi calculateur que tu le penses. Non, c'est impossible, tu te trompes sûrement sur ce point.

— Alors dites-moi pourquoi c'était si important pour lui que vous l'accompagniez jusqu'au Nouveau Monde, si ce n'est pour avoir un œil sur vous et vos avoirs ? Je ne vous en ai jamais parlé, mais chaque fois qu'il venait à Pontpoint, il posait des tas de questions à tout le personnel au sujet de vos propriétés.

À ces mots, Marguerite fronce les sourcils. Si elle avait su, jamais elle ne l'aurait accueilli aussi chaleureusement chez elle. Elle se voit encore insister pour qu'il vienne plus souvent lui rendre visite. Le pire, c'est qu'elle ne le trouvait pas agréable de compagnie. Mais il est le seul membre de sa famille à être proche d'elle, ce qui jouait en sa faveur. Étant donné qu'il est bien plus riche qu'elle, elle n'a pas songé une seule minute qu'il s'intéressait à elle pour son argent.

— Tu te trompes sûrement !

— Avez-vous seulement pensé à ce que coûte une expédition comme celle-ci ?

— Mais voyons, c'est le roi qui paie les frais.

— Je serais surprise que le roi paie tout. Quand nous étions au port, à La Rochelle, des hommes discutaient ensemble et l'un d'entre eux disait que le premier voyage de Cartier avait failli ruiner l'explorateur. Et l'autre d'ajouter : « S'il n'avait pas eu sa belle-famille pour sa deuxième expédition, pour sûr qu'il serait resté à quai. Et si tu veux mon avis, il est bien mieux de revenir avec de l'or, beaucoup d'or, si tu vois ce que je veux dire. » Voyez tout ce qu'il y a à bord de ce navire ; votre oncle risque de perdre gros si le voyage n'est pas fructueux. En tout cas, à la place du roi, je laisserais le commandant faire sa part. N'est-ce pas lui qui s'en tirera avec le plus d'honneur une fois de retour ?

— Cela, c'est à la condition qu'il revienne avec de l'or et des diamants.

— J'espère pour lui, parce que, sinon, gare à vos biens.

— J'en ai assez entendu pour aujourd'hui ; allez, viens. Les femmes nous attendent. Nous avons réparé toutes les voiles qui devaient l'être ; je pensais que nous n'y arriverions jamais. Et maintenant, il paraît que nous allons nettoyer les canons et les fusils.

— L'air de la mer fait des ravages épouvantables. Même si les objets ne sont pas plongés dans l'eau, celle-ci laisse sa trace partout. Si vous trouviez cela dur de réparer les voiles, eh bien ! vous n'avez rien vu.

— Tu ne vas pas me dire que tu as déjà fait cela ?

— Non, mais mon père, oui. Je vous suis.

Depuis la mort de trois d'entre elles, les femmes n'ont pas retrouvé le moral. Elles travaillent sans entrain et échangent peu. Leurs journées, autrefois dures, mais agréables, sont devenues difficiles et monotones. Chaque fois qu'elle fait son entrée, Marguerite essaie de détendre l'atmosphère, mais jusqu'à ce jour elle doit bien avouer qu'elle n'a pas eu beaucoup de succès. Cette fois encore, toutes ses compagnes sont concentrées sur leur travail. C'est alors que Damienne a une idée. Sans réfléchir, elle se lance :

— Écoutez-moi. Cela vous dirait-il d'entendre chanter Marguerite ?

À ces mots, les femmes lèvent la tête. Marguerite jette un regard noir à sa servante. Ce n'est pas parce qu'elle a chanté une fois qu'elle a l'intention de le faire tout le temps. Damienne la supplie des yeux. Marguerite regarde les femmes et croit que cela pourrait leur faire du bien.

— D'accord, mais une seule. C'est une chanson du Moyen Âge que me chantait ma mère quand j'étais enfant. Si vous la connaissez, chantez avec moi.

Dès les premières notes, les femmes arrêtent de travailler. Plusieurs ferment les yeux et écoutent religieusement Marguerite chanter. On dirait un ange. Elle n'a pas terminé sa chanson que quelques hommes se pointent pour profiter du spectacle. Au moment où elle entonne la dernière phrase, Francis fait son entrée. Les applaudissements mettent quelques secondes à surgir. Tous sont sous le charme de la belle demoiselle à la voix chaude et sensuelle.

Marguerite rougit doublement quand elle aperçoit Francis. Elle crève d'envie d'aller le retrouver, mais au fond d'elle-même elle sait qu'il vaut mieux ne pas jeter d'huile sur le feu. Chaque fois qu'elle voit le beau charpentier, son désir de se coller contre lui grandit. Si elle ne se retenait pas, elle lui sauterait au cou, mais une fille de bonne famille ne fait pas cela. Elle lui arracherait ses vêtements et embrasserait chaque parcelle de son corps; mais une fille de bonne famille ne fait pas cela. Elle collerait ses lèvres contre les siennes; mais une fille de bonne famille ne fait pas cela non plus. Elle se sent prise au piège comme un vulgaire lièvre. Peu importe ce qu'elle fera, elle finira par se faire prendre. Elle le sait parce que son attirance pour cet homme est tellement forte qu'elle est prête à tout pour lui. Si ce n'était pas de son oncle, il y a longtemps qu'elle lui aurait fait partager sa couche, mais le navire est si petit qu'il est préférable de s'abstenir. De toute façon, ils seront sur la terre ferme dans peu de temps, et là, ce sera sûrement plus facile de trouver un endroit tranquille pour laisser libre cours à leur passion. Son amour pour Francis est si fort que même Dieu n'a plus aucun pouvoir sur elle. Elle l'aime de tout son cœur, et lui aussi l'aime. Il n'en faut pas plus pour la rendre heureuse.

Au moment où Francis la salue, le sieur de Roberval fait son entrée, une entrée fracassante:

— Voulez-vous bien me dire ce que c'est que tout ce vacarme? On vous entend jusque dans la salle de navigation.

— Tout est de ma faute, se dépêche de dire Marguerite. J'ai chanté une chanson pour les femmes.

— Depuis quand chantes-tu ?

— Cela n'a pas d'importance. Nous allons nous remettre au travail tout de suite, ne vous inquiétez pas.

— J'y compte bien, ajoute-t-il du bout des lèvres. Je ne vous le dirai pas deux fois, ce navire n'est pas une salle de spectacle.

Marguerite se retient de lui répondre. De quel droit peut-il l'empêcher de chanter ? Il se croit vraiment tout permis. Si elle n'était pas si croyante, elle dirait qu'il se prend pour Dieu. Pourquoi ne comprend-il pas que ces gens ont besoin d'avoir un peu de plaisir ? Pourquoi les prive-t-il d'aussi petites joies ? Il est préférable qu'elle se taise, parce qu'elle en a gros sur le cœur. Et dire qu'ils ne sont pas encore à terre.

Quand le sieur de Roberval passe à la hauteur de Francis, il ne manque pas de dire au jeune homme, assez fort pour que sa nièce l'entende :

— Et vous, je vous interdis de lever les yeux sur ma nièce, elle n'est pas de votre rang. Retournez vite à votre travail ou vous aurez affaire à moi.

Tout ce que Francis trouve à répondre, c'est :

— À vos ordres, monsieur.

Marguerite est furieuse. Son oncle n'a donc qu'une seule manière de s'adresser aux gens ! On dirait qu'il prend plaisir à les humilier devant les autres. Bien sûr, elle est tentée de suivre Francis pour lui parler, mais dans les circonstances sa petite voix intérieure lui dit de faire comme si elle n'avait rien entendu. De toute façon, avant la fin de la journée, elle aura bien l'occasion de le revoir. Elle se laisse tomber à côté de Marie-Louise et lui dit :

— Vous voulez bien me dire ce que je dois faire ? Il faut que je passe ma colère sur quelque chose, alors aussi bien que ça serve.

— Ne vous en faites pas pour Francis, il va s'en remettre.

— Mais vous ne comprenez pas ! Nous nous aimons ! Mon oncle n'a pas le droit de le traiter de cette manière.

— Si vous voulez mon avis, je ne crois pas que ce soit une très bonne idée de dire à votre oncle que vous êtes amoureuse du charpentier, du moins pour le moment. Attendez que nous soyons à terre.

— Vous avez sûrement raison, mais je n'ai pas l'habitude des cachettes. Avec mon oncle, j'ai l'impression d'avoir dix ans et cela ne me plaît pas du tout.

À la fin du jour, au moment où Damienne et Marguerite s'apprêtaient à retourner dans leur cabine, le dos en compote et les mains brisées d'avoir nettoyé du métal toute la journée, on entend retentir la cloche du deuxième navire. Alors qu'elle résonne encore, un marin hurle de toutes ses forces :

— Terre à bâbord !

# Chapitre 8

« Terre », ce simple petit mot de cinq lettres a changé d'un seul coup la dynamique sur les navires. Les maux de dos, les doigts écorchés, les toux creuses, tout a disparu comme par magie. Tout le monde est survolté. L'espoir se lit sur le visage de chacun ; le monde meilleur, dont même le capitaine rêvait, devient de plus en plus tangible.

Marguerite est si excitée qu'elle ne tient plus en place. Elle a passé la nuit à circuler de sa paillasse au hublot. Il n'est pas question qu'ils passent près de cette terre sans qu'elle la voie. Elle a de plus en plus hâte de mettre le pied sur le sol. Elle est fébrile à l'idée de descendre du navire, ne serait-ce que quelques minutes.

Damienne, quant à elle, fait tout son possible pour rester calme. Ses jambes l'ont empêchée de dormir toute la nuit. Elle avait l'impression qu'une colonie de fourmis y avaient élu domicile. Selon elle, le seul remède à son mal serait de faire quelques pas sur le rivage. Mettre les pieds dans le sable, le sentir entre ses orteils, laisser le vent la décoiffer. Elle en rêve depuis si longtemps !

Le soleil n'est pas encore levé quand, n'y tenant plus, les deux femmes sortent de leur cabine. Tout le monde est sur le pont, tentant de voir cette terre qu'ils espèrent atteindre depuis si longtemps. Les conversations sont animées. Les éclats de rire sont nombreux. Cette journée sera inscrite à jamais dans leur mémoire. Après trois mois fermes en mer, ils sont sur le point de toucher à leur but. Chacun y va de son commentaire.

— Un jour ou deux et nous serons rendus à destination, s'écrie le forgeron.

— Tu n'y es pas du tout, dit l'armurier, il nous reste au moins une bonne semaine.

— Le simple fait de savoir que la terre n'est pas trop loin, d'ajouter une des femmes, c'est rassurant, en tout cas pour moi. Je n'en peux plus d'être au milieu de nulle part.

— Tu n'es pas la seule, de répondre une autre.

Dès que le jour se lève, la terre annoncée la veille leur apparaît dans toute sa splendeur. Jamais une forêt n'aura été aussi belle. De grands conifères pointent fièrement vers le ciel. Tous les passagers sont émus. Certains pleurent à chaudes larmes. L'inquiétude des dernières semaines se transforme en pleurs. Après autant de temps passé en mer, les membres de l'équipage ont perdu leurs repères. Certains ont même oublié pourquoi ils se sont embarqués. La simple vue de ce bout de terre ravive les rêves de chacun.

Une fois les trois navires bien ancrés, le sieur de Roberval vient vite remettre de l'ordre sur le pont.

— Écoutez-moi, s'écrie-t-il. Nous resterons ancrés une bonne partie de la journée. J'irai à terre avec quelques-uns. Retournez à votre travail.

Voyant que personne ne bouge, il reprend de plus belle :

— Remuez-vous! Vous devriez être au travail depuis une bonne dizaine de minutes, n'abusez pas de ma bonté.

Tous le connaissent suffisamment pour savoir qu'il vaut mieux faire ce qu'il demande et ne pas lui laisser la chance d'exercer son pouvoir. Ceux qui ont été réprimandés ne sont pas prêts de l'oublier.

Une heure plus tard, deux petites embarcations quittent le navire avec à leur bord le sieur de Roberval, quelques nobles et membres de l'équipage, et l'aumônier. Bien à leur affaire, les femmes discutent en travaillant.

— En tout cas, dit l'une d'entre elles, je ne savais pas que voir un bout de terre me ferait tant plaisir.

— Moi non plus, ajoute une autre. On dirait que la fatigue de tout le voyage s'est envolée d'un seul coup, rien qu'en voyant la côte.

— Il fallait être très brave pour s'embarquer dans une telle expédition, s'exclame Marguerite. Vous avez de quoi être fières de vous.

— Mais j'y pense, lui dit tout à coup Marie-Louise, c'est le temps ou jamais.

— Le temps de quoi ? lui demande la jeune noble, surprise par le ton de la femme.

— Votre oncle ne risque pas de revenir avant un bon moment, profitez-en.

— Pour faire quoi ? lui demande naïvement Marguerite.

Les autres femmes la regardent et sourient. Elle semble être la seule à ne pas comprendre. Elle se sent rougir de la tête aux pieds. Elle a beau chercher, elle ne voit vraiment pas où Marie-Louise veut en venir. Constatant que sa maîtresse est mal à l'aise, Damienne vient à son secours en disant :

— Ce que Marie-Louise essaie de vous faire comprendre, c'est que vous pourriez, par exemple, être prise d'un malaise soudain et retourner dans votre cabine. Et, par le plus grand des hasards, Francis passerait prendre de vos nouvelles. Est-ce que c'est plus clair maintenant ?

Plus Damienne parle, plus les yeux de Marguerite pétillent. On dirait une petite fille. Enfin, elle pourra déballer son cadeau. La seconde d'après, la raison reprend sa place et l'inquiétude se lit dans ses yeux.

— Vous n'y pensez pas ? Cela ne se fait pas ! Et si mon oncle l'apprenait ? Je n'ai pas envie de moisir dans la cale pour le reste du voyage.

— Il n'y a aucune raison qu'il le sache, dit Marie-Louise. Personne ne vendra la mèche, vous avez ma parole. Tout le monde vous aime. Tout le monde aime Francis. Et vous vous aimez. Où est le problème ? Sautez sur l'occasion, parce qu'on ne sait pas quand il s'en présentera une autre. Allez, c'est vous qui disiez que nous étions braves ; eh bien ! vous l'êtes aussi et peut-être encore plus que nous. Maintenant, la décision vous appartient.

Marguerite réfléchit. Elle est déchirée entre ses nombreux principes et son désir viscéral d'être avec Francis. Une seconde, elle est prête à foncer comme elle l'a fait quand elle a décidé de s'embarquer sur ce navire. La seconde d'après, elle se dit qu'elle ne peut pas faire cela. Elle se prend la tête entre les mains. Elle a l'impression d'être suspendue au-dessus d'un précipice. Peu importe la décision qu'elle prendra, elle devra vivre avec les conséquences. Toutes ses compagnes respectent son silence. Quand elle émerge enfin de ses pensées, elle dit, le sourire aux lèvres :

— Eh bien ! je vous annonce que je commence sérieusement à me sentir mal.

Les femmes éclatent de rire. Marguerite poursuit :

— Mais il faut que vous m'aidiez, je ne peux pas aller chercher Francis comme cela.

— Allez-vous-en dans votre cabine, dit Marie-Louise, je m'en charge.

Une fois dans sa cabine, Marguerite remet de l'ordre dans ses cheveux, met un peu de parfum et défroisse les plis de sa robe. Un sourire illumine son visage. Elle attend ce moment depuis si longtemps ! Elle est tellement heureuse qu'elle croit rêver. Les trois petits coups frappés à la porte la ramènent vite à la réalité. Cette fois, elle ne rêve pas. Au risque de perdre son honneur, elle repousse ses principes du revers de la main, tourne la poignée et, quand elle aperçoit Francis, l'agrippe par la chemise et le tire à l'intérieur de la cabine, avant de refermer la porte derrière lui. Il lui sourit. Ils se toisent. Un courant chaud traverse le corps de Marguerite, des orteils au bout des doigts. Jamais elle n'a goûté un tel plaisir. Elle s'approche un peu de lui. Elle peut maintenant sentir son souffle sur sa peau, respirer son odeur. Elle s'approche encore. Elle est si près qu'elle pourrait le toucher du bout de sa langue. Sans aucune hésitation, elle effleure ses lèvres de façon on ne peut plus sensuelle. Elle se sent submergée par une vague de désir, elle a des bouffées de chaleur. Incapable de penser, elle s'abandonne totalement.

Francis choisit ce moment pour l'embrasser. D'abord doucement. Sentir les lèvres du charpentier sur les siennes transporte Marguerite dans un autre monde. Elle en veut encore et encore. Elle se colle contre Francis et l'embrasse à son tour. Les deux êtres, qui avaient envie l'un de l'autre depuis si longtemps, s'abandonnent au plaisir.

Épuisés par leurs découvertes, les deux amants discutent, serrés l'un contre l'autre.

— Marguerite, vous avez fait de moi l'homme le plus heureux. Je vous aime depuis le premier jour où je vous ai vue.

— Moi aussi, je vous aime, de tout mon cœur.

— Même dans mes rêves les plus fous, je n'arrivais pas à vous parler. Chaque fois, votre oncle se mettait entre nous.

— Rassurez-vous, jamais je ne le laisserai gérer ma vie. C'est le fait d'être en mer qui a compliqué les choses. Nous devrons d'ailleurs redoubler de prudence, tant que nous ne serons pas à terre. Je dois vous avouer que je n'ai pas entièrement confiance en lui ; il me surprotège depuis que nous avons quitté La Rochelle et j'ignore encore pourquoi.

— C'est simple, si j'étais à sa place, moi non plus je n'accepterais pas que ma nièce s'entiche d'un charpentier. Pensez-y ! Vous êtes une noble, alors que moi, je n'ai rien.

— Mais l'argent, ce n'est pas tout ce qui compte !

— Vous êtes une femme d'exception. Ma douce Marguerite, je donnerais ma vie pour vous. Je vous aime tellement.

C'est bien à contrecœur que Marguerite se tourne et regarde enfin par le hublot. Elle ne saurait dire l'heure qu'il est, mais une chose est certaine, le soleil a baissé. Et si elle ne se trompe pas, le navire a levé ses ancres. Elle est soudainement prise d'un grand frisson. Il est plus que temps que Francis s'en aille. Son oncle ne doit pas le voir avec elle. D'un ton inquiet, elle dit à son amant :

— Il faut vite vous en aller, je ne voudrais pas que vous ayez des problèmes à cause de moi.

Francis se lève à regret. Marguerite le regarde. Il a un très beau corps. Ses muscles sont parfaitement découpés. Ses cheveux bouclés, aussi foncés qu'une nuit sans lune, lui donnent de faux airs d'enfant sage. Une fois habillé, il s'approche de nouveau d'elle, lui sourit et l'embrasse avec passion, avant de s'en aller. Ils ont du mal à se séparer. Coup de malchance, en sortant de la cabine, Francis tombe nez à nez avec le sieur de Roberval. À sa vue, le jeune homme blêmit ; il n'a pas peur pour lui, mais pour sa belle. Le commandant n'a pas besoin qu'on lui fasse un dessin. Il devine ce qui vient de se passer sur son navire, dans sa cabine, avec sa nièce. Sous l'effet de la colère, il prend Francis par le collet et le jette contre le mur par la force d'une seule main. Comme la porte est grande ouverte, Marguerite est témoin de la scène. Enroulée dans une couverture, le visage couvert de larmes, elle crie à son oncle :

— Lâchez-le ! Si vous cherchez un coupable, prenez-moi. Ne lui faites pas de mal, je vous en supplie.

Mais le sieur de Roberval n'entend rien. Il tient le jeune homme à bout de bras et resserre sa main autour du cou du charpentier.

— Lâchez-le! hurle-t-elle. Vous voyez bien qu'il a du mal à respirer. Lâchez-le, je ferai tout ce que vous voulez.

Elle frappe son oncle de toutes ses forces pour qu'il desserre son étreinte. Ses cris ont alerté certains membres d'équipage. Ils sont là à regarder la scène, mais personne ne bouge. Elle le sait trop bien, aucun d'eux n'osera lever la main sur le commandant. Elle continue de frapper son oncle en hurlant:

— Lâchez-le, je vous en supplie!

C'est alors que soudainement le sieur de Roberval laisse tomber sa proie et agrippe Marguerite par le bras. Il se racle la gorge et lui crache au visage avant de lui dire:

— Tu as trompé ma confiance. Je jure sur la tête de ma mère que jamais plus tu ne seras une cause de scandale et de honte pour ma famille. Ramasse tes affaires et ta vieille servante, ton voyage se termine ici. Tu as une demi-heure pour quitter le navire.

Marguerite a du mal à réaliser ce qui lui arrive. Son oncle est-il vraiment en train de lui dire qu'il l'abandonne au beau milieu de la mer, seule avec Damienne? Non, elle a sûrement mal compris. Il ne peut pas faire cela, c'est impossible. Il n'est pas aussi méchant. Entre deux sanglots, elle le supplie:

— Vous ne pouvez pas m'abandonner comme cela, je suis votre nièce.

— Je n'ai plus de nièce, c'était à toi d'y penser avant.

Puis, à l'intention de ses hommes, il ajoute:

— Mettez le jeune charpentier aux fers.

Les deux amants se regardent. Ils n'arrivent pas à croire ce qui se passe. On dirait qu'ils ont été envoyés directement en enfer. Quand Francis disparaît de sa vue, Marguerite rentre vite s'habiller avant d'aller chercher Damienne. Dès que la servante la voit, elle vient à sa rencontre. La dernière fois qu'elle a vu sa maîtresse dans cet état, c'était le jour de la mort de sa mère. La jeune femme souffre tellement qu'elle fait peine à voir. Elle se jette dans les bras de Damienne et s'écrie :

— Viens vite, mon oncle veut nous débarquer sur une île. Nous avons juste le temps de ramasser nos affaires.

Damienne ne comprend rien à ce que sa maîtresse raconte. Marguerite précise :

— Mon oncle nous a surpris. Il a mis Francis aux fers et il nous débarque ici pour me punir. Pardonne-moi, Damienne.

Les femmes sont sous le choc. Tout ce qu'elles voulaient, c'était que Marguerite passe un peu de bon temps avec son amoureux ; mais les événements ont tourné au cauchemar. Jamais elles ne vivront assez vieilles pour ne plus s'en vouloir d'avoir donné l'idée à la jeune noble de rencontrer son amant en cachette. Pauvre Marguerite ! Pauvre Damienne ! Et pauvre Francis ! Maudit soit le sieur de Roberval !

Damienne prend Marguerite par le bras et l'accompagne jusqu'à la cabine. Sans échanger une seule parole, les deux femmes emballent tous leurs effets personnels. Avant de sortir, Damienne prend Marguerite par les épaules et lui dit :

— Ne vous inquiétez pas, je suis là.

Puis elle dépose un baiser sur la joue de sa maîtresse, passe leur cabine en revue une dernière fois et pousse le coffre en chêne de Marguerite, ainsi que sa malle, en dehors de la pièce. Deux marins leur demandent de les suivre. Une barque les attend à l'avant du navire. Le sieur de Roberval est là. Dès qu'il aperçoit les deux pauvres femmes, il leur dit d'un ton autoritaire et cruel :

— Comptez-vous chanceuse. Dans ma grande bonté, je vous ai mis des barils d'eau potable, des haches, des couteaux, des biscuits, de la farine, de la viande et quelques vivres. Je vous ai aussi donné deux fusils et des munitions, vous en aurez sûrement besoin pour vous défendre contre les bêtes sauvages. C'est le moment d'y aller. Mes hommes vont vous déposer sur l'île.

Ni Marguerite ni Damienne ne lui répondent. Résignées, les deux femmes tendent la main aux marins et s'assoient dans la barque, le corps bien droit. Quelques coups de rame suffisent pour que l'embarcation s'éloigne du navire. De nombreux sentiments les habitent. Elles sont enfin libérées du sieur de Roberval, ce qui est une bonne chose. Par contre, elles n'ont aucune idée de ce qui les attend, et cela les insécurise grandement. Elles réalisent tout à coup que leur vie de château a fait d'elles des êtres totalement dépendants des autres. Ni l'une ni l'autre ne sait comment construire un abri, chasser, dépecer les bêtes, tanner les peaux… Elles ont beau être déterminées et fortes, leur avenir est tout sauf assuré. Elles ne savent rien du Nouveau Monde ni de l'hiver. Elles se retrouvent en terrain inconnu.

Les marins sont aussi malheureux qu'elles. C'est bien à contrecœur qu'ils les emmènent sur l'île aux Démons, nom donné par le sieur de Roberval cet après-midi même. Ils sont convaincus que les femmes ne passeront pas l'hiver, et cette seule pensée leur crève le cœur. Elles sont si gentilles ! Une fois sur le rivage, les matelots aident Marguerite et Damienne à descendre, déposent ensuite leurs bagages sur le sable et, sans se retourner, remontent dans la barque. La maîtresse et la servante s'assoient sur le coffre de chêne et, le cœur en miettes, regardent la petite embarcation s'éloigner. Lorsque le navire reprend sa course, elles n'ont pas encore bougé d'un poil.

# Chapitre 9

En parcourant la distance pour revenir au navire, les deux marins discutent :

— Il faut que Francis vienne les rejoindre. Au moins, là, elles auront une petite chance de survivre.

— Tu n'y penses pas ? Le commandant l'a fait mettre aux fers !

— Mais il n'y a pas de gardien. On a juste à attendre que tout le monde dorme et on ira le libérer.

— Si de Roberval découvre que nous avons aidé le charpentier à s'échapper, il nous tuera.

— Moi, je suis prêt à courir le risque.

— Ouais, mais à tout prendre, on aurait été mieux de rester avec elles sur l'île.

— Non, ce n'est pas de nous que la petite dame a besoin, c'est de son amoureux. En plus, Francis sait tout faire de ses mains. Non, elles ont plus de chance de survivre si c'est lui qui les rejoint plutôt qu'un autre. Et tu sais comme moi que l'amour peut faire des miracles. Pour tout dire, je n'ai aucune envie de vivre sur une île pour le reste de mes jours.

— Moi non plus. Ça me convient, je suis prêt à tenter le coup. On va laisser la barque à notre disposition afin d'être prêts à partir, mais nous la remplirons d'outils avant de libérer Francis.

— Il faudrait prévoir une lampe et de l'huile aussi ; sinon je ne sais pas comment il va retrouver son chemin.

— Avec un peu de chance, les femmes n'auront pas éteint celle qu'on leur a laissée, il pourra les repérer.

— C'est à souhaiter. La nuit, il n'y a rien qui ressemble plus à une île qu'une autre île.

La nuit tombée, les deux marins descendent à la cale. Il y règne une chaleur étouffante, doublée d'une odeur nauséabonde de bière, de vin, de farine rance et de viande avariée. Couché à même le plancher du navire, le prisonnier ouvre les yeux en apercevant la lumière. Par réflexe, il se protège la tête de ses bras.

— Francis, n'aie pas peur, on vient te libérer.

Il se frotte les yeux et appuie sa tête sur l'un de ses coudes.

— On a préparé une barque et du matériel. Il faut que tu ailles retrouver ta douce sur l'île.

— Mais le sieur va vous tuer. Pourquoi vous faites cela ?

— Parce qu'on ne peut pas laisser les deux femmes toutes seules. Sans toi, elles n'ont aucune chance de survivre.

S'il ne se retenait pas, il leur sauterait au cou. Dans les circonstances, il se contente de dire :

— Je ne vous remercierai jamais assez.

— Laisse faire les remerciements ; viens, il faut faire vite.

— Il me faut mes bottes de cuir et mon sac. Ils sont à l'étage.

— Je vais aller chercher tout cela, dit l'un des marins. Je vous rejoins à la barque.

Pendant qu'ils attendent sur le pont, le marin resté avec Francis lui raconte à quel point les femmes avaient l'air désespérées quand ils les ont débarquées sur l'île aux Démons. Francis en a les larmes aux yeux. Sa belle Marguerite est seule avec Damienne sur une île, au beau milieu de la mer, mais ce n'est pas le temps de s'apitoyer sur son sort.

— Mais comment vais-je faire pour reconnaître l'île ? Pour faire exprès, il y a juste un petit quartier de lune.

— Ouais et tu serais mieux de ne pas allumer ta lampe, tant qu'elle sera visible du navire.

— Explique-moi où se situe l'île, je finirai bien par la trouver. Lorsque vous vous serez éloignés, je commencerai mes recherches. Dans le pire des cas, j'attendrai qu'il fasse jour.

Les deux marins lui expliquent du mieux qu'ils peuvent l'emplacement de l'île sur laquelle ils ont laissé Marguerite et Damienne. Quand la barque touche l'eau, Francis commence à respirer. Il prie pour que personne ne s'aperçoive de sa disparition avant qu'il soit assez loin du navire. Au fond de la cale, il se faisait un sang d'encre pour sa belle. Il ne pouvait pas croire que le sieur de Roberval soit assez méchant pour débarquer sa nièce sur une île, au beau milieu de nulle part. Il pourra veiller sur elle, maintenant ; mais pour cela, il faut d'abord qu'il la trouve.

Il se sent bien petit dans sa barque en cette nuit sans étoiles, sans compter qu'il souffre le martyre à cause des ses nombreuses blessures. Le temps est à l'orage. Des éclairs déchirent le ciel au loin. Avec un peu de chance, il retrouvera Marguerite avant que la pluie se mette à tomber. « La pauvre, elle doit être dans tous ses états » pense-t-il.

Il regarde le navire s'éloigner en se disant que la vie peut parfois nous réserver des surprises. Il s'est embarqué pour l'aventure et il a trouvé l'amour. N'est-ce pas la plus belle chose du monde ? Marguerite, c'est ce qui lui est arrivé de plus beau de toute sa vie. Ses parents seront très surpris quand ils feront faire sa connaissance ; ils vont l'adorer. « Oui, mais pour cela, il va falloir qu'on retourne en France, se dit-il, et ce n'est pas gagné d'avance. Je serais très étonné que le sieur passe nous prendre sur le chemin du retour. »

Quand il était petit, Francis demandait à son père de lui raconter des histoires de pirates. Plus il avait peur, plus il aimait ce genre de récits. Une fois couché, il pouvait descendre dix fois de son lit pour vérifier s'il n'y avait pas de méchant dans les parages. Soir après soir, il répétait le même scénario. Aujourd'hui, il a l'impression de se trouver au beau milieu de l'une de ces histoires, sauf que cette fois, c'est lui le héros qui doit sauver la belle. « Dire que l'on croit que les choses sont plus faciles chez les nobles, pense-t-il ; à tout prendre, j'aime mieux être pauvre mais libre de mes actes. »

De toute sa vie, jamais il ne lui a été donné de rencontrer un homme aussi cruel que l'oncle de Marguerite. Le commandant a d'abord voulu l'étrangler quand il l'a vu sortir de la cabine de sa nièce, il l'a ensuite fait mettre aux fers et il est venu le fouetter. Il y avait tant de colère dans les yeux de l'assaillant que Francis a bien cru qu'il allait mourir. Il le frappait comme un fou, sans s'arrêter. Si la cloche n'avait pas retenti, il l'aurait tué. Chaque fois que Francis entendait quelqu'un s'approcher, il priait pour que ce ne soit pas lui.

Pendant que le navire s'éloigne, Francis tente de calculer la distance qui le sépare de celui-ci. Une chose est certaine : le charpentier rame dans la bonne direction. En se dirigeant dans le sens opposé du navire, il ne peut pas se tromper. La flotte venait à peine de dépasser Terre-Neuve quand elle a de nouveau jeté les ancres pour débarquer les femmes. Tout compte fait, Francis ramera sûrement quelques heures. Tous ses muscles le font souffrir, mais il fait comme si de rien n'était. Le temps presse de retrouver Marguerite. « Encore heureux que son oncle ait laissé sa servante avec elle » se dit-il.

*  *  *

Pendant ce temps, les deux femmes sont restées au même endroit où les marins les ont laissées. À les voir, on dirait que quelqu'un les a changées en statues. Collées l'une contre l'autre et assises sur le coffre de chêne de Marguerite, elles fixent l'horizon, le regard vide. Depuis qu'elles sont arrivées sur l'île, la mer est venue jusqu'à leurs pieds pour ensuite se retirer, et elles n'ont pas bougé. Elles savent qu'elles devront réagir, mais pour le moment, c'est au-dessus de leurs forces. Elles essaient de comprendre ce qui leur arrive. Le commandant ne peut pas les avoir abandonnées sur une île déserte, au beau milieu de la mer, c'est impossible. Aucun homme ne peut être assez méchant pour faire cela. On ne punit pas aussi sévèrement le pire des meurtriers. Le simple fait d'aimer un homme peut-il justifier que l'on condamne une femme à un tel châtiment ?

Quand elles ont vu repartir le navire, elles ont senti quelque chose se briser en elles. L'espoir. L'espoir d'avoir une vie normale. L'espoir de réaliser leurs rêves. L'espoir de revoir la France. L'espoir de vivre. Même si, dans un geste de grande bonté, ce qui est peu probable, le sieur de Roberval revenait les chercher, ce ne sera pas avant une bonne année. Que feront-elles d'ici là ? Combien de temps tiendront-elles le coup avant de rendre l'âme ? Elles ne savent pas construire d'abri. Elles ne savent pas chasser. Elles ne savent pas bûcher. Elles ont le cœur grand comme un château, mais à quoi bon si elles ne peuvent pas se mettre à l'abri ? Des cris, qu'elles ne peuvent identifier, brisent le silence de la nuit et résonnent dans leurs oreilles. Elles sont figées par la peur. Et si l'île était remplie de bêtes féroces ? Et si elle était habitée par des Sauvages ? Trouveront-elles de quoi se nourrir ?

La température a chuté de plusieurs degrés depuis leur arrivée sur l'île, et pourtant elles ne sentent pas le froid. Elles grelottent, mais elles ne tentent pas de se réchauffer. Elles sont en état de choc.

Marguerite se dit qu'elle aimerait mieux mourir, et que sans Francis la vie ne vaut pas la peine d'être vécue. Elle en veut à son oncle de l'avoir traitée ainsi, mais elle lui en veut encore plus d'avoir traité son amoureux de la sorte. Jamais elle ne l'aurait cru capable d'autant de méchanceté. Elle espère qu'il ira brûler en enfer. En tout cas, elle sait qu'elle ne vivra jamais assez vieille pour lui pardonner ce qu'il a fait. Et s'il avait tué Francis ? De grosses larmes coulent sur ses joues.

Damienne, de son côté, ne cesse de se répéter qu'elle doit prendre soin de Marguerite, mais elle est incapable de bouger pour le moment. Elle repense à ce qui vient de se passer : Marguerite est venue la chercher, elles ont fait leurs bagages et les marins les ont amenées sur cette île. Sa jeune maîtresse n'a pas arrêté de pleurer depuis ce temps. Le pire, c'est que Damienne n'a rien fait pour empêcher ce drame. Elle n'a même pas eu le réflexe de surveiller le retour de l'oncle et d'aller en avertir Marguerite. C'est impardonnable. Elle se sent coupable de tout ce qui leur arrive et cela lui crève le cœur. L'amour n'est-il pas censé faire du bien ? Pourquoi la relation amoureuse de sa protégée a-t-elle généré autant de peine ? Que leur réserve la vie sur cette île maudite ?

* * *

Seul sur cette mer sans fin, Francis attend que le jour se lève avant d'aller plus loin. Il ne tient plus en place tellement il a hâte de retrouver Marguerite. Il a l'impression que l'angoisse lui enserre la poitrine. Tout peut arriver en une nuit. Quand il sera avec sa belle, il pourra la défendre ; mais pour l'instant, tout ce qu'il peut faire, c'est espérer que tout aille bien, dans les circonstances. Son amour est si fort qu'il donnerait sa vie pour la jeune noble.

Il aurait besoin d'un peu de lumière pour savoir où il est. Il fait une fois de plus l'inventaire de ce que les marins ont mis dans sa barque : une lampe, de l'huile, une hache, des clous, de la corde et une grande toile. C'est bien peu pour se bâtir une vie. Tout ce qui lui reste à espérer, c'est que le sieur n'ait pas débarqué sa nièce les mains vides, ce qui, à bien y penser, ne l'étonnerait pas du tout.

Il ne se fait pas d'illusion ; à compter de maintenant, c'est ici qu'il vivra avec la femme qu'il aime. La partie est loin d'être gagnée : ils devront s'aimer profondément pour surmonter cette épreuve. Ils ne savent rien de ce pays, sinon ce qu'ils ont vu des côtes depuis qu'ils sont passés près de Terre-Neuve. Des arbres et encore des arbres. Pour le reste, ils improviseront au fil des jours. Ils commenceront par se bâtir un abri. Il paraît que l'hiver est froid ; mais comment peuvent-ils savoir jusqu'à quel point il peut l'être ?

Lorsque la nuit cède enfin sa place au jour, Francis sourit à pleines dents. De toute sa vie, il n'a jamais autant apprécié le lever du soleil. Il regarde autour de lui et essaie de savoir où il se trouve et quelle direction il doit prendre pour aller rejoindre Marguerite. Il se répète tout ce que les deux marins lui ont dit et tente d'assembler les morceaux. « Je ne dois pas être très loin de l'île aux Démons. C'est sûrement l'une de ces îles » pense-t-il. Il prend ses avirons et rame avec force malgré la douleur. Tant que Terre-Neuve est derrière lui, il est sur la bonne voie. Au bout d'une heure, il s'arrête et scrute les quelques îles qu'il aperçoit. Il n'est pas certain, mais il semble y avoir quelque chose sur le rivage le plus près. Rempli d'espoir, il redouble d'ardeur. Lorsqu'il arrive à proximité, il regarde de nouveau, et son visage se rembrunit. Il est certain que ce sont des phoques. Il s'approche davantage. Et là, son visage s'illumine instantanément. Il voit deux femmes assises sur ce qui semble être un coffre. Elles ne bougent pas. « Pourvu qu'il ne leur soit rien arrivé. » Il contourne les rochers et commence à crier :

— Marguerite, je suis là ! Je suis venue vous trouver !

Puisque les femmes ne réagissent pas, il crie de plus belle ; l'attitude de Marguerite et de Damienne commence à l'inquiéter sérieusement.

— Marguerite ! C'est moi ! Réveillez-vous !

Cette fois, Marguerite sort de sa léthargie. Elle soulève d'abord une paupière et croit rêver lorsqu'elle aperçoit Francis dans la barque, à proximité du rivage. Quand elle ouvre l'autre œil, elle se lève d'un trait, sans se préoccuper de Damienne qui dormait, appuyée contre elle. Marguerite court et rejoint son amoureux. Elle doit s'assurer qu'elle ne rêve pas, qu'il est bien réel. Elle relève ses jupes et entre dans l'eau, alors que Francis rame le plus vite qu'il peut pour venir à sa rencontre. Les deux amants sont fous de joie. Une fois la barque à sa hauteur, Marguerite saute dedans et se pend au cou de son amant. Ils échangent un baiser où amour, désespoir, colère et peur s'entremêlent. Des larmes coulent sur les joues de Marguerite. Elle serre Francis si fort qu'elle lui fait mal, mais il ne dit rien. Il comprend à quel point elle a eu peur cette nuit.

— Je suis là, maintenant ; ne vous inquiétez plus, je vais veiller sur vous. Mon bel amour, j'ai eu tellement peur pour vous.

— Je croyais que je ne vous reverrais plus jamais, dit-elle entre deux sanglots. Promettez-moi de ne jamais m'abandonner.

— Je suis là pour rester, répond-il d'une voix douce et rassurante en lui caressant la joue.

Tirée brusquement de son sommeil, Damienne s'est levée et a fait quelques pas dans leur direction. Elle les regarde et sourit. Cette journée ne pouvait pas mieux commencer. Elle remercie Dieu que Francis soit venu les rejoindre.

Pendant que les deux amoureux viennent jusqu'à la servante, un éclair fend le ciel de long en large, suivi d'un coup de tonnerre retentissant.

— Aidez-moi, s'écrie Francis, on ne peut pas laisser les bagages sur le rivage comme cela. On va au moins les apporter sous les arbres. J'ai une grande toile dans ma barque, on va la mettre dessus. Dépêchez-vous, je crois bien qu'on va y goûter.

Dès qu'ils terminent d'installer la toile, la pluie se met à tomber.

— Suivez-moi, ajoute Francis, il y a un abri juste de l'autre côté de ce rocher.

Surprises, les deux femmes le suivent sans poser de questions. Sa seule présence leur a redonné instantanément le goût de se battre.

Une fois à l'abri, les trois naufragés ne peuvent s'empêcher d'éclater de rire. Ils sont trempés jusqu'aux os, mais ils sont bien vivants et sont ensemble. Ils ont même un toit sur la tête, c'est bien plus qu'ils ne pouvaient espérer dans les circonstances.

Quand elle parvient à reprendre son souffle, Marguerite demande à Francis :

— Mais comment avez-vous su qu'il y avait un abri ici ?

— Pour tout vous dire, j'ai un peu exploré les alentours avant de vous trouver.

Francis explique aux deux femmes qu'il a passé la nuit en mer, dans sa petite embarcation, et que ce n'est qu'au matin qu'il a commencé ses recherches.

— C'est ce qui m'a permis de repérer cet abri. Il a dû être construit par les chasseurs de baleine. Ils devaient s'en servir quand ils venaient dans le coin. J'ai aussi vu un abri sur l'île de Terre-Neuve.

— En tout cas, on ne pouvait espérer mieux, dit Damienne. Nous n'avons rien vu de l'île, sauf le bout de plage sur lequel nous vous attendions ; et à première vue, elle ne semblait pas regorger d'arbres matures que nous aurions pu couper pour construire une cabane.

— Ai-je bien compris ? s'exclame Francis. Vous m'attendiez ? Mais comment pouviez-vous être certaines que je viendrais ?

— J'ai prié de toutes mes forces pour que vous veniez nous retrouver, ajoute Damienne. Sans vous, nous n'avions aucune chance de survivre.

— Pour tout vous dire, j'ai passé près de ne pas vous rejoindre. Sauf votre respect, dit-il en regardant Marguerite, votre oncle est fou. J'ai cru qu'il allait me tuer.

— Que vous a-t-il fait ? demande Marguerite, inquiète.

Comme une image vaut mille mots, le jeune homme relève sa chemise. À la vue de toutes les marques sur le torse de Francis, les deux femmes ne peuvent retenir leurs cris.

— Mon pauvre amour, s'exclame Marguerite, vous devez souffrir le martyre. Comment a-t-il pu oser vous rouer de coups de la sorte ? Il n'avait pas le droit de s'en prendre à vous.

— N'oubliez jamais qu'il est le maître à bord, dit Damienne, et qu'il a droit de vie ou de mort sur chacun. Je vous l'ai dit, votre oncle n'est pas une bonne personne. Vous avez osé le défier et il vous en fait payer le prix.

— Nous abandonner sur cette île, c'est nous faire chèrement payer pour nos fautes, lance tristement Marguerite. Il savait très bien que nous n'avions aucune chance de survivre.

— Je ne veux pas tourner le fer dans la plaie, ajoute Damienne, mais c'était sûrement le but. Vous disparaissez et il prend possession de tous vos biens à son retour.

— Alors, juste pour contrecarrer ses plans, s'écrie la jeune fille, soudainement envahie par la colère, je promets de retourner un jour en France. Je ne sais ni quand ni comment, mais je jure sur la tête de ma mère que j'irai reprendre tout ce qu'il m'aura pris.

Jamais une personne ne l'aura déçue autant. Elle qui croyait que son oncle était un homme bon ; eh bien ! elle s'est royalement trompée. Elle est bien obligée d'admettre qu'il n'a rien en commun avec son père ; ce dernier n'était peut-être pas l'homme le plus chaleureux du monde, mais il était bon et juste. Il ne fallait pas s'attendre à de grands épanchements de sa part non plus. Jamais il n'a dit à Marguerite qu'il l'aimait, mais il le lui a prouvé tellement de fois! Il a pris soin de sa femme pendant tant d'années, sans jamais baisser les bras, sans jamais perdre patience. À ses côtés, Marguerite a été heureuse, alors que quelques mois ont suffi à son oncle pour détruire sa vie tout entière. Jamais elle ne lui pardonnera d'avoir abusé de sa naïveté. Parce qu'il était le frère de son père, elle lui faisait confiance.

Ni Francis ni Damienne n'osent contrarier Marguerite. Tant qu'elle croira qu'elle peut retourner en France, elle fera tout pour rester en vie. Comme ils savent que la partie n'est pas gagnée d'avance, il vaut mieux qu'elle ait une bonne raison de se lever le matin.

La pluie est de plus en plus forte. Elle frappe violemment sur le toit et les murs de la cabane et s'infiltre ici et là. Francis observe la scène et dit:

— Il va nous falloir un autre abri pour l'hiver, les murs sont bien trop minces et pas assez étanches.

— Nous pourrions utiliser le bois pour en construire un autre, dit Marguerite.

— Mais avant, nous devons trouver un bon endroit, ajoute Francis; il nous faudra nous installer à l'abri du vent.

— Nous devons aussi être visibles, au cas où un navire remonterait jusqu'ici, lance Marguerite.

— Oui, mais en même temps, dit Damienne, il vaut mieux qu'on ne soit pas trop à la vue quand votre oncle retournera en France. S'il nous aperçoit, il est bien capable de nous tuer.

— Vous avez raison, lâche Francis, mais on a le temps d'y réfléchir. L'hiver n'est pas pour demain. Je ne sais pas pour vous, mais moi, je n'ai rien mangé depuis hier matin et j'ai vraiment faim.

— Moi aussi, s'écrie Marguerite, mais nous avons tout laissé sur la plage. Nous n'avons pas grand-chose ; je ne sais pas ce que nous pourrions avaler, j'ignore ce que mon cher oncle nous a donné.

— Je vais chercher ce qu'il faut, dit Francis.

— Non, s'exclame Marguerite, il n'est pas question que vous sortiez par ce temps, vous pourriez vous faire frapper par la foudre et je ne supporterais pas qu'il vous arrive autre chose.

— Ne vous inquiétez pas, dit-il pour la rassurer en lui prenant les mains, j'en ai pour quelques minutes à peine.

# Chapitre 10

Cette nuit-là, ils se sont endormis à même le sol de leur abri en écoutant le grondement du tonnerre et le son que faisait la pluie sur le toit. Lorsque Marguerite ouvre les yeux, le spectacle qui s'offre à elle est plutôt désolant. Il y a de la boue partout autour d'eux et de grandes coulisses d'eau ont laissé des traces sur une partie des murs. Bien qu'elle ne connaisse pas grand-chose en matière de construction, ce qu'elle voit lui suffit pour savoir qu'ils devront faire le nécessaire rapidement pour se mettre à l'abri des intempéries et du froid, ce fameux froid dont ils ignorent à peu près tout. Malheureusement, il y a fort à parier qu'il leur faudra passer un hiver complet ici pour savoir jusqu'à quel point il peut être cruel dans le Nouveau Monde.

La jeune noble se lève sans faire de bruit. Elle ne se souvient pas d'avoir été aussi courbaturée de toute sa vie. Il faut dire qu'à part quelques nuits à dormir dans la grange, sur du foin, alors qu'elle était enfant, elle n'a jamais déserté son lit. Et même si celui qu'elle avait sur le navire n'était pas des plus confortables, il valait mieux que le sol de cet abri temporaire. À bien y penser, c'est une bonne chose qu'elle soit née dans une famille noble, parce que, finalement, la noblesse n'a pas que des côtés négatifs. Mais pourquoi faut-il se retrouver dans de telles conditions pour apprécier son chez-soi ? Elle étire tous ses membres et secoue ses vêtements pour en enlever la poussière et la terre séchée. Elle tente d'éviter les flaques d'eau et de boue ; il vaut mieux faire attention à ses chaussures de cuir, bien trop raffinées pour l'endroit. Il lui faudra se chausser autrement. Une fois devant la porte, elle l'ouvre doucement en essayant de ne pas en faire grincer les gonds. Dès qu'elle est dehors, elle respire un bon coup et regarde le lever du soleil. Si cette île n'était pas en pleine mer, à trois mois de navire de la France, et s'ils n'en étaient pas les trois seuls habitants, elle apprécierait ce splendide spectacle.

Devant, il y a la mer dans toute sa splendeur avec, en arrière-plan, une forme noire, probablement l'île de Terre-Neuve. À côté, une petite île rocheuse peu invitante sauf pour les oiseaux. Et pas un seul nuage dans le ciel. Si elle considère la grosseur de l'île de Terre-Neuve, celle-ci doit être à plusieurs lieues d'ici ; en tout cas, elle semble trop loin pour s'y rendre à trois dans une aussi petite barque.

Des centaines d'oiseaux de mer arpentent le rivage, certains se posent sur les rochers, d'autres volent juste au-dessus de l'eau, prêts à saisir leur déjeuner au passage. Leur présence à elle seule est rassurante. Si ces volatils viennent jusqu'ici, alors c'est que le continent ne doit pas être si loin. Mais tout compte fait, que peuvent-ils espérer de plus du continent ?

Contrairement à l'endroit où les marins les ont laissées la veille, il n'y a pas de rocher du côté de l'abri. Sur la plage, des ossements traînent ici et là. Leur grosseur permet de supposer qu'il s'agit de carcasses de baleines. Au nombre de restes, les chasseurs ont dû dépecer des centaines de mammifères marins. Peut-être que l'huile que l'on tire de ces bêtes est ce que l'on peut rapporter de mieux de ce Nouveau Monde. Mais alors sont-ils les seuls visiteurs qu'ils puissent espérer ? Reverront-ils un jour leur terre natale ?

Marguerite se dirige vers l'endroit où ils ont laissé leurs bagages la veille. Avec toute l'eau qui est tombée cette nuit, il vaudrait mieux les mettre le plus rapidement possible au sec. La toile semble avoir tenu le coup, ce qui fait sourire la jeune noble. À part les morceaux de viande séchée que Francis a rapporté hier, elle ignore ce qu'ils ont comme provisions, mais elle meurt d'envie de le savoir. Elle se dépêche de retirer la toile et la range à côté, après avoir pris la peine de la plier. Tous les objets qu'ils ont en leur possession ont une importance capitale. Ce n'est pas demain la veille qu'ils vont recevoir une autre toile en cadeau.

— Bonjour, Marguerite, s'écrie Francis en s'approchant d'elle. Vous auriez dû me réveiller.

— Non, vous dormiez trop bien ; et puis, juste le fait de vous savoir près de moi me rassure. Vous ne pouvez pas vous imaginer à quel point je suis contente que vous soyez là.

— Moi aussi je suis heureux d'être ici, avec vous, ajoute-t-il en la prenant dans ses bras.

— Je m'apprêtais à faire l'inventaire de ce que nous avons. Je me disais aussi qu'il vaudrait mieux tout ranger dans notre abri.

— Je vais vous aider. Commençons par ouvrir les barils pour voir ce qu'ils contiennent.

— Entre vous et moi, je ne me fais pas d'illusions. Je me rappelle que mon oncle nous a énuméré ce qu'il nous a donné, mais je serais incapable de me souvenir de quoi il s'agit, sans compter qu'il m'a peut-être menti. En tout cas, une chose est sûre, nous n'avons pas grand-chose.

— Attendez, on ne sait jamais.

— Depuis le début du voyage, je vais de déception en déception en ce qui le concerne, alors une de plus ou de moins ne changera pas l'idée que je me fais de lui. Je regrette d'avoir cru ses belles paroles et de l'avoir accompagné ici ; mais il est trop tard pour revenir en arrière. Mais au moins cette expédition m'a permis de vous rencontrer. Juste pour cela, elle en valait la peine.

Francis la regarde tendrement et lui sourit. Il ne pouvait trouver une meilleure femme. Elle est belle comme le jour, intelligente et sensible, et elle ne s'apitoie pas sur son sort. Au contraire, elle est capable de retomber sur ses pieds et de tirer le maximum de la situation. Pour toutes ces raisons, il est en admiration devant sa belle.

— Marguerite, ne le prenez pas mal, mais j'ai une demande à vous faire.

— Je vous écoute, répond-elle, la voix remplie d'entrain ; mais n'oubliez pas que je n'ai plus rien.

— Croyez-vous que nous pourrions nous tutoyer ? Je sais que ce n'est pas habituel dans votre monde, mais dans le mien, c'est différent.

— Bien sûr, s'exclame la jeune femme sans aucune hésitation. Alors, tu l'ouvres, ce baril ? demande-t-elle en riant.

— Laisse-moi trouver un outil.

Francis ouvre par la suite un premier baril.

— C'est bien ce que je pensais, c'est de l'eau.

— Est-elle potable ?

— Elle le restera, à la condition que nous la mettions à l'ombre. Je vais refermer le baril et je le roulerai jusqu'à l'abri. Je vais tout de même ouvrir les autres, on ne sait jamais, peut-être que l'eau s'est transformée en vin.

— En tout cas, ce ne sera pas grâce à mon oncle, sois-en certain. Allez, je suis curieuse de voir ce qu'ils contiennent.

Quand Francis ouvre le deuxième baril, une odeur bien corsée vient taquiner leurs narines. Heureux, les deux tourtereaux sautent de joie. Leur désir a été exaucé.

— Nous sommes bénis, s'écrie Francis. Je ne sais pas à qui nous devons cette faveur, mais Dieu ait son âme. Il reste un récipient rempli de liquide. Crois-tu que nous aurons droit à de la bière, maintenant ?

— Pour ma part, je préfère de loin le vin rouge, mais si c'est de la bière, nous ferons avec, répond-elle d'un air moqueur.

Mais ce troisième baril est rempli d'eau potable.

— Il va falloir être très vigilants, dit Francis. Dès que nous aurons vidé un contenant, il faudra l'installer pour recueillir l'eau de pluie afin d'en avoir toujours en réserve.

— Je suis d'accord. Regardons ce qu'il y a dans le dernier. Il doit contenir quelques provisions, en tout cas, je l'espère, parce que le vin est meilleur quand il accompagne un bon repas.

Le dernier baril est rempli de sacs de farine, de biscuits et de morceaux de viande séchée.

— Il n'y a pas de quoi faire un festin, lance Marguerite, je t'avais prévenu. Il n'y a même pas de quoi déjeuner.

— On peut manger des biscuits.

— Est-ce que tu y as déjà goûté ?

— Oui. C'est vrai que ce ne sont pas les meilleurs, mais comme dirait ma mère, c'est quand même mieux que rien.

— N'oublie pas que je suis noble, ajoute Marguerite en souriant, donc légèrement fine bouche à mes heures.

— Alors, madame, nous allons remédier à cela tout de suite. Que dirais-tu si j'allais pêcher ? Je pourrais ensuite faire griller les poissons.

— Bonne idée. Pendant ce temps-là, je vais aller cueillir des petits fruits. Il faut juste que je trouve quelque chose dans lequel les déposer, mais je crois bien avoir ce qu'il faut dans mon coffre. Peux-tu enlever ce qu'il y a par-dessus ?

Sitôt dit, sitôt fait ! Marguerite ouvre son coffre et prend un gros coquillage dans lequel elle a l'habitude de ranger ses bijoux. Elle le montre fièrement à Francis. Puis elle lui demande :

— As-tu vu ? Au fond du baril, il y a des haches et des couteaux. Nous avons aussi deux fusils et des munitions.

— Et moi, j'ai des clous, de la corde et une barque.

— Alors nous avons l'essentiel, ajoute Marguerite. Veux-tu m'aider à remettre la toile sur nos choses en attendant qu'on les transporte ?

— Laisse, je vais le faire. Tout de suite après le déjeuner, on fera le nécessaire, il vaut mieux ne pas trop tarder.

— Mais dis-moi, Damienne dormait encore quand tu es sorti ?

— À poings fermés ; elle ronflait, même.

— Pauvre elle, je m'en veux de l'avoir entraînée dans cette aventure. Elle ne rajeunit pas et ses jambes la font de plus en plus souffrir.

— Nous allons en prendre soin. Allez, si on veut manger un jour, il vaut mieux s'y mettre.

— Tu as raison. Tu me promets de faire très attention à toi ?

— Promis, mon capitaine. Sérieusement, tu n'as pas à t'inquiéter, je vais pêcher sur les roches, juste de l'autre côté.

— À plus tard.

Lorsque Damienne se réveille et réalise qu'elle est seule, elle est momentanément envahie par la peur d'avoir été abandonnée une autre fois. Au fond d'elle-même, elle sait qu'elle ne le supporterait pas. Elle reprend ses esprits et se dit que jamais Marguerite ne lui ferait cela. D'ailleurs, comment le pourrait-elle ? Ce n'est pas avec la petite barque de Francis que les deux tourtereaux pourraient quitter l'île. Damienne se met difficilement à genoux et, après quelques efforts, parvient à se lever. Dormir par terre n'est pas la meilleure chose qui lui soit arrivée. Son corps est raide. On dirait que ses articulations sont figées. En raison de ses quarante ans bien sonnés, il vaut mieux qu'elle s'habitue. Il est bien loin le temps de ses vingt ans, alors qu'elle courait sans se fatiguer. Aujourd'hui, ses jambes la supportent difficilement. C'est vrai qu'elle a pris du poids, ces dernières années, mais ce n'est pas une raison pour que ses membres ne lui obéissent plus. On dirait que la seule vue de la nourriture la fait engraisser.

Elle ne l'avouera pas à Marguerite, mais elle est morte de peur à l'idée de passer le reste de ses jours sur cette île maudite. Devant sa jeune maîtresse, elle s'est promis de se montrer forte, mais elle sait qu'elle devra faire des efforts pour ne pas l'inquiéter. Quand elle vivait à Pontpoint, elle rêvait de jours tranquilles et espérait vieillir en paix. Mais là, ses rêves se sont transformés en cauchemars. La nuit passée, ils ont dormi à même le sol d'une cabane puante. Aujourd'hui, ils ne savent même pas ce qu'ils vont manger. Et demain ? Ils ignorent de quoi il sera fait !

Elle frictionne ses jambes pour que le sang y circule et sort de la cabane, la mort dans l'âme. Alors qu'elle s'attendait à tomber nez à nez avec Marguerite et Francis, il n'y a pas âme qui vive, à l'exception des dizaines d'oiseaux qui volent dans le ciel. Elle se dirige vers leurs bagages et s'assoit sur un rocher, face à la mer. Où qu'ils soient, les deux amoureux finiront bien par revenir.

# Chapitre 11

— Je n'ai jamais vu cela, s'écrie Marguerite en regardant Damienne. Il n'y a pas un endroit visible où les moustiques ne t'ont pas piquée, tu as même des piqûres sur le visage. Ils sont vraiment voraces, ces parasites! Rien à voir avec les moustiques de France.

— Et ce que vous voyez, ce n'est rien.

Quand Damienne relève ses jupons pour montrer ses jambes à Marguerite, la jeune femme laisse échapper un cri d'effroi.

— Ma pauvre Damienne, c'est pire que pire. Chaque piqûre est aussi grosse qu'un jaune d'œuf, il faut faire quelque chose. Est-ce que ça te démange?

— Si je ne me retenais pas, je me gratterais au sang, mais il vaut mieux que je ne commence pas, parce que je sais que je ne pourrai plus m'arrêter.

— Le pire, c'est que nous n'avons rien pour te soigner, lance Marguerite d'un air désolé. Si j'avais mon oncle devant moi présentement, je lui dirais ma façon de penser et je le frapperais ensuite de toutes mes forces, jusqu'à ce qu'il s'effondre.

— Et moi, ajoute Damienne en souriant, je le tiendrais pour qu'il n'ait aucune chance de se sauver. Quand je mets des compresses d'eau fraîche, ça me soulage un peu. Le sel de mer enlève les démangeaisons quelques minutes. Ne vous inquiétez pas pour moi, j'ai réussi à m'habituer au navire, j'en ferai de même avec les moustiques d'ici, je vous le promets.

— Mais en attendant, il faut faire quelque chose. J'y pense, il y a de l'alcool dans le vin, nous allons en mettre sur tes piqûres.

— Il y a aussi du sucre, je ne suis pas certaine que ce soit une bonne idée. Je n'ai pas envie de servir de dessert aux moustiques en plus.

— Nous ne perdons rien à essayer. Mettons-en sur une jambe aujourd'hui et nous verrons bien si cela change quelque chose. Sur l'autre, continue de mettre de l'eau de mer. Ne bouge pas, je vais chercher un peu de vin pour te badigeonner.

— Vous êtes trop bonne pour moi, dit-elle, la voix remplie d'émotion. Il y a bien plus important à faire que de s'occuper de mes piqûres.

— Nous avons besoin de toi, alors tu dois être en forme.

— Croyez-vous sincèrement que nous allons y arriver? demande-t-elle d'une voix mal assurée. Il y a tant à faire, il me semble qu'on ne verra jamais le bout.

À ces mots, Marguerite s'approche de sa servante et lui soulève le menton pour l'obliger à la regarder. Depuis qu'ils sont sur l'île, Damienne n'est plus la même. Elle tente de garder son assurance lorsqu'elle est en présence de sa maîtresse, mais elle ressent une grande insécurité. On dirait qu'elle a pris un coup de vieux, juste en mettant le pied sur l'île. Elle, habituellement si joviale et si volontaire, se traîne péniblement à longueur de journée. Marguerite ne la reconnaît plus. Elle peut comprendre que ce n'est pas facile pour sa servante. Découvrir le Nouveau Monde, c'était son rêve à elle et non celui de la pauvre femme. Pourtant, ici, ils ont besoin de chaque paire de bras et, surtout, ils n'ont pas le temps de se motiver les uns les autres pour faire avancer les choses.

— Ma chère Damienne, il faut que nous nous parlions, toi et moi. Les choses ne peuvent pas continuer ainsi. Je peux comprendre que ce n'est pas facile pour toi, ce ne l'est pas pour moi non plus. Je sais que tu voudrais être à Pontpoint; moi aussi je voudrais y être. Je n'ignore pas que tu en veux à mon oncle pour tout ce qu'il nous a fait, je lui en veux autant que toi. Mais pour le moment, c'est ici que nous sommes et, que nous le voulions ou non, nous devons faire tout ce qui est en notre pouvoir pour survivre. Je te le redis haut et fort, nous retournerons en France un jour, mais pour cela, j'ai besoin de toi, parce que seule je n'y arriverai pas. Nous sommes trois sur cette île et nous en repartirons tous les trois. Alors, en réponse à ta question : oui, je crois de toutes mes forces que nous allons y arriver. Pour cela, il nous faut retrousser nos manches et travailler. Je ne sais pas grand-chose de l'hiver d'ici, mais je le redoute déjà. Je n'ai qu'à regarder le nombre de piqûres que tu as comparé à celles que tu avais en France et je suis vite tentée de croire que ce Nouveau Monde est une terre de démesure. Alors il vaut mieux se préparer si nous voulons survivre.

Pendant que Damienne soutient le regard de sa maîtresse, de grosses larmes coulent sur ses joues. Elle voudrait tellement être à la hauteur, mais elle n'y arrive pas. Au fond d'elle-même, on dirait que quelqu'un la retient de s'investir, lui soufflant à l'oreille que peu importe ce qu'elle fera ce ne sera jamais suffisant. La peur lui broie l'estomac.

Marguerite regarde sa servante avec tendresse et lui dit, en mettant un bras autour de ses épaules :

— Ensemble, nous allons y arriver, je te le promets.

Damienne appuie sa tête contre l'épaule de Marguerite et laisse libre cours à ses larmes. Au bout de quelques minutes, elle relève enfin la tête et dit :

— Pour vous, je veux bien essayer.

— Fais-moi confiance, tu ne le regretteras pas.

Puis, sur un ton directif, Marguerite ajoute :

— Attends-moi, je vais chercher du vin et, après, nous partirons à la recherche de Francis. Il est allé voir s'il y avait du bois, plus loin sur l'île ; parce que même en défaisant l'abri, nous n'en aurons pas assez pour construire notre cabane.

— Je pourrais me charger de ramasser du bois de chauffage, le rivage en est rempli.

— C'est une très bonne idée, mais fais bien attention. Si nous avons chaud cet hiver, ce sera grâce à toi, mais si nous avons froid parce que nous manquons de bois, ce sera ta faute. Francis a prévu le mettre sous la toile pour qu'il sèche d'ici l'hiver. Si tu préfères commencer tout de suite, pas de problème. Moi, je vais aller voir si Francis a besoin d'aide.

— C'est d'accord, on se voit tout à l'heure. Si vous voulez, je pourrais aussi mettre une ligne à l'eau. Je la surveillerais en même temps.

— Pas de problème, mais pour être franche, j'aimerais bien me mettre autre chose que du poisson sous la dent un de ces jours. Il doit certainement y avoir des lièvres ici ; je vais demander à Francis de me montrer comment tendre des collets.

— On pourrait aussi tirer un ou deux canards de mer, c'est sûrement très bon. Si vous voulez, je m'en charge.

— Tu sais te servir d'un fusil ?

— Disons que je l'ai déjà su. Quand j'étais jeune, mon père m'amenait avec lui à la chasse et il me laissait tirer. Selon lui, je tirais mieux que bien des gens.

— Bon, je reviens avec le vin.

Marguerite se dirige vers leur abri. La porte est grande ouverte. «Je suis pourtant certaine de l'avoir fermée en sortant» pense-t-elle. Elle s'avance et, au moment où elle s'apprête à rentrer, la porte vient percuter le mur d'un coup sec. C'est alors que Marguerite aperçoit un grand ours brun. Elle hurle de toutes ses forces, tellement que Damienne, fusil à la main, vient vite voir ce qui lui arrive. Aussi surprise que la belle, la bête reste figée sur place. Quand elle voit l'animal à quelques pas de sa maîtresse, Damienne épaule son arme, vise et tire. La seconde d'après, l'ours s'étale de tout son long, aux pieds de la jeune femme. Sa chute soulève un nuage de poussière autour de lui, laquelle se dépose sur les vêtements de Marguerite, qui est incapable de bouger.

Damienne s'approche jusqu'à sa hauteur, pousse la tête de l'ours avec son pied pour s'assurer qu'il est bel et bien mort et s'écrie :

— C'est bien vous qui vouliez manger autre chose que du poisson ? Eh bien ! au menu, ce soir : rôti d'ours cuit sur la braise. Vos désirs sont mes ordres, madame, ajoute-t-elle en souriant. Vous pouvez bouger, maintenant, il n'est plus dangereux.

— Mais j'en suis incapable. Je n'ai jamais eu aussi peur de toute ma vie, tu m'as sauvée. Merci, Damienne !

— Il n'y a pas de quoi. Maintenant, il va falloir prendre nos précautions et mieux ranger le peu de nourriture qu'on a.

— J'ai les jambes aussi molles que du coton. C'est une vraie grosse bête ! Qu'est-ce qu'on va faire de toute cette viande ? Avec cette chaleur, on va la perdre !

— On va la faire sécher. Je vais demander à Francis de m'aider à fabriquer un séchoir.

À une bonne distance de là, en entendant le coup de feu, Francis lâche sa hache et part en courant. «Pourvu qu'il ne soit rien arrivé à Marguerite, ne cesse-t-il de se répéter. Pitié, Seigneur, ne me faites pas cela. Ne me l'enlevez pas, je vous en prie, elle est tout ce qu'il me reste.» Le souffle court, il arrive enfin à leur abri. Quand il voit les deux femmes, l'ours brun à leurs pieds, il est soudainement pris d'une bouffée de chaleur.

— Je me suis fait un sang d'encre pour vous, dit-il, à bout de souffle parce qu'il a trop couru ; Dieu soit loué, vous n'avez rien.

— Nous, répond Damienne, le sourire aux lèvres, non ; mais l'ours, lui, vient de mourir.

— C'est vous qui l'avez tué ? demande Francis d'un air incrédule.

— Oui, répond-elle fièrement en gonflant la poitrine.

— Elle m'a sauvé la vie, ajoute Marguerite. Sans elle, l'animal n'aurait fait qu'une bouchée de moi.

— Mon pauvre amour, dit-il en prenant les mains de sa dulcinée dans les siennes. Heureusement, il ne vous est rien arrivé.

— Vous pouvez m'aider à le dépecer ? lance Damienne, sans se préoccuper des tourtereaux.

On dirait que cette aventure vient de lui redonner vie d'un seul coup.

— Bien sûr, laissez-moi le temps d'aller chercher ma hache et je reviens. En attendant, aiguisez notre meilleur couteau. On va tenter de ne pas abîmer la peau de la bête, elle nous tiendra au chaud cet hiver. Pour être honnête, il nous faudrait en abattre au moins deux autres.

— En tout cas, s'écrie Marguerite, ne comptez pas sur moi pour les regarder en face ; un seul, c'est bien suffisant. J'en tremble encore.

Les insulaires passent le reste de la journée à s'affairer autour de l'ours. Quand ils mettent le dernier morceau de viande à sécher, la noirceur est tombée depuis un moment déjà. Assis autour du feu, ils discutent tranquillement.

— Avec toute cette histoire, râle Damienne, je n'ai même pas pu ramasser un seul petit bout de bois.

— Vous vous reprendrez demain, dit Francis, il va sûrement faire beau.

— Je l'espère, parce que nous aurons besoin de beaucoup de bois pour nous chauffer cet hiver, ajoute-t-elle, et je n'ai pas l'intention de geler, croyez-moi.

Marguerite la regarde, le sourire aux lèvres. Elle vient de retrouver sa servante, ce qui lui fait vraiment plaisir. Pas plus tard que ce matin, Damienne était morte de peur, et voilà que maintenant elle est prête à tout pour passer l'hiver, ce qui est nettement plus rassurant, dans les circonstances.

— De votre côté, demande Damienne à Francis, avez-vous trouvé du bois pour construire notre cabane ?

— Il n'y en a pas autant que je le souhaitais. On ne peut pas dire que cette île regorge de grands arbres. Il y en a bien quelques-uns au sud, mais si on n'avait pas ceux qui ont servi à construire l'abri des Basques, on serait bien mal pris. Les quelques conifères qui poussent à l'est sont trop petits. À les voir, on peut vite supposer qu'ils n'ont pas la vie facile ici. Dans le meilleur des mondes, on va pouvoir utiliser leurs branches pour isoler l'abri ; nous les mettrons entre les rondins, mais c'est ce que nous pourrons faire de mieux.

— Mais on pourrait se rendre sur le continent, ajoute Damienne, il ne doit pas être si loin après tout.

— Aller sur le continent, ce n'est pas vraiment un problème, mais comment faire pour rapporter le bois qu'on va couper ? Il nous faudrait fabriquer une espèce de plateforme flottante.

— Avec quel bois ? demande Marguerite.

— Le continent regorge de gros et grands arbres, en tout cas si on se fie à ce qu'on a vu en passant près de Terre-Neuve, alors que sur cette île, il ne pousse que de petits arbres maigrichons. En fait, on ne pouvait pas plus mal tomber.

— Et si on changeait de place ? propose Marguerite.

— J'y ai pensé, mais comment fera-t-on pour transporter nos choses ? Et le bois ? Le continent le plus proche est sûrement à plusieurs kilomètres d'ici. Non, je crois bien que le mieux, c'est de rester sur cette île et de tirer le maximum de ce qu'on a. Ici, au moins, la nourriture est abondante.

— Es-tu certain que les Basques n'ont pas laissé d'autres constructions sur l'île ? demande Marguerite.

— Je n'ai pas encore fait tout le tour, on ne sait jamais. Demain, j'irai voir de l'autre côté.

— Il faudra prendre un fusil avec toi, dit Marguerite. Il doit sûrement y avoir d'autres bêtes sauvages. Nous devrons aussi protéger nos provisions.

— Je vais m'en occuper demain.

— Et moi, dit Damienne, je ramasserai tous les bouts de bois qu'il y a sur la plage. Bon, je rentre dormir. À demain.

— Ne rêve pas trop à ton ours, lance Marguerite.

— Je vais essayer, dit-elle, le sourire aux lèvres ; mais au moins, si j'y rêve, ce ne sera pas un cauchemar.

Dès que Damienne se retire, Marguerite s'assoit sur Francis et l'embrasse dans le cou, puis sur le front, sur le nez et enfin sur la bouche. Elle se colle contre lui et promène ses mains partout sur le corps de son amant, sans cesser de l'embrasser. Mus par la passion, ils s'étreignent avec fougue. Alors que Francis la renverse sur le sable, elle lui dit à l'oreille :

— Je veux me marier avec toi.

Surpris, le jeune homme relève la tête et la regarde dans les yeux. Ils sont vraiment amoureux.

— Ce serait un honneur pour moi, lui dit-il en posant ses lèvres sur celles de sa douce.

— Que dirais-tu du quinze août ?

— Le quinze du mois ? Pas de problème. Je t'aime tellement, ma belle Marguerite.

— Moi aussi, je t'aime. Nous demanderons à Damienne d'être notre témoin.

Cette nuit-là, ils ne dorment pas dans l'abri. Serrés l'un contre l'autre, ils s'aiment encore et encore sans pouvoir s'arrêter. Quand le soleil se lève, ils viennent à peine de s'endormir et Marguerite a presque réussi à oublier les remords qui la hantent depuis qu'elle vit dans le péché.

# Chapitre 12

Depuis leur arrivée sur l'île, les deux femmes ont troqué leurs vêtements de ville contre ce qu'elles avaient de plus confortable ; mais malgré tout, ces tenues ne sont pas appropriées à leur nouvelle vie. C'est pourquoi, après mûre réflexion, elles ont décidé de transformer leurs jupons et leurs jupes en pantalons. Heureusement, en digne fils de couturière, Francis avait des aiguilles dans son sac, ainsi que du fil ; les filles ont bien ri quand le charpentier leur a donné son attirail de couture. Marguerite s'est alors mise au travail, ne relevant la tête que pour manger. À la fin de la première journée, elle avait déjà cousu un pantalon pour Damienne. Fière d'elle, elle les brandissait comme un trophée. Quand elle a vu sa servante les enfiler, elle était folle de joie.

— Je suis vraiment très fière de moi. C'est sœur Angélique qui serait contente, elle qui pensait que je n'arriverais jamais à broder, même un pauvre petit mouchoir.

— Il est très beau, ce pantalon, s'écrie Damienne, mais vous auriez pu commencer par vous en faire un pour vous.

— Je tenais à fabriquer le premier pour toi. Tu as besoin d'être confortable pour transporter le bois. Maintenant, ce sera au tour de Francis. Tant que nous avons du fil pour coudre les habits et du tissu pour les confectionner, je suis partante. Pour être franche, je trouve cela amusant.

— Je crois bien que j'ai un bout de voile dans mes bagages, ce serait peut-être mieux pour Francis que des tissus de vêtements de femme. Je vous le donnerai. En tout cas, moi, j'adore cela, porter le pantalon. C'est beaucoup plus confortable qu'une jupe et des jupons. Là, je me sens libre de mes mouvements. Le fait de vivre ici me donne au moins cet avantage : je peux porter un pantalon tous les jours et j'en suis très heureuse.

Quant à leurs chaussures, il était urgent de faire quelque chose. Sur l'île, il n'y a pas de chemin bien tracé, que des branches, des petites roches et un sol accidenté. Fatiguée de se blesser aux pieds, Marguerite a remplacé ses bottillons de cuir fin par des souliers de cuir brut. Heureusement, Damienne en avait deux paires dans ses bagages et, comme les femmes chaussent la même pointure, elle lui en a donné une. Chaque fois que Marguerite se regarde les pieds, elle a la nausée ; pourtant, même si ces souliers ne sont ni beaux ni raffinés, elle doit reconnaître qu'ils sont bien plus confortables que ceux qu'elle a l'habitude de porter. Habillées de la sorte, servante et maîtresse ne sont certes pas les deux femmes les plus élégantes de la terre, mais au moins elles peuvent vaquer à leurs occupations sans s'enfarger inlassablement dans leurs jupons.

Il n'est pas question de mettre de la poudre ou du parfum. Bien que se parfumer soit l'un des seuls petits plaisirs de Damienne, elle a vite compris que si elle ne le faisait pas les moustiques s'intéressaient un peu moins à elle. Comme il semble qu'elle soit une cible parfaite pour eux, vaut mieux éviter les parfums. Chaque matin, quand elle s'habille, elle prend la parfumeuse que Marguerite lui a offerte, la regarde et la remet à sa place, à regret. Elle a bien l'intention de reprendre le temps perdu dès que la température refroidira et que les maringouins de l'île seront endormis pour la saison froide.

En plus, le vent est toujours au rendez-vous. Quand il vient du nord, on dirait qu'il gémit. Au début, Marguerite laissait ses longs cheveux libres, mais après avoir souffert le martyre plus d'une fois pour les démêler, elle a coupé un bout de tissu en pointe et s'en est couvert la tête. Chaque matin, elle se fait un chignon avant d'attacher son foulard à l'arrière de ses oreilles ; ainsi, elle est prête à entamer sa journée. Même Francis en porte un. Comme cela, il ne passe pas son temps à repousser ses cheveux, ce qui lui fait épargner bien du temps.

Fidèle à son habitude, Damienne est la dernière à sortir de l'abri. Dès qu'elle la voit, Marguerite lui crie :

— Damienne, viens voir. J'ai trouvé une talle de mûres, ainsi que des petits fruits bleus très sucrés. Ils sont aussi gros que le bout de mon doigt. Regarde.

La servante s'approche, le sourire aux lèvres. Elle adore les mûres. Elle se régale à l'avance.

— Goûte à ceux-là, je n'en ai jamais vu. Tu sais à quel point j'aime les petits fruits, les fraises, les framboises, les mûres ; mais là, je dois dire que c'est ce fruit bleu que je préfère. Il est délicieux. Goûtes-y !

Damienne en croque quelques-uns et lance :

— Je n'ai jamais rien mangé d'aussi bon. Ces petites boules bleues sont à la fois fermes et tendres, et tellement juteuses ! J'adore cela ! C'est la première fois que j'en vois.

— Que dirais-tu si nous donnions un nom à ces petits délices bleus ?

— Bonne idée ! On pourrait les appeler des bleu… Hum, des bleuses… des bleures… des bleuets ?

— Des bleuets ! C'est parfait. Demain, je t'emmènerai là où je les ai cueillis. Tu vas voir, il y a des bleuets à perte de vue ; les plus gros et les plus sucrés sont sous les épinettes noires.

— Je peux en manger d'autres ?

— Autant que tu veux. Francis était avec moi et, crois-moi, nous en avons mangé plus que nécessaire.

— Je pourrai manger les mûres aussi ?

— Oui, c'est pour toi.

— Merci ! Je vous promets de me lever plus tôt demain et d'y aller avec vous.

— Si tu ne te lèves pas, c'est moi qui vais te réveiller. Ce matin, il y avait une grande bande de brume au pied des arbres. C'était magnifique. Et sur la mer, de gros blocs de glace flottaient. Ils se déplaçaient très vite. On aurait dit une procession. Leur simple vue nous a fait réaliser que si d'aussi gros blocs descendaient jusqu'ici en plein cœur de l'été, l'hiver n'était pas si loin de nous. C'est alors que nous avons décidé de réviser une fois de plus la liste des choses que nous devons absolument faire d'ici la saison froide.

— On a beau travailler du matin au soir, je trouve qu'on n'avance pas vite.

— Je ne suis pas d'accord avec toi. Nous sommes ici depuis un peu plus d'un mois seulement et la construction de notre cabane va bon train.

— Ce n'est pas tout de bâtir une maison. Il faudra aussi construire des meubles, alimenter notre feu et nous habiller pour l'hiver.

— Je sais tout cela, ne t'inquiète pas. Pour ce qui est des vêtements, j'en ai parlé avec Francis. Dès que nous aurons terminé l'habitation, il ira chasser et nous pourrons utiliser les peaux des bêtes pour nous vêtir.

— La peau d'ours est plutôt raide à manier ; à part cet animal, quelles bêtes y a-t-il ici ?

— Francis a vu beaucoup de loups.

— Est-ce qu'on peut manger la viande des loups ? demande Damienne.

— Je n'en ai aucune idée, mais nous pourrons y goûter. Mon père se plaisait à répéter que tout se mange.

En voyant la moue que fait Damienne, Marguerite éclate de rire.

— Si ce n'est pas bon, nous mangerons des bleuets.

— Si les bleuets sont comme les autres petits fruits, il n'en pousse pas à l'année. Par contre, on pourrait chasser quelques gros mammifères marins. Leur peau est sûrement imperméable. De plus, si ces bêtes passent l'hiver ici ou ailleurs, c'est que leur peau doit les garder au chaud. Qu'en dites-vous ?

— C'est une bonne idée. Nous en parlerons à Francis quand il reviendra.

— Je dois vous avouer que je serais très étonnée qu'il n'y ait que des loups et des ours. Il y a sûrement des renards et peut-être même des castors.

— N'oublie pas que nous sommes sur une île.

— Je le sais bien, mais si la mer gèle, il y a sûrement des bêtes qui ont pu traverser jusqu'ici. Pensez-y.

— Si, comme Francis le prétend, le continent est à plusieurs kilomètres de l'île, est-il réaliste de penser que les animaux peuvent venir jusqu'ici ? Je ne sais pas. Oh ! pendant que j'y pense, As-tu fait une marque sur notre arbre, hier ?

Étant donné qu'ils n'ont pas de calendrier, ils ont décidé de tracer un trait sur le plus gros arbre à proximité de leur nouvelle cabane, pour chaque jour passé sur l'île. Ils ont attaché un clou au bout d'une lanière de cuir et l'ont fixé au tronc.

— Oui ! Vous n'avez pas à vous inquiéter, je la fais chaque matin en sortant. Savez-vous quelle date on est aujourd'hui ?

— Absolument, nous sommes le quatorze août. Et je me marie demain.

— Et je serai votre témoin. Mais dites-moi, pourquoi avez-vous choisi le quinze ?

— Parce que mes parents se sont mariés un quinze août et je me suis promis de me marier la même date qu'eux. Pour moi, c'est important.

— Bien sûr. Je vous envie un peu, vous savez. Vous êtes vraiment tombée sur une perle rare. Chaque fois que Francis vous regarde, on peut voir à quel point il vous aime.

— C'est vrai que j'ai de la chance. En tout cas, il est bien différent des nobles qui ont demandé ma main.

— Vous souvenez-vous de Jean de la Salle ?

— Si je m'en souviens ? Je le revois encore. Le pauvre, il faisait peur à voir avec ses yeux croches et son grand menton.

— Moi, ce sont ses manières efféminées qui me faisaient le plus rire.

— Tu as bien raison. Ses manières m'agaçaient royalement. J'aime qu'un homme ait l'air d'un homme, avec ou sans cheveux. Te souviens-tu de Jacques de Frotté ? Tu sais, c'était le fils d'un ami de mon père.

— C'était un très bel homme. Avec ses mèches blondes et sa petite moustache, il avait de la classe.

— Mais aucune conversation. Chaque fois que j'étais avec lui, j'avais l'impression de monologuer. Mais le pire, c'est lorsqu'il m'a amenée manger chez ses parents. C'était d'un ennui mortel. Tout le monde se regardait, mais personne ne disait un mot. J'ai essayé d'animer la discussion à quelques reprises, mais je me suis vite aperçue que je n'intéressais personne.

— Et le beau Étienne, pourquoi lui avez-vous dit non ?

— Étienne de Noirefontaine ! C'était un homme charmant, tant qu'il était loin de moi. Je ne sais pas ce qu'il mangeait, mais dès qu'il s'approchait de moi, son haleine fétide me dégoûtait à un point tel que j'en avais du mal à respirer. Tu aurais dû me voir. Quand il était à proximité, je respirais par la bouche. Je n'ai jamais pu me décider à l'embrasser.

— Je vous imagine, le gardant à distance.

— Surtout qu'il était plutôt entreprenant.

Marguerite est très heureuse de se marier. D'abord parce qu'elle veut passer toute sa vie avec Francis. Et parce que le fait de s'unir au charpentier devant Dieu calmera sa conscience. Jamais elle n'aurait cru qu'un jour elle aimerait un homme à un point tel qu'elle ferait fi de toutes les convenances et de tous ses principes religieux. Elle ignorait qu'elle pouvait aimer un homme en dehors des liens sacrés du mariage. Et pourtant, dès que Francis est apparu dans son champ de vision, elle a su qu'elle serait prête à tout sacrifier pour lui, même sa tranquillité d'esprit. Malgré tout ce qu'elle a dû abandonner, être sur cette île avec lui vaut cent fois plus qu'être loin de lui, même dans le plus beau château. Demain, ils se donneront l'un à l'autre et se promettront fidélité pour la vie. C'est loin d'être le mariage dont elle rêvait. Il n'y aura ni cadeaux, ni invités, ni robe blanche, ni voyage de noces. Il y aura seulement les deux personnes qu'elle aime le plus au monde. Mais ce sera bien suffisant.

# Chapitre 13

— Je ne comprends pas que nous n'y ayons pas pensé avant! s'écrie Francis. C'est pourtant simple! Nous les regardons défiler matin après matin.

— Pourrais-tu être plus précis? demande Marguerite en plissant les yeux. C'est peut-être clair dans ta tête, mais pas encore dans la mienne.

— Écoute! Chaque jour, le marchand de glace passe et on se contente de l'observer, alors qu'on aurait bien besoin d'un peu de glace pour conserver ce qu'on a.

— J'espère que tu n'es pas sérieux, lâche Marguerite, dès qu'elle comprend les intentions du jeune homme, parce qu'il n'est pas question que tu risques ta vie pour un vulgaire glaçon.

— Ne t'inquiète pas, c'est déjà tout réfléchi et je ne courrai aucun danger, je te le promets. Laisse-moi t'expliquer.

Les bras croisés et le regard noir, Marguerite se retient d'exploser. Si seulement Francis savait comment elle se sent, juste à penser qu'il pourrait lui arriver quelque chose, il abandonnerait cette idée sur-le-champ. C'est vrai qu'un peu de glace leur faciliterait la vie, mais est-ce que cela vaut la peine de risquer la sienne? Elle fait tout ce qu'elle peut pour se raisonner, pour ne pas lui communiquer ses peurs, mais c'est parfois plus fort qu'elle. L'hiver n'est pas encore commencé. Et sans Francis, les deux femmes ne survivront pas. En tout cas, sans lui, elles se seraient contentées de l'abri construit par les Basques, ce qui veut dire qu'elles auraient passé l'hiver à geler. Elles seraient peut-être mortes de faim aussi, qui sait. Sans Francis, la mort aurait été plus douce que tout ce qu'elles auraient pu endurer.

Sur ces entrefaites, Damienne vient les rejoindre. En voyant le visage fermé de Marguerite, elle comprend que cette dernière est contrariée. Elle jette un coup d'œil à Francis. Le pauvre, il a l'air désespéré. Depuis qu'ils sont sur l'île, il n'est pas rare que Marguerite freine ses ardeurs. Damienne n'aime pas se mêler de leurs conflits, mais dans le présent cas elle sent qu'elle doit agir.

— Allez, dites-moi ce qui ne va pas, dit-elle en les regardant tour à tour.

— Ce n'est pas si grave que cela, s'écrie Francis. J'ai dit à Marguerite qu'il faudrait que j'aille chercher un peu de glace à même les icebergs. De cette façon, on pourrait conserver nos aliments.

— Quelle bonne idée ! ne peut s'empêcher de s'exclamer Damienne.

À ces mots, Marguerite la fusille du regard, mais la servante ne se laisse pas intimider pour autant.

— Je comprends que vous ayez peur qu'il lui arrive quelque chose, dit-elle à son intention, mais vous savez, on aurait pu mourir des dizaines de fois depuis qu'on est ici, et pourtant il ne nous est rien arrivé.

— Rien de grave, ajoute Marguerite.

— Vous avez raison, rien de grave. Moi, je trouve que c'est une excellente idée, mais ce que j'aimerais savoir, c'est comment vous allez vous y prendre pour couper des morceaux, ajoute-t-elle en s'adressant à Francis. Ces blocs de glace filent à vive allure et vous ne pouvez pas courir le risque de rester coincé entre deux icebergs.

— J'ai bien réfléchi à tout cela et je pense avoir trouvé une solution. Je nouerai une corde autour de ma taille et j'attacherai l'autre bout au banc de la barque. Une fois à la hauteur d'un iceberg, je sauterai dessus et, avec ma hache, j'en couperai des morceaux que je lancerai dans mon embarcation. Dès que j'en aurai suffisamment, je tirerai la barque jusqu'à moi et je remonterai vite à bord.

— Vous êtes vraiment ingénieux, s'exclame Damienne.

Elle se tourne ensuite vers sa maîtresse et lui dit :

— Laissez-lui au moins la chance d'essayer une fois et, si c'est trop dangereux, on avisera. Je vous en prie, il a fait des choses bien plus redoutables depuis qu'on est ici.

Marguerite réfléchit. D'un côté, elle a très envie d'avoir de la glace pour conserver leurs aliments. Mais elle est morte de peur à l'idée de perdre son amoureux. Elle doit quand même reconnaître que Damienne a raison : le simple fait que Francis soit venu les rejoindre sur l'île représentait un défi bien plus grand. Il aurait très bien pu ne jamais les retrouver. Au moment où elle allait donner son accord, elle est prise d'un haut-le-cœur soudain qui la plie en deux. Francis se précipite vers elle. Il la prend par les épaules et lui dit :

— Qu'est-ce qui t'arrive ? Tu es toute pâle. As-tu mangé ce matin ?

— Je ne sais pas ce que j'ai, je n'ai pas été capable d'avaler une seule bouchée au déjeuner et j'ai vomi les deux petites que j'ai ingurgitées ce midi. J'ai mal au cœur comme jamais je n'ai eu mal au cœur.

À ces mots, Damienne éclate de rire. Elle n'a pas besoin d'en entendre plus pour savoir de quoi souffre sa jeune maîtresse.

Marguerite et Francis la regardent sans comprendre. Comment peut-elle rire ? Il n'y a rien de drôle à voir souffrir quelqu'un. Damienne s'approche, prend la jeune femme par les épaules et lui dit, le sourire aux lèvres :

— Toutes mes félicitations ! Vous allez être maman.

Marguerite met quelques secondes à assimiler ce qu'elle vient d'entendre.

— Tu es bien certaine de ce que tu avances ?

— Absolument. Si je compte bien, l'île accueillera un nouvel habitant en avril ou en mai. Je suis si contente !

D'un seul coup, le visage de la jeune noble s'illumine. Elle ne pouvait recevoir un plus beau cadeau. Elle vient de se marier à l'homme qu'elle aime et, dans quelques mois, elle aura un enfant de lui. Jusqu'à maintenant, jamais l'idée de fonder une famille ne lui avait effleuré l'esprit, mais maintenant qu'elle sait qu'elle va avoir un bébé, elle est folle de joie !

Francis est resté à côté de sa bien-aimée. Il est partagé entre deux sentiments. Il est rempli de joie à l'idée d'avoir un enfant avec Marguerite. Mais il est également très inquiet. Comment pourront-ils y arriver avec un bébé, alors qu'ils ne savent même pas encore s'ils s'en tireront à trois ? Francis doit cependant reconnaître que, jusqu'à maintenant, ils s'en sont toujours bien sortis, même si les circonstances ne leur étaient pas toujours favorables. De nature optimiste, le jeune homme hausse légèrement les épaules et se dit que tout ira bien. Il a ensuite une pensée pour sa mère. Dommage qu'elle ne soit pas là ; elle lui répétait sans cesse de se marier le plus vite possible et de lui donner des petits-enfants.

Une fois revenus de leur surprise, les deux tourtereaux se sautent au cou et s'embrassent passionnément.

— Venez, s'écrie Damienne, il faut célébrer cela. Je vais nous servir une bonne tasse de vin.

— Pas pour moi, se dépêche de dire Marguerite, je n'ai aucune envie de boire du vin. Vous allez devoir fêter sans moi, je vais aller m'étendre quelques minutes. J'espère que ce ne sera pas comme cela pendant les neuf mois.

— Difficile à dire, répond Damienne, il n'y a pas une femme qui vit sa grossesse de la même façon. Entre vous et moi, disons que la majorité d'entre elles se portent très bien une fois le premier trimestre passé. Bien sûr, c'est ce que je vous souhaite.

— Moi aussi ! À plus tard !

Restée seule avec Francis, Damienne lui dit :

— Ne vous inquiétez pas, tout ira bien ; et puis, je vais vous aider. Je suis si contente pour vous. Quand le bébé viendra au monde, nous serons bien installés.

— Je l'espère. En tout cas, dès demain, je commencerai à faire son berceau. De cette façon, on ne sera pas pris de court.

— Ne parlez pas comme cela, vous me faites peur.

— Vous n'avez pas à avoir peur, c'est juste que je déteste faire les choses à la dernière minute. Et puis, il vaut mieux construire le berceau pendant qu'on a du bois.

— Ne me dites pas que vous pensez brûler le berceau si nous manquons de bois, ajoute-t-elle pour rigoler.

— Non, rassurez-vous, il n'y a aucun danger. On va s'organiser pour en avoir assez.

— C'est sûr que la découverte d'un autre abri nous a beaucoup aidés.

— Entre vous et moi, je ne sais pas si on aurait eu assez de bois pour l'hiver sans ce deuxième abri. Et c'est sans compter tout ce qu'on a trouvé à l'intérieur.

— Une vraie petite mine d'or. Je pensais bien ne plus jamais avoir l'occasion de boire dans une tasse. C'est fou ce que cela m'a fait plaisir. Quand on vit dans le luxe, on oublie que la vie pourrait être bien différente. On oublie d'apprécier le goût d'un bon thé, l'odeur d'un bon alcool. On oublie qu'on pourrait tout perdre et se retrouver dans un monde totalement différent, sans aucun repère.

— Disons que la vie n'y est pas allée de main morte avec nous. Pour un changement, ça en est tout un. J'ai parfois l'impression d'être en plein Moyen Âge ; et je pense même que les gens, à cette époque, avaient la vie plus facile que nous.

— Je ne sais pas grand-chose de cette période ; ce que je sais, par contre, c'est que les communautés n'étaient pas composées de trois habitants. Sincèrement, je crois que c'est là notre plus grande faiblesse. Nous ne sommes que trois, ce qui est bien peu pour nous installer.

— Vous avez raison. D'après moi, les gens qui ont construit l'autre abri avaient sûrement l'intention de revenir ; sinon pourquoi auraient-ils laissé de la vaisselle, des outils, du thé, de l'alcool, des couvertures ?

— Je ne sais pas, peut-être qu'ils ont été obligés de partir vite, ou alors, comme vous dites, ils avaient l'idée de revenir et leurs plans ont changé.

— Sans cet abri, je peux vous dire aujourd'hui que je n'aurais pas eu assez de bois pour construire notre cabane. C'est un cadeau du ciel. Chaque soir, avant de m'endormir, je remercie Dieu.

— Je ne vous l'ai jamais dit, mais Marguerite ne pouvait pas mieux tomber. Vous êtes vraiment un homme bon.

— Je fais mon possible pour l'être. Vivre aux côtés de Marguerite, c'est la chose la plus facile du monde.

— Sauf quand elle vous empêche de faire ce que vous voulez sous prétexte que c'est dangereux.

— Je la comprends. Ici, c'est complètement différent de tout ce qu'elle a pu connaître, ce qui n'est pas mon cas. Dire qu'on aime l'aventure quand on sait qu'on peut retourner facilement chez soi, c'est une chose. Ici, c'est l'inconnu. Même si on fait des plans, tout peut changer en un instant. On peut recevoir la visite d'un ours brun. Tout peut arriver. Repartirons-nous un jour d'ici ?

— Vous n'êtes pas très rassurant.

— Je suis réaliste, c'est tout. Je ne me fais pas d'idées. Je pense qu'on est ici pour un sacré bout de temps.

— Mais si les Basques reviennent, ils vont pouvoir nous ramener en France.

— Je l'espère, tout comme vous, c'est certain, mais j'aime mieux ne pas m'illusionner. Peut-être vont-ils revenir un jour, je n'en sais rien. Peut-être aussi qu'ils ne reviendront jamais. En transportant les derniers rondins, j'ai eu une idée. Je pense qu'on devrait ériger une croix, assez haute pour que les navires puissent la voir de loin s'ils s'aventurent jusqu'ici. On pourrait y inscrire un message qui dirait où nous nous trouvons sur l'île, au cas où ils se rapprocheraient.

— Et si l'oncle de Marguerite voit cette croix avant les Basques ?

— Entre vous et moi, je doute fort qu'il se souvienne sur quelle île il vous a débarquées. N'oubliez pas que, d'après lui, vous êtes déjà mortes. Il ne se donnera pas la peine de venir vérifier, croyez-moi.

— Je veux bien vous croire, c'est de loin l'homme le plus méchant qu'il m'ait été donné de rencontrer. Votre idée est bonne. Je vous aiderai.

— On va d'abord finir de construire notre cabane et après on s'occupera de la croix.

— Qu'avez-vous décidé pour la glace ?

— Demain matin, dès que la brume se sera dissipée, je ferai un essai. Je veux en avoir le cœur net.

— Et pour Marguerite ?

— Je vais lui en reparler. Je vais lui expliquer que je comprends très bien sa réaction, mais que dans les circonstances je pense que je dois tenter l'expérience. Ne vous inquiétez pas, elle comprendra.

— Je vous le redis, elle a beaucoup de chance d'être aimée par vous.

— Et moi, par elle. J'ai écrit plusieurs lettres à mes parents. Je leur décris notre vie sur l'île. Je leur parle de Marguerite. Je leur dis à quel point c'est une femme merveilleuse. Je leur parle de vous. Et demain soir, quand j'aurai une minute, je vais leur écrire que je serai bientôt papa. Ils auraient été si contents.

— Vous en avez de la chance d'avoir encore votre famille. Ils doivent vous manquer.

— Plus que vous ne le pensez. J'ai quelque chose à vous demander.

— Je vous écoute.

— S'il m'arrive quoi que ce soit, promettez-moi d'aller porter mes lettres à mes parents. Marguerite n'est pas au courant, je ne veux pas l'inquiéter inutilement.

— Je n'aime pas vous entendre parler de cette façon, vous me donnez la chair de poule. Je ne veux pas qu'il vous arrive quelque chose, ma maîtresse ne le supporterait pas.

— C'est juste au cas où…

— D'accord, mais pour cela, il faut me dire où vous conservez ces lettres.

— Elles sont dans mon sac. Je les ai enveloppées dans un bout de peau de l'ours que vous avez tué.

À ces mots, Damienne sourit. Ce seul incident a fait d'elle une héroïne aux yeux de Marguerite. Chaque fois qu'elle entend une branche craquer, la jeune femme se tourne vers Damienne et l'interroge du regard. Et si c'était un ours ? La servante la rassure en lui souriant. De son côté, Damienne a mis du temps avant de cesser de rêver à cet ours. Elle revoyait la scène nuit après nuit. Les insulaires n'en ont pas revu depuis ce jour, mais chacun est bien conscient que s'ils en ont vu un, c'est qu'il y en a d'autres.

— Je n'ai pas eu le temps de vous le dire, mais j'ai découvert une source.

— C'est vrai ? Où ?

— Pas très loin d'ici. Elle est bien cachée par des arbustes. Demain, j'irai vous la montrer.

— C'est une bonne chose, comme cela, on sera certain de toujours avoir de l'eau potable à portée de main.

— Et elle est bonne, vous savez, et fraîche, aussi ! Bon, vous allez m'excuser, je vais voir comment se porte Marguerite.

# Chapitre 14

Dès que Marguerite ouvre les yeux ce matin-là, elle sent que quelque chose a changé. Non seulement elle n'a plus mal au cœur, mais elle est affamée, ce qui ne lui était pas arrivé depuis belle lurette. Chaque jour, Damienne l'agace en lui disant qu'elle a bien de la chance de vivre d'amour et d'eau fraîche et d'engraisser quand même. Marguerite était incapable de garder ce qu'elle mangeait. En fait, la seule chose qu'elle ne vomissait pas, c'était le lard salé grillé. Elle en a tellement mangé qu'elle a pratiquement vidé leur réserve.

Elle s'habille en vitesse et court se chercher quelque chose à grignoter. Elle doit bien avouer que la glace des icebergs est utile. Francis a même trouvé le moyen de la conserver. La jeune femme met tout ce qui lui tombe sous la main dans son assiette : viande séchée, morue fumée, petits fruits, etc. Et elle va s'asseoir sur une roche plate, au bord de la mer. C'est son endroit préféré. Ironie du sort, c'est l'endroit même où les marins les ont débarquées. Elle aime regarder la mer, il lui arrive même de se dire qu'elle ne pourra plus vivre sans elle. Certains jours, les vagues viennent lui lécher les pieds.

Ce matin, le temps est gris, mais il n'y a pas de brume. Bien qu'on ne soit qu'à la fin de septembre, on sent déjà que la chaleur n'est plus au rendez-vous, comme les moustiques, d'ailleurs, au grand plaisir de Damienne. Elle s'est fait piquer à la grandeur du corps, même là où sa peau était recouverte de vêtements.

La cabane est maintenant terminée. Francis a fabriqué deux lits. Ils sont loin d'être aussi moelleux que ceux de Pontpoint, mais Marguerite doit bien reconnaître qu'ils sont plus confortables que le sol de terre battue de l'abri. Le jeune charpentier a aussi fabriqué un berceau pour leur bébé. Il l'a fait suffisamment grand pour que l'enfant puisse y dormir jusqu'à l'âge de un an. Il a construit une table et des chaises, et une armoire pour mettre leur nourriture. C'est fou tout ce qu'il a réussi à faire avec peu de choses. Il a mis des branches d'épinette noire entre les rondins pour empêcher le vent de rentrer. Tout ce qu'ils peuvent souhaiter, c'est que ce soit suffisant. Leur cabane est beaucoup plus confortable que les abris qu'ils avaient découverts, mais c'est seulement lorsque l'hiver sera là qu'ils pourront savoir si elle est assez chaude.

Dans le deuxième abri, les Basques avaient utilisé des pierres pour faire la cheminée. Francis s'en est donc inspiré pour fabriquer la leur.

Marguerite s'empiffre comme si c'était son dernier repas. En moins de quelques minutes, elle a avalé tout ce qu'elle avait dans son assiette, et elle a encore faim. Que pourrait-elle manger d'autre ? Tout en réfléchissant, elle regarde les baleines au large. « Quel bel animal ! pense-t-elle. Je n'ai jamais rien vu d'aussi gros. C'est une bête bien trop belle pour qu'on la tue. Je ne me fatigue pas de les regarder s'ébattre dans l'eau, on dirait qu'elles jouent. Je suis toujours étonnée de voir à quel point les humains peuvent être violents. Je peux comprendre qu'on les tue pour leur huile, et Dieu sait que nous en avons besoin pour nous éclairer en France, mais je mettrais ma main au feu que plusieurs ont été tuées inutilement, au nombre de carcasses qu'il y a sur cette île. »

Marguerite a une envie soudaine de poisson. « Des capelans grillés avec un peu de lard feraient bien mon bonheur, se dit-elle. Je vais prendre le filet que Francis a fabriqué et je vais pêcher mon déjeuner. » Elle quitte sa roche plate et se dirige vers la cabane. Elle ouvre doucement la porte et, sur la pointe des pieds, marche jusqu'à la grande armoire. Le filet est accroché sur le côté de celle-ci. Elle le prend et sort sans faire de bruit. Elle retourne sur le rivage et se met au travail. Quand Francis la rejoint, elle a déjà pris une bonne vingtaine de petits poissons.

— Bonjour, mon bel amour, lui dit-il d'une voix encore ensommeillée.

C'est en lui souriant que Marguerite lui demande :

— Tu mangeras bien quelques petits poissons avec moi ?

— Pour le déjeuner ? Non merci. Tu es bien certaine de vouloir manger du poisson maintenant ?

— Oui, tu n'as pas idée à quel point j'ai faim. Je mangerais un bœuf.

— Dois-je comprendre que tu n'as plus mal au cœur ?

— Exactement. Je mange depuis que j'ai ouvert les yeux et, comme j'ai une envie folle de déguster du poisson, je me suis mise à la pêche.

— Mais tu ne penses pas que tu en as assez ? Tu ne mangeras jamais tout cela !

— Je te l'ai dit, je suis affamée. S'il en reste, nous les mettrons sur la glace.

— Pour une fille qui ne voulait pas que j'aille en chercher, je trouve que tu y as pris goût.

— Je n'ai rien contre la glace. Je te l'ai expliqué, j'ai peur qu'il t'arrive quelque chose.

— Mais tu sais, il peut tous nous arriver quelque chose. Même en ne faisant rien, tu peux être frappée par la foudre.

— Je n'aime pas quand tu parles de cette manière.

— C'est cela, la vie. On vient au monde, et puis un jour, on meurt.

— Je ne veux pas que tu meures, en tout cas, pas avant moi. Je ne supporterais pas d'être abandonnée une deuxième fois.

Marguerite se lève et regarde Francis. Il s'approche d'elle et prend ses mains dans les siennes.

— Je veux que tu me promettes de te battre, quoi qu'il arrive.

— Je ne peux pas te faire une telle promesse. Sans toi, je ne survivrai pas.

— Tu n'as pas le droit de dire cela. Pense à notre bébé ! Et à Damienne ! S'il m'arrive quelque chose, ils auront besoin de toi tous les deux. Et n'oublie pas une chose : tu as juré de retourner en France.

— Mais c'est avec toi que je veux y retourner, pas toute seule.

— Moi aussi, c'est mon souhait le plus cher, mais je ne connais pas l'avenir. Tout ce que je peux te dire, c'est que je ferai toujours attention ; mais pour le reste, je n'ai pas de contrôle sur les événements.

Deux grosses larmes coulent sur les joues de Marguerite. Le simple fait de penser que Francis pourrait ne plus être là la bouleverse. Le charpentier lui relève la tête de son index droit et lui sourit avant de poser ses lèvres sur les siennes. Elle s'abandonne totalement au baiser de son mari. Ils s'embrassent à perdre haleine. Rapidement, leurs mains s'aventurent sur le corps de l'autre. Ils se désirent de plus en plus ardemment. C'est alors que, sans crier gare, Francis détache ses lèvres de celles de sa bien-aimée et lui murmure à l'oreille :

— Si tu me promets de tout faire pour survivre advenant qu'il m'arrive quelque chose, je t'enlève pour une petite heure.

Marguerite le regarde et lui dit à son tour :

— Promis, mais enlève-moi vite avant que Damienne se pointe.

Francis la soulève de terre et se met à courir. Marguerite rit aux éclats. Avec lui, elle irait au bout du monde : mais à bien y penser, n'y est-elle pas déjà ? Plus que tout, elle adore faire l'amour avec son mari. Jamais elle n'aurait cru que cela pouvait être aussi bon. Chaque fois, ils découvrent un nouveau plaisir. Au fond d'elle-même, elle sait qu'elle ne pourrait plus s'en passer. Quand ils se relèvent enfin de leur lit improvisé, Marguerite pousse un grand cri. Elle a des centaines de petites fourmis sur elle. En la voyant gesticuler pour tenter de les enlever, Francis se met à rire. Décidément, elle est dure à battre en matière d'expression.

— Au lieu de rire comme cela, s'écrie-t-elle, tu pourrais m'aider à les enlever. Regarde, j'en ai partout. Je ne te l'ai jamais dit, mais j'ai une sainte horreur des fourmis. Aide-moi, je t'en prie. Allez-vous-en !

Mais Francis est incapable de bouger. Il regarde sa femme et rit de plus belle, alors que Marguerite gesticule de plus en plus. Le jeune homme prend une grande respiration et essaie de rester sérieux, mais il n'y arrive pas.

Alertée par les cris de sa maîtresse, Damienne accourt sur les lieux. Quand elle voit la jeune noble complètement nue, elle sourit. « Elle en a de la chance, ma petite » pense-t-elle. En l'apercevant, Marguerite s'écrie :

— Ne reste pas là à me regarder comme cela, viens m'aider. J'étais couchée sur un nid de fourmis et je n'arrive pas à m'en débarrasser.

— Cela vous apprendra à vous étendre n'importe où, ne peut-elle s'empêcher de dire en riant. Tournez-vous ! Voilà, c'est fini, il n'y en a plus. Vous pouvez vous rhabiller, mais si j'étais vous, je prendrais soin de bien secouer mes vêtements avant de les remettre. Je vais aller préparer le déjeuner.

— J'ai pêché des capelans, ils sont sur le rivage. Merci de les faire cuire avec du lard, ajoute Marguerite.

Damienne partie, Marguerite rejoint Francis et lui dit :

— En tout cas, la prochaine fois, je vais savoir que je ne peux pas compter sur toi.

— Tu sais très bien que tu peux toujours compter sur moi, mais pas si tu as des fourmis sur toi. Tu étais trop drôle, je ne pouvais pas m'empêcher de rire.

— J'ai bien vu cela, ajoute-t-elle avant d'éclater de rire à son tour. La prochaine fois, c'est moi qui choisirai l'endroit. Allez, viens, il faut que je mange, et vite.

Francis et Damienne n'en croient pas leurs yeux. Marguerite a englouti une bonne douzaine de poissons en moins de temps qu'il n'en faut pour les arranger, et après avoir avalé sa dernière bouchée, elle s'est écriée :

— Vous savez ce qui me ferait plaisir ?

Sans attendre une réponse de leur part, elle ajoute :

— Je donnerais cher pour manger une omelette faite avec de la crème.

— Là, dit Damienne, on a un sérieux problème. Je n'ai pas encore croisé une seule vache ni une seule poule sur l'île ; par contre, je crois qu'il serait possible de trouver des œufs.

— Comment ? demande Marguerite, soudainement très intéressée. Tu viens de dire qu'il n'y a pas de poule sur l'île.

— Non, mais vous avez vu le nombre d'oiseaux qu'il y a ? Quand j'étais enfant, mon père m'amenait avec lui ramasser des œufs de canard.

— Pourquoi ? Il y a toujours eu des poules chez nous à ce que je sache !

— Il disait qu'ils étaient meilleurs, mais pour être franche avec vous, je n'ai jamais réussi à voir la différence. Chaque fois qu'on revenait de notre excursion, il faisait brunir un gros carré de beurre bien frais et cassait au moins six œufs dans la poêle en faisant très attention de ne pas crever les jaunes. Dès que c'était cuit, il s'enfilait le tout avec deux quignons de pain.

— Où peut-on trouver des œufs de canard ? se dépêche de demander Marguerite.

— Pour le moment, nulle part. Il faut attendre le temps de la ponte. Contrairement à la poule, la cane ne pond qu'à un certain moment de l'année. Vous allez devoir prendre votre mal en patience quelques mois encore.

— Combien ?

— Disons six. Qu'en dites-vous, Francis ?

— Je peux vous renseigner sur le bois, mais pas sur les canards.

— Je suis bien mal partie, se plaint Marguerite. Je meurs d'envie de manger une omelette, vous ne pouvez même pas imaginer à quel point, et nous n'avons ni crème, ni œufs, ni pain, et même pas un seul petit carré de beurre. Je peux dire adieu à la crème, au beurre et au pain. Pour ce qui est des œufs, je devrai attendre au printemps. Bravo ! Mais qu'est-ce que je vais pouvoir grignoter en attendant ?

— Arrête un peu, Marguerite ! s'exclame Francis. Je me retiens de ne pas éclater de rire. On dirait que tu n'as rien avalé depuis des mois.

— Peut-être pas des mois, mais des semaines, en tout cas. Tu peux rire tant que tu veux, mais cela ne m'enlèvera pas le goût de manger. Vous voyez, j'avalerais n'importe quoi.

— Viens avec moi, on va aller vérifier nos collets. Avec un peu de chance, on trouvera bien un lièvre ou deux pris au piège. On pourra les faire cuire dehors.

— Pendant ce temps, dit Damienne, j'irai faire le lavage à la source.

— Tu ferais mieux de prendre un fusil avec toi, ajoute Marguerite.

— Vous vous en faites pour rien, voyons. Je ne m'en vais pas au bout de l'île.

— Marguerite a raison, lance Francis, il vaut mieux ne pas courir le risque. J'ai encore vu des traces d'ours pas très loin de la source.

— N'en dites pas plus, je vais apporter un fusil avec moi. À plus tard !

Quand elle arrive à quelques pas de la source, un gros ours brun se prélasse sur la mousse. Elle dépose doucement les vêtements par terre, prend son fusil, vise l'animal et tire. Un grognement se fait entendre. Tout s'est passé si rapidement que l'animal n'a eu aucune chance de se sauver. Elle recharge son fusil et avance prudemment vers lui. En le voyant bouger, elle n'hésite pas et tire un deuxième coup. Cette fois, elle l'atteint en plein cœur.

Satisfaite, elle dépose son arme et va chercher les habits. Avant qu'elle ait le temps de mouiller le premier pantalon, Marguerite et Francis arrivent en courant. En les voyant, elle s'écrie :

— Vous pouvez partir en paix maintenant, je ne cours plus aucun danger.

Puis, sur un ton jovial, elle ajoute :

— Il nous manque seulement une peau d'ours.

— Vous devriez recharger votre fusil, dit Francis, on ne sait jamais.

Pour toute réponse, Damienne dit :

— Je vais vous attendre pour le dépecer.

— Je reste avec toi, ajoute Marguerite.

Damienne connaît assez bien sa maîtresse pour savoir que celle-ci ne partira pas avant de l'avoir vue recharger le fusil.

C'est pourquoi elle s'exécute sur-le-champ sans rechigner. Satisfaite, Marguerite quitte les lieux, accompagnée de Francis. Dès qu'ils se sont éloignés un peu, elle dit à son mari :

— Que ferons-nous quand nous n'aurons plus de poudre pour les fusils ?

Tout ce que Francis trouve à lui répondre, c'est :

— N'y pense pas pour le moment, il nous en reste encore une bonne quantité.

— Oui, mais nous ignorons combien de temps nous allons rester coincés ici. Il vaudrait peut-être mieux y penser maintenant.

— Si tu veux, on en reparlera au souper.

Ce n'est pas la première fois que Francis essaie de gagner du temps. Il aimerait bien répondre à toutes les questions de Marguerite, mais il ne le peut pas. Pour le moment, ils ont de la poudre, mais pour combien de temps ? Il n'en sait rien. D'un autre côté, ils ne peuvent pas se priver de tirer sur un ours quand leur vie est en danger sous prétexte qu'ils doivent ménager la poudre. Ils ont aussi besoin de peaux d'ours pour se réchauffer. Francis a parfois l'impression de tourner en rond. Ils doivent économiser le peu qu'ils ont, du moins ce qu'ils ne peuvent pas trouver sur l'île. S'ils savaient combien de temps ils resteront ici, il leur serait beaucoup plus facile de faire une saine gestion de leurs denrées ; malheureusement, personne ne peut prévoir l'avenir, et c'est bien dommage.

# Chapitre 15

Bien installée sur sa roche plate, Marguerite met la touche finale à son dessin représentant le deuxième ours que Damienne a tué. Elle veut le lui offrir pour Noël. Elle sait d'avance que sa servante sera contente. Chaque fois qu'elle en a reçu un, elle s'est dépêchée de l'afficher au mur près de son lit. Elle a même conservé ceux que Marguerite lui a faits quand elle était enfant. La jeune femme lui a dit à plusieurs reprises de les jeter, mais elle ne veut rien entendre. « Ne me demandez pas de me séparer d'un seul d'entre eux, je ne pourrais pas. » « Si ma mère vivait encore, elle ne serait pas plus aimante qu'elle, pense souvent Marguerite. J'ai vraiment de la chance d'avoir Damienne près de moi. »

Marguerite a toujours eu beaucoup d'admiration pour sa servante, mais depuis leur arrivée sur l'île, elle ne cesse de lui découvrir de nouveaux talents. En plus de savoir se servir d'un fusil, Damienne sait pêcher et tanner les peaux. Elle sait même apprêter le gibier et le poisson comme pas une. En cuisine, elle fait des miracles avec rien. Elle a préparé des mélanges d'herbes qu'elle a ramassées un peu partout sur l'île et les a ensuite fait tremper dans de l'eau de mer. Marguerite ne sait pas trop comment Damienne s'y prend, mais le résultat final est digne des meilleurs plats qu'il lui a été donné de goûter. Depuis qu'elle n'a plus mal au cœur, l'heure des repas est devenue l'un de ses moments préférés de la journée et elle s'en donne à cœur joie. Tout est bon et elle n'en a jamais assez dans son assiette, ce qui fait bien rire Francis et Damienne.

Les doigts de la jeune femme sont si raides qu'il lui est de plus en plus difficile de les bouger. Elle a beau ramener son châle sur ses mains, plus rien n'y fait. Elle est transie. Et le pire, c'est qu'elle porte ce qu'elle a de plus chaud. Même en étant le plus positive possible, elle ne peut s'empêcher d'être inquiète en raison de cet hiver qui approche. Comment surmonteront-ils la saison ? Elle en parle souvent à Francis et à Damienne, mais elle a l'air d'être la seule à s'en faire autant. S'il y a une chose qu'elle déteste, c'est bien de geler et de ne pas pouvoir se réchauffer. Elle se souvient de certains jours, à Pontpoint, où le vent soufflait si fort, l'hiver, qu'il parvenait à entrer par la moindre fente, entre les pierres des murs. Les cheminées étaient rouges, mais jamais assez pour que ce soit confortable à l'intérieur de la demeure. Elle mettait alors plusieurs épaisseurs de chandail, s'enroulait dans son châle et se glissait sous ses couvertures, en espérant se réchauffer. Quand, par malheur, ces grands froids s'installaient pour plusieurs jours, elle prenait son mal en patience et passait ses journées à lire, jusqu'à ce qu'elle tombe de sommeil. Chaque fois que Damienne venait la voir, elle lui apportait une tasse de café fumant ou un bol de soupe bien chaude. Les deux femmes prenaient un moment pour discuter. Quelques minutes suffisaient pour que leurs rires résonnent dans toute la maison. Ce n'est qu'à ce moment qu'elles arrivaient enfin à se réconforter.

À la pensée qu'ils devront bientôt s'enfermer dans leur cabane pour de longs mois, Marguerite a la chair de poule. Sans aucune fenêtre, ils auront vraiment l'impression d'être coupés du monde. Ils entendront les bruits, mais ils ne verront rien s'ils ne se risquent pas à mettre le nez dehors. C'est certain qu'ils devront sortir, mais pour cela, ils ne sont pas du tout équipés, du moins pas pour le moment.

Un grand frisson parcourt son corps de la tête aux pieds. Elle remonte son châle autour de son cou. Elle met ensuite ses mains sur son ventre et sourit. Heureusement, son bébé est bien au chaud. Sa petite bedaine bien ronde prend de plus en plus d'importance ; elle devra vite se confectionner de nouveaux pantalons. Elle a hâte de sentir le petit bébé bouger, mais Damienne lui a dit qu'il était encore trop tôt. Elle adore être enceinte. Sentir la vie en elle, c'est extraordinaire. Elle a commencé à préparer la venue de l'enfant. Elle a cousu de petits vêtements et préparé une bonne pile de couches. La semaine dernière, Francis a déposé une peau de castor au fond du berceau. « Cela le tiendra bien au chaud. » Marguerite sait déjà que le jeune charpentier sera un bon père, autant qu'il est un bon mari. La vie à ses côtés est tellement belle et facile ; enfin, si on exclut leur contexte de vie qui, à lui seul, leur complique passablement l'existence. Pour tout dire, elle doit reconnaître qu'ils ont beaucoup besogné depuis leur arrivée sur l'île, plus qu'elle ne pouvait l'imaginer. Certes, il y a des choses qu'ils ne contrôlent pas, mais n'est-ce pas cela, la vie ?

N'en pouvant plus de grelotter, elle roule son dessin, le glisse sous son châle et emprunte le petit sentier qui la conduira jusqu'à leur cabane. Elle se promet de passer au moins une bonne demi-heure près du feu pour se réchauffer. « Si j'ai un peu de chance, Damienne aura préparé quelque chose à manger. »

Au moment où elle allait franchir la porte, elle entend quelqu'un l'appeler derrière elle.

— Marguerite, Marguerite, s'écrie sa servante, la voix remplie de joie ; attendez, j'ai une surprise pour vous.

Elle se tourne et regarde Damienne qui tient quelque chose ressemblant étrangement à un nid d'abeilles, du moins de loin.

— Mais tu vas te faire piquer ! hurle-t-elle. Dépose-le par terre et cours le plus vite que tu peux !

À ces mots, Damienne sourit. Un souvenir remonte à sa mémoire. Marguerite devait avoir huit ans. Elles étaient allées faire un pique-nique sur le bord de la petite rivière, près de la maison, et jouaient à cache-cache. Mais cette fois, la petite fille s'était aventurée trop loin. La servante finissait à peine de compter quand elle a entendu sa maîtresse hurler.

— Au secours ! Il y a des centaines d'abeilles sur moi ! Viens m'aider, je ne veux pas qu'elles me piquent.

Damienne avait rejoint la petite le plus rapidement qu'elle pouvait, mais il était déjà trop tard. La fillette pleurait à chaudes larmes. Chaque fois qu'elle se faisait piquer, ses cris redoublaient d'ardeur. Une fois à ses côtés, Damienne l'avait prise par la main et l'avait tirée vers elle en disant :

— Venez, il faut vous enlever de là.

L'enfant pleurait de plus belle. Une fois à distance, la servante avait passé ses mains sur les vêtements de la petite pour enlever les abeilles qui refusaient de quitter avant de l'avoir piquée. Marguerite était inconsolable. Damienne s'étant fait piquer à plusieurs reprises, elle savait très bien quelle douleur ressentait sa maîtresse. Les piqûres d'abeilles brûlent comme du feu. La petite fille en avait partout. La bonne servante avait vite amené la fillette à la maison et avait épongé chacune des plaies avec de l'alcool. L'enfant pleurait toujours, la servante en avait le cœur brisé. Ce soir-là, même la mère de la petite n'avait pas réussi à la consoler ; elle s'était endormie en pleurant.

Ce n'est qu'une fois à la hauteur de sa maîtresse que Damienne dépose le nid d'abeilles par terre. Instinctivement, Marguerite recule de quelques pas.

— Ne vous inquiétez pas, il n'y a plus aucune occupante, j'ai fait les choses comme il faut.

— Tu en es bien certaine ? Parce que, tu sais, je n'ai pas l'intention de me faire piquer, ni aujourd'hui ni demain.

— Moi non plus, vous savez. Je l'ai enfumé avant de le prendre. Les abeilles sont toutes sorties. Vous auriez dû les voir, elles semblaient furieuses. Mais la bonne nouvelle, c'est que le nid est rempli de miel et, bien sûr, de cire.

— Du miel ? Là tu me fais plaisir. Il y a des jours où j'ai envie de manger quelque chose de sucré. Alors, allons-nous le défaire ?

— Tout de suite. Laissez-moi juste le temps d'aller chercher un contenant pour recueillir le miel, ainsi qu'un couteau.

Rassurée par les propos de Damienne, Marguerite a déjà les doigts plein de miel quand sa servante revient.

— Tu ne peux pas t'imaginer à quel point c'est bon.

— Oh oui, je le peux! s'écrie-t-elle. Vous ne pensez tout de même pas que je l'ai apporté jusqu'ici sans avoir vérifié la marchandise. C'est vrai qu'il est bon et il se conservera très longtemps.

— Si tu penses que nous allons le laisser vieillir, il n'en est pas question. J'ai bien l'intention d'en manger jusqu'à ce que j'aie mal au cœur.

— Vous me faites rire. Vous avez l'air d'une petite fille qui vient de découvrir un trésor.

— Mais c'est un trésor! Imagine, nous allons même pouvoir faire des chandelles avec la cire. Nous ne pouvions espérer un plus beau cadeau. Je suis parfois alarmiste, mais tu sais autant que moi que notre réserve d'huile, pour les lampes, tire à sa fin. Et pourtant, ce n'est pas faute de l'avoir ménagée. Avec cette cire, nous pourrons fabriquer plusieurs chandelles. Tu sais, je n'ai aucune envie de vivre au même rythme que le soleil.

— C'est quand même un peu ce qu'on fait.

— Oui, mais il y a une grande différence entre le faire de son plein gré et y être contraint. Là, si l'envie nous prend de veiller un peu, nous pourrons le faire. Alors, tu l'ouvres, ce nid?

Dès que Damienne introduit son couteau dans le nid, le miel s'écoule de partout. Les deux femmes sont folles de joie. Elles trempent leurs doigts dans ce liquide doré et chaud au goût exquis. Jamais un miel n'a eu aussi bon goût que celui-là.

— Comment allons-nous faire pour extraire le miel des petits rayons? demande Marguerite.

— C'est simple, on a seulement à les presser. Une fois tout le miel extrait, on aura juste à laver la cire avant de faire nos chandelles.

— Merci, Damienne, s'exclame Marguerite en lui sautant au cou, tu ne pouvais pas me faire plus plaisir.

— Attention, vous allez m'en mettre partout.

Les deux femmes éclatent de rire. Quelques minutes après, Marguerite s'écrie, en se touchant le ventre :

— Je ne veux plus jamais manger de miel de ma vie, j'ai tellement mal au cœur.

— Je vais vous chercher de l'eau fraîche.

Quand elle revient avec l'eau, Damienne se permet de demander à sa maîtresse :

— Vous êtes bien certaine que vous ne voulez pas un petit bout de rayon rempli de miel ?

— Je t'interdis de prononcer ce mot devant moi, râle Marguerite. Je ne veux même pas que tu me dises où tu vas ranger le contenant.

Damienne rit aux éclats. Elle connaît assez sa maîtresse pour savoir que, demain, elle aura les doigts dans le pot de miel et en mangera encore jusqu'à ce qu'elle n'en puisse plus. Elle est comme cela, sa Marguerite. Raisonnable mais capable de démesure. Damienne ne voudrait pas qu'elle change d'un poil. Et c'est si facile de lui faire plaisir et de l'aimer. Elle est née noble, c'est vrai, mais elle ne ressemble pas à la plupart d'entre eux. Elle a un grand cœur. Toute jeune, elle était déjà différente des petites filles qu'elle côtoyait. Avec elle, jamais Damienne ne s'est sentie diminuée ou, pire encore, sans importance. Sa jeune maîtresse l'a toujours traitée avec respect, et pour cela, elle lui en sera toujours reconnaissante. La vie à ses côtés est belle et remplie de surprises. Même ici, sur l'île, dans un contexte difficile, elle trouve encore le moyen de rire et de s'amuser. Marguerite l'étonnera toujours. Quand Damienne l'a vue faire sa part sur le navire, elle était tellement fière d'elle ! Elle n'était pas obligée de travailler, mais elle l'a fait avec la même ardeur que toutes les autres femmes. Il fallait voir les mains de la jeune noble à la fin de la première journée, elles étaient couvertes d'ampoules. Ignorant la souffrance, parce qu'il est clair qu'elle devait souffrir le martyre, elle a continué à travailler sans se plaindre une seule fois. Les femmes étaient étonnées de voir à quel point elle faisait preuve de persévérance. Elle, une dame de la haute, venait de leur donner une leçon dont elles se souviendraient longtemps.

Quand elle pense à ces femmes sur le navire, Damienne regrette une seule chose : ne pas leur avoir dit que ce n'était pas de leur faute si le sieur de Roberval les avait débarquées sur une île, au beau milieu de la mer. Il ne se passe pas un seul jour sans qu'elle y pense, mais elle ne peut plus rien faire, sauf espérer que les prostituées et les orphelines ont réussi à se pardonner d'avoir permis à Marguerite de jouir de quelques heures de plaisir.

*** 

Marguerite fait les cent pas dans la cabane. Le soleil est couché depuis une bonne heure et Francis n'est toujours pas rentré, ce qui n'est pas dans ses habitudes.

— Nous devrions partir à sa recherche, lance la jeune femme d'un air désespéré.

— Souvenez-vous de notre entente, dit Damienne d'une voix ferme. Si l'un d'entre nous tarde à rentrer, nous devons l'attendre à la maison. Asseyez-vous et prenez votre mal en patience, parce qu'il n'est pas question que je vous laisse sortir. On ne voit pas à deux pouces devant nous.

— C'est justement pour cela que je veux y aller, nous n'avons qu'à prendre la lanterne avec nous.

— Je vous le répète, tant que je serai là, vous n'irez nulle part.

— Mais tu ne comprends pas! Tant qu'il ne sera pas rentré, je ne pourrai pas fermer l'œil. Il lui est sûrement arrivé quelque chose. Es-tu bien certaine qu'il a apporté un fusil avec lui?

— Arrêtez un peu. Vous savez comme moi qu'il en traîne toujours un.

— Mais as-tu vérifié?

— Oui, au moins dix fois depuis une heure, ne peut s'empêcher de répondre Damienne d'une voix assez forte. Et il a aussi pris une lanterne.

Elle se rend soudain compte qu'elle hausse fortement le ton devant sa jeune maîtresse.

— Excusez-moi, dit-elle, je n'ai pas le droit de vous parler de cette façon. Je comprends votre inquiétude, moi aussi je suis inquiète, mais on ne ferait qu'empirer les choses si on partait à sa recherche. Imaginez un peu si on sortait et qu'il revenait quelques minutes plus tard, il serait inquiet sans bon sens. Faites-lui confiance, il va revenir sain et sauf. Je vais nous préparer du thé, cela vous fera du bien.

— Ne t'en fais pas pour moi, la seule chose qui me ferait du bien, ce serait qu'il arrive à l'instant.

— Allez au moins vous allonger.

— Je ne pourrais pas fermer l'œil. Je vais m'asseoir et l'attendre. Tu as raison, c'est ce qu'il voudrait que je fasse.

Même si elle tombe de sommeil, Damienne se fait un devoir de rester éveillée. Elle connaît suffisamment Marguerite pour savoir qu'il n'y a rien à son épreuve. Elle sait que sa maîtresse pourrait sortir sur un coup de tête pour aller à la recherche de son bien-aimé, et il n'est pas question qu'elle quitte la cabane. Damienne a tout essayé pour la distraire. Elle a même chanté une chanson à répondre. Dès la première mesure, Marguerite l'a intimée d'arrêter:

— Cesse tout de suite. Tu sais très bien que je ne peux pas supporter les chansons à répondre en temps normal, alors encore moins maintenant. Et ne t'excuse pas, je t'en prie, je sais que tu fais tout cela pour moi et je l'apprécie ; seulement je suis morte d'inquiétude. S'il fallait qu'il lui soit arrivé quelque chose…

— Attendez avant de vous en faire. Il a sûrement une bonne raison de ne pas être rentré. Je suis certaine qu'on en rira demain.

— On verra bien.

Dès que le soleil se lève, Marguerite s'habille chaudement et dit à Damienne, d'un ton décidé :

— N'essaie pas de m'en empêcher maintenant qu'il fait jour. Il faut que j'en aie le cœur net. Tu m'accompagnes ou tu préfères rester ici ?

— Il n'est pas question que vous sortiez seule. On pourrait lui laisser un mot.

— C'est une bonne idée. Je t'attends dehors.

— Je vais prendre l'autre fusil et de la poudre.

Dès que Damienne la rejoint, Marguerite lui résume :

— Quand il est parti après le dîner, il m'a dit qu'il allait chasser le castor de l'autre côté de l'île. Nous pourrions commencer par là.

— Je vous suis.

Marguerite marche d'un bon pas malgré son état, tellement que Damienne a du mal à la suivre. Au moment où elles allaient emprunter la dernière partie du sentier, Marguerite voit son époux assis au pied d'un arbre. Elle se précipite vers lui en s'écriant :

— Francis, Francis, dis-moi que tu n'as rien.

En l'entendant, il se frotte les yeux et lui sourit.

— Rassure-toi, je vais très bien. Je suis juste un peu courbaturé, c'est tout.

— Mais pourquoi n'es-tu pas rentré à la cabane? lui demande-t-elle, les larmes aux yeux. J'étais terriblement inquiète et je n'ai pas pu fermer l'œil de la nuit.

— Mon pauvre amour, je savais tout cela, mais je ne pouvais pas abandonner les castors que j'avais tués, nous avons trop besoin de leurs peaux. Tu aurais dû voir les loups, ils ont tourné autour de moi toute la nuit.

— Ils ne t'ont rien fait, au moins? lâche Marguerite en caressant la joue de son mari.

— Non, la lumière les a tenus à distance, mais il était grand temps que le jour se lève, parce qu'il me restait plus que quelques gouttes d'huile. Il va falloir qu'on trouve une solution.

— Nous en avons déjà une. Damienne a ramassé un nid d'abeilles rempli de miel et de cire. Nous allons pouvoir fabriquer des chandelles.

— Vous avez pris combien de castors? demande Damienne, qui est restée en retrait.

— Dix.

— Si vous voulez, je vous aide à les apporter.

— J'y compte bien, répond-il en se relevant.

— Et moi, ajoute Marguerite, je crois bien que je vais aller faire une petite sieste.

# Chapitre 16

Fière de s'être réveillée la première pour une fois, Damienne s'habille chaudement pour aller chercher de l'eau. Ce matin, elle veut préparer le déjeuner pour Francis et Marguerite. Elle pousse la porte pour sortir de la cabane, mais celle-ci refuse de s'ouvrir, comme si quelqu'un l'en empêchait de l'extérieur. Elle se reprend et force de plus belle, sans succès. Elle ne comprend pas ce qui arrive. Pourquoi la porte refuse-t-elle de s'ouvrir tout à coup ?

— Il y a sûrement un problème, ne peut-elle s'empêcher de se dire en forçant davantage. Ce n'est pas normal que je ne puisse pas l'ouvrir.

Elle pousse de toutes ses forces sur la porte. Pour tout résultat, elle parvient à l'entrouvrir un tout petit peu, mais suffisamment pour voir un tapis blanc. Elle ne met que quelques secondes à comprendre ce qui s'est passé : il a neigé.

— Mais comment la neige peut-elle m'empêcher d'ouvrir la porte ? se demande-t-elle tout haut. Je ne comprends vraiment pas.

En entendant sa servante parler seule, Marguerite lui demande :

— Veux-tu bien me dire pourquoi tu fais tout ce bruit ?

— Nous sommes prisonniers, répond-elle.

— Nous sommes prisonniers depuis le jour où les marins nous ont gentiment déposées ici. Avoue que c'est plutôt difficile à oublier.

— Vous ne comprenez pas, nous sommes prisonniers de notre cabane. La neige bloque la porte.

Évidemment, Marguerite ne croit pas ce qu'elle entend. Elle se lève et vient la rejoindre.

— Nous allons pousser ensemble. Il y a probablement quelque chose d'autre qui bloque la porte de l'extérieur.

— Voyons, il n'y avait pourtant rien hier !

— Allez, poussons ! Un, deux, trois.

Elles parviennent à entrouvrir un peu plus la porte, mais juste assez pour sortir leur main et toucher la neige. Elles sont alors comme deux petites filles. Elles en prennent un peu et y goûtent ; mais une fois la découverte passée, l'inquiétude gagne Marguerite.

— Francis, crie-t-elle, viens voir. C'est terrible, il a tellement neigé qu'on n'arrive plus à ouvrir la porte. J'ai bien entendu siffler le vent cette nuit, mais jamais je n'aurais pensé qu'il neigeait. Nous ne sommes qu'à la fin du mois d'octobre. Qu'est-ce que nous allons faire ? Nous ne sommes pas pour rester enfermés ici tout l'hiver ! À voir à quel point la saison froide commence tôt, j'aime autant ne pas m'imaginer combien de temps elle va durer.

Francis se frotte les yeux, sort du lit et rejoint les deux femmes.

— Sincèrement, l'hiver aurait pu attendre encore un peu avant d'arriver, lance-t-il, déçu. On n'est pas prêts. Tassez-vous un peu, je vais pousser la porte.

— N'y va pas trop fort, quand même, suggère Marguerite, il ne faut pas la casser.

— Ne t'inquiète pas, je vais pousser doucement.

Mais il ne fait pas beaucoup mieux que les deux femmes. Mécontent, il ne peut s'empêcher de lâcher un juron. C'est la première fois que Marguerite le voit dans cet état. Lui, d'habitude si patient ! Voilà qu'il semble en colère.

C'est vrai qu'il a bon caractère et qu'il a cette capacité de prendre les choses comme elles sont ; mais il lui arrive parfois d'en avoir assez lui aussi, même s'il se garde bien de le montrer. Assez de cette vie de misère qu'ils sont obligés de mener depuis plus de trois mois. Assez de toujours faire plus avec moins. Assez de ne pas pouvoir assurer le lendemain de ceux qu'il aime. Il rêvait de beaucoup mieux pour sa famille. Au lieu de cela, le voilà pris sur une île inhospitalière, une île sans grandes ressources où la mort rôde jour après jour.

Il craint cet hiver. Il le craint parce qu'il ignore tout de lui, parce qu'il n'a à peu près aucune ressource pour y faire face. Les peaux de castor ne sont pas encore prêtes, pas plus que celles des phoques d'ailleurs. Ce n'est qu'alors qu'ils pourront s'en servir pour se coudre des vêtements chauds, pour recouvrir leurs souliers et pour s'en faire des couvertures. Et encore là, ils ont tout à apprendre puisqu'avant d'être sur cette île aucun d'eux n'avait jamais tanné de peaux ni fait de manteaux de fourrure. Heureusement que Damienne en avait entendu parler par son grand-père. Francis a fait tout ce qu'il pouvait pour isoler leur cabane, mais il sait bien que si la température baisse encore la maison deviendra aussi froide qu'une cage de verre. Tout cela lui crève le cœur. Ce n'est pas le temps de geler pour Marguerite, mais il sait d'avance qu'il ne pourra pas la soulager totalement. Pourquoi a-t-il fallu qu'il s'embarque sur ce maudit navire ? Il aurait dû écouter sa famille et rester tranquillement en France, fonder une famille et travailler pour le roi, comme son père. Mais non, son goût inné pour l'aventure l'a toujours poussé à sortir des sentiers battus. Cette fois, il peut dire qu'il a plus qu'atteint son objectif. C'est sans contredit la plus grande aventure qui lui a été donné de vivre ; mais le pire, c'est qu'il ne sait pas s'il retournera un jour en France. « Mais qu'est-ce que je suis en train de faire là ? Ma vie est ici, maintenant, et je dois tout faire pour survivre. Pardon, mon amour, je ne pourrais plus me passer de toi » pense-t-il, soudain pris de remords.

Il pousse de nouveau sur la porte, mais sans plus de succès.

— Il va falloir prendre une tasse et enlever la neige à la main, au moins jusqu'à ce que l'une d'entre vous puisse sortir pour dégager la porte.

— Je m'en charge, dit Damienne, le sourire aux lèvres. Je vais mettre la neige dans la marmite, cela nous évitera d'aller chercher de l'eau.

Malgré son âge, Damienne a toujours conservé son cœur d'enfant. Elle a cette capacité de s'émerveiller de la moindre chose que la vie met sur son chemin. Devant toute cette neige, elle se revoit petite fille. Son grand-père maternel lui racontait souvent sa vie dans les Alpes. Il allait y bûcher chaque hiver. Il lui parlait de la neige et lui disait à quel point il pouvait en tomber d'un seul coup.

La neige, c'est quelque chose d'unique. À la fois blanche et bleue. Froide et insaisissable. Si l'on en prend une petite quantité dans notre main, elle disparaît, mais si à l'inverse on la façonne en boule, elle devient dure. Son grand-père lui disait que parfois, sans crier gare, elle descendait des montagnes à une vitesse folle. Il arrivait même qu'elle emporte avec elle des bûcherons qui se trouvaient sur son chemin. Plusieurs n'ont jamais été retrouvés.

— Dans les Alpes, dit Damienne, on s'en sert aussi pour isoler les maisons. Là-bas, dès la première neige, les paysans en mettent le plus possible au bas de leurs murs extérieurs. Il paraît que cela aide à garder la chaleur à l'intérieur.

— C'est une bonne idée, répond Francis. En plus, je suis loin d'être certain que nous pourrons puiser de l'eau à même notre source bien longtemps encore, mais la neige fera très bien l'affaire. Remarquez que je vais entretenir le sentier pour y aller tant que cela sera possible.

— Mais nous ne pourrons pas passer l'hiver comme cela, lâche Marguerite. Qu'est-ce que nous ferons le jour où la neige bloquera la porte de haut en bas ? Nous ne pourrons pas attendre le printemps pour sortir d'ici, quand même.

— Ne t'inquiète pas, dit-il pour la rassurer. Dès que je pourrai sortir, je m'organiserai pour que cela n'arrive plus.

— Tu ne pourras pas empêcher la neige de tomber, ajoute la jeune femme d'un air inquiet.

— Certainement pas. S'il en tombe autant à ce temps de l'année, je n'ose même pas imaginer ce que ce sera en plein cœur de l'hiver. C'est pourquoi je vais vite construire un muret pour empêcher la neige de bloquer la porte. Tu vois, je croyais pourtant que j'avais bien évalué la provenance du vent.

— Ce n'est pas de ta faute. Chaque saison amène ses vents. Nous saurons mieux à quoi nous en tenir l'hiver prochain.

— Pour ma part, j'espère sincèrement que ce sera le seul hiver que je passerai ici, ne peut-il s'empêcher de lancer.

— Moi aussi, souffle Damienne.

— Je pense la même chose que vous ; seulement, il vaut mieux être réaliste. Le seul navire qui risque de passer par ici l'an prochain, c'est celui de mon oncle, et je doute fort qu'il arrête nous chercher ; encore faut-il qu'il ait survécu. Et si nous nous fions à la poussière qu'il y avait sur les objets dans le deuxième abri, il y a un bon bout de temps que les Basques n'ont pas mis les pieds ici. Quant à savoir s'ils les remettront un jour, nous l'ignorons. Alors j'aime mieux penser que ce sera plus facile l'année prochaine, quand nous aurons survécu aux quatre saisons.

— Tu as raison, pardonne-moi, je me suis laissé emporter.

— C'est normal. Nous avons tous nos moments de découragement, et j'en ai eu plus que ma part. Vivre ici est tout sauf facile, mais c'est notre vie pour le moment, alors aussi bien en tirer le maximum. Nous devons nous entraider et nous encourager les uns les autres.

— Jamais je n'aurais pensé qu'il était possible de rencontrer un jour une noble comme toi. On dirait que tu es de mon monde, mais avec, en plus, la finesse, la connaissance, la délicatesse, la…

— Arrête ou tu vas me faire rougir, s'exclame Marguerite. Je suis comme tout le monde, j'ai des qualités et des défauts. Attends de connaître tous mes défauts. Peut-être que ce jour-là tu préféreras prendre tes jambes à ton cou.

— Jamais je ne pourrai m'éloigner de toi. Je te l'ai déjà dit, te rencontrer, c'est ce qu'il m'est arrivé de mieux.

Francis s'approche de sa femme, l'enlace et l'embrasse doucement sur les lèvres. Comme chaque fois qu'ils sont à proximité l'un de l'autre, le désir grandit en eux. Heureusement, Damienne les ramène vite à l'ordre.

— Je pense que cela suffira pour que je puisse sortir, dit-elle d'une voix forte. J'ai les mains gelées, mais vous ne savez pas à quel point j'ai hâte d'aller voir toute cette neige. Elle est tellement blanche qu'elle fait mal aux yeux. Je m'habille et je vais dégager la porte.

— Et moi, ajoute Marguerite en s'éloignant bien à regret de Francis, je vais préparer le déjeuner.

Tant qu'ils allaient et venaient librement dehors, les deux amoureux pouvaient s'adonner aux jeux de l'amour quand bon leur semblait, mais maintenant qu'ils sont confinés à l'intérieur, il va falloir qu'ils adoptent de nouvelles façons de faire. Ils peuvent toujours attendre que Damienne s'endorme pour ne pas la réveiller, mais quand elle fait l'amour la jeune femme aime rire et a toujours des tas de choses à raconter après. «Nous en profiterons chaque fois que Damienne sortira prendre l'air ou alors nous l'enverrons chercher du bois» songe Marguerite.

— Et moi, je vais attendre que le repas soit prêt, dit Francis.

À ces mots, tous éclatent de rire.

— J'irai marquer le jour sur l'arbre, ajoute-t-il en essayant de garder son sérieux.

— Il n'est pas question que vous me voliez mon travail, s'écrie Damienne.

— Si je comprends bien, tu n'as pas l'intention de travailler trop fort aujourd'hui, lui lance Marguerite.

— Pas avant d'avoir mangé, je suis affamé.

— Il va te falloir être patient. Les poules n'ont pas encore pondu et le cochon n'est pas encore mort. Quant à la vache, elle s'est sauvée. Ah oui! et le boulanger a brûlé son pain.

— Qu'y a-t-il au menu, alors? demande-t-il.

— Je crois bien qu'il reste un peu de poisson fumé et quelques bons morceaux de lièvre rôti.

— Ce sera parfait pour ce matin, ma petite dame, mais faites en sorte que j'aie mes œufs demain; sinon, je vais changer d'auberge.

— À vous de décider, monsieur, mais vous allez peut-être trouver que la prochaine est un peu loin.

Heureux, les deux tourtereaux éclatent de nouveau de rire. Pendant ce temps, Damienne enlève la neige devant la porte. Tout est blanc à perte de vue. Le temps est doux et l'air sent bon. Elle ne met pas longtemps avant de geler des pieds. C'est comme si elle était pieds nus dans la neige. Il faut dire qu'il en est tombé beaucoup; elle en a jusqu'aux genoux. Elle prend de grandes respirations. Exceptionnellement, il n'y a aucun vent ce matin. Dès qu'elle aura mangé, elle ira jouer dans la neige, c'est certain.

Une fois la porte dégagée, elle ne peut s'empêcher de prendre de la neige dans ses mains. Elle façonne ensuite des munitions, qu'elle cache derrière son dos. En entrant dans la cabane, elle s'écrie :

— Si c'est la guerre que vous voulez, eh bien ! vous l'aurez !

La seconde d'après, une balle de neige atteint Marguerite et une autre, Francis. Surpris, ils se tournent vers Damienne en même temps, et sans s'en parler se dirigent à la course vers la porte. Ils prennent à leur tour de la neige dans leurs mains, en font chacun une balle et la lui lancent. Attaquée, Damienne éclate de rire.

# Chapitre 17

— Il est spécial, ce pays, s'exclame Damienne. Il y a quelques jours, nous étions enterrés sous la neige, et là, elle est toute fondue.

— Pour ma part, dit Marguerite, je n'ai aucun problème avec cela. Nous aurons le temps de terminer nos travaux.

— Vous croyez vraiment qu'on va y arriver ?

— Tu le sais aussi bien que moi : nous n'avons pas d'autre choix. Il nous faut vite recouvrir nos souliers avec des morceaux de peaux ; sinon nous ne pourrons pas aller dehors plus d'une minute sans geler. Pas de chaussures, pas de nourriture. Il nous faut aussi nous confectionner des manteaux. Même sans neige, nous avons eu droit à des températures bien plus basses que celles auxquelles nous sommes habituées, sans compter que parfois l'humidité nous transit.

— Je ne vous le fais pas dire, mais sincèrement, je ne pense pas qu'il fera encore plus froid.

— Moi, je ne gagerais pas là-dessus. Rappelle-toi combien il y avait de moustiques cet été !

— Difficile à oublier, j'en porte encore les cicatrices.

— Rappelle-toi aussi jusqu'à quel point il y a de l'eau qui tombe pendant les orages. Je te l'ai déjà dit : ici, tout est démesuré. Alors pourquoi l'hiver ferait-il exception ?

— C'est permis d'espérer. Je suis enfin prête à vous faire essayer ces couvre-chaussures. Tenez !

— Toi d'abord, je prendrai les prochains.

— Il n'en est pas question. J'ai promis de veiller sur vous, et maintenant sur votre enfant, et rien ne m'en empêchera. Allez, enfilez-les, que je vois si j'ai bien travaillé.

Marguerite laisse échapper un soupir et s'asseoit ; elle sait qu'elle n'a aucune chance de gagner avec Damienne. Elle enfile un couvre-chaussure.

— Tu as vraiment l'œil, c'est parfait, et je sens déjà la chaleur sur mon pied.

— C'est le but. S'il fallait qu'il n'y ait pas de différence, je serais bien triste. Redonnez-les-moi, je vais les envelopper d'une bonne couche de graisse de phoque pour les imperméabiliser. L'idéal, ce serait qu'on en ait chacun deux paires, mais on n'a pas suffisamment de peaux pour cela. On en a juste assez pour se coudre un manteau.

— Il va falloir chasser encore plus. Nous ferons sécher nos couvre-chaussures chaque fois que nous rentrerons. Il nous faudrait des moufles aussi.

— J'en ferai avec les retailles.

— Je ne sais pas ce que nous ferions si tu n'étais pas aussi débrouillarde. Depuis que nous sommes arrivées sur l'île, je te découvre chaque jour un nouveau talent. Je suis bénie que tu fasses partie de ma vie.

— Arrêtez, je ne mérite pas toutes ces fleurs, je fais seulement mon travail du mieux que je peux. Mais puisque c'est le temps des compliments, vous vous défendez pas mal vous aussi. Vous êtes certainement la seule noble que je connaisse qui met la main à la pâte sans en faire tout un plat. Je ne vous l'ai pas encore dit, mais j'étais très impressionnée par vous sur le navire. Malgré toutes les plaies que vous aviez aux mains, et Dieu sait que vous en aviez, vous continuiez à travailler sans vous plaindre. Je ne connais pas d'autres nobles qui auraient fait la même chose que vous.

— Je ne suis pas meilleure que les autres ; mais entre toi et moi, le travail avance plus rapidement quand tout le monde participe. Les quelques mois sur le navire de mon oncle m'ont au moins appris cela. Si je n'avais pas aidé les femmes, je pense que je n'aurais plus été capable de me regarder dans un miroir pour tout le reste de ma vie. Nous vivions dans un espace réduit et, selon moi, tout le monde était concerné par ce qu'il y avait à faire.

— Parlant de miroir, ajoute Damienne en riant, on ne peut pas dire qu'on va user le nôtre à se regarder dedans.

— À la grosseur qu'il a, il n'y a aucun danger. Il faut s'observer par morceau. Le visage ou le haut du corps, un bout de jambe ou la taille. Mais de toute façon, il est difficile d'être fière ici. Nous portons toujours les mêmes vêtements. Nous sommes toujours entre nous. Et plus le froid s'installera, plus nous nous recouvrerons de peaux, jusqu'à ce que nous ayons l'air d'une boule.

— Moi, je pense qu'être fier, c'est davantage dans la façon dont on se perçoit ; cela n'a rien à voir avec les vêtements que l'on porte. D'ailleurs, j'allais oublier que j'ai un flacon de parfum. J'attendais qu'il fasse assez froid pour ne pas attirer les moustiques. Je suis si contente, je vais enfin pouvoir m'en mettre.

À ces mots, Marguerite pâlit. Chaque fois que Damienne se parfume, elle en met tellement qu'elle finit par empester. Quand elles vivaient à Pontpoint, la maison était assez grande pour supporter l'odeur, mais ici, dans leur unique pièce, c'est bien différent.

Plus vite que son ombre, Damienne saisit son flacon, l'ouvre et s'asperge le cou, avant même que Marguerite ait le temps de lui demander de ne pas trop en mettre. Quelques secondes suffisent pour que l'odeur se répande dans toute la pièce ; elle est si forte qu'elle irrite la gorge de Marguerite. La jeune femme est vite prise d'un haut-le-cœur. Il faut qu'elle aille prendre l'air, et vite. En la voyant se diriger vers la porte, Damienne lui demande :

— Mais où allez-vous comme cela ? Ne me dites pas que vous ne trouvez pas que mon parfum sent bon ?

— Désolée, dit la jeune femme, en prenant soin de respirer par la bouche, mais je n'en peux plus. Si je reste ici, ne serait-ce qu'une minute de plus, je vais m'évanouir. Il va vraiment falloir que je te montre à te parfumer.

— Qu'est-ce que vous avez contre mon parfum ? C'est vous qui me l'avez offert !

— Ce n'est pas le parfum qui est en cause, c'est la quantité que tu mets. Je suis prête à gager que demain l'odeur sera encore dans la cabane.

— Habillez-vous, au moins, avant de sortir, s'écrie-t-elle d'un air légèrement offusqué, sinon vous allez attraper votre coup de mort.

Mais Marguerite est tellement pressée de sortir qu'elle ne prend même pas la peine de répondre. Une fois dehors, elle respire à pleins poumons. L'air est frais et sent tellement bon ! « Et dire qu'il va falloir sentir cette odeur pendant des heures encore, pense-t-elle en souriant. Damienne est vraiment indomptable avec son parfum. On dirait qu'elle a quinze ans. Je serais peut-être mieux de cacher son flacon ; mais elle y tient comme à la prunelle de ses yeux et elle le surveille comme elle le ferait avec un trésor. »

Damienne vient vite rejoindre sa maîtresse et dépose un châle sur les épaules de celle-ci. Marguerite ne peut s'empêcher de l'agacer :

— Ne le prends pas mal, mais je ne t'ai pas entendue arriver : je t'ai sentie arriver.

Les deux femmes rient tellement qu'elles se tiennent les côtes. Quand elles parviennent enfin à reprendre leur souffle,

Damienne dit :

— Est-ce qu'on va fêter Noël ?

— Si tu me jures de ne pas te parfumer, oui. Nous pourrions…

— … rentrer des branches d'épinette et les décorer ?

— Bonne idée ! Nous pourrions faire des petites boules de papier et les tremper dans un peu de vin.

— Vous n'allez pas gaspiller votre papier pour cela.

— Je peux quand même sacrifier quelques feuilles.

— C'est d'accord, mais il faudrait ajouter quelque chose de clair. Bourgogne et vert, c'est beau ; mais avouez que c'est un peu foncé pour une fête. Je pourrais coudre des boules en tissu, j'ai quelques retailles de vêtements de notre ancienne vie.

— Oh oui ! Mais j'y pense, j'ai encore cette robe jaune dont le tissu est trop fin pour faire des pantalons ; nous pourrions confectionner des boules.

— Parlez-vous de la robe que vous a offerte votre oncle adoré ? demande Damienne avec une pointe d'ironie dans la voix.

— Celle-là même, répond Marguerite sur un ton moqueur. Peux-tu m'en défaire, s'il te plaît ?

— Si vous êtes certaine de ne jamais la regretter, ce serait très beau avec le bourgogne des autres boules.

— Tu devrais faire vite avant que je décide de la brûler ; c'est d'ailleurs ce que j'aurais dû faire depuis un bon moment déjà. Promets-moi de me laisser brûler les retailles.

— Avec grand plaisir ! Et pour le réveillon, il faudrait préparer quelque chose de spécial à manger.

— Je m'engage à faire honneur à tout ce que tu cuisineras. Je me régale à l'avance !

— Vous en avez de la chance. Vous mangez comme une ogresse et vous conservez votre taille de guêpe.

— Cela doit faire quelques semaines que tu ne m'as pas regardée de près, parce que ma taille de guêpe commence à épaissir sérieusement.

— C'est normal, vous êtes enceinte ; mais je vous fais confiance, vous allez tout perdre après l'accouchement.

— À ce sujet, je suis très inquiète, tu sais. S'il fallait que j'aie des problèmes à mettre mon enfant au monde, qu'est-ce qu'il m'arriverait ?

— Ne vous inquiétez pas, tout ira bien. Vous avez une santé de fer, alors je ne vois vraiment pas pourquoi les choses tourneraient mal.

Damienne fait son possible pour rassurer sa jeune maîtresse, mais il ne se passe pas une seule journée sans qu'elle-même s'inquiète au sujet de l'accouchement. Certes, elle sait beaucoup de choses, mais de toute sa vie elle n'a jamais assisté à une seule naissance. Elle est fille unique et Marguerite aussi. Ses connaissances se limitent à ce qu'elle a entendu à gauche et à droite et, pour être franche, il s'agissait, la plupart du temps, d'histoires d'horreur. Elle se souvient qu'il faut couper le cordon ombilical dès la naissance du bébé, mais pour le reste, le terrain lui est totalement inconnu. Il faudra qu'elle en parle avec Francis. Peut-être a-t-il déjà aidé des voisins quand leurs bêtes ont mis bas. Ce serait au moins cela.

Le soleil se couche quand Marguerite se décide à rentrer dans la cabane. Elle a passé toute la journée à aller et à venir, de façon à ne pas respirer le parfum de Damienne trop longtemps. Occupée à préparer le repas, la servante chantonne en brassant son ragoût avec une cuillère en bois sculptée par Francis.

— Qu'est-ce qu'on mange ? demande la jeune femme.

— J'ai préparé un bon ragoût de viandes sauvages. Il y a de l'écureuil, du castor et du lièvre. Cela devrait vous plaire.

— Tout ce que tu fais me plaît, tu le sais bien ; mais entre toi et moi, je donnerais cher pour manger…

Damienne ne lui laisse pas le temps de finir sa phrase, elle se dépêche d'ajouter :

— … une bonne omelette avec de la crème.

— Tu n'y es pas du tout, écoute-moi. Je donnerais cher pour manger du veau braisé ; tu sais bien, comme celui que tu préparais avec des carottes, des topinambours et des oignons. Tu ne sais pas à quel point les légumes me manquent.

— N'en dites pas plus ; sinon je vais saliver moi aussi. Allez-vous manger quand même ? Je peux enlever votre couvert si vous préférez.

— Quelle question ! C'est certain que je vais manger et je sais que je vais me régaler. C'est juste qu'il m'arrive d'avoir envie de déguster certains plats. Au fond, je pense que ce qui me manque le plus, c'est le pain de la petite boulangerie du village.

— Et ses pâtisseries. Hum, un pur délice ! J'ai un peu de farine et des fruits séchés, mais je n'ai pas de levain et pas d'œufs, bien sûr. Je crois que vous devrez prendre votre mal en patience jusqu'au printemps.

— Je sais, quand les canards viendront pondre leurs œufs. Tu peux compter sur moi, je ne l'oublierai pas.

Quelques minutes plus tard, la porte s'ouvre sur Francis. Il a les bras chargés. Il salue les deux femmes en souriant et vient embrasser Marguerite. Elle se colle contre lui et lui passe les bras autour du cou.

— Tu m'as manqué. La chasse a été bonne à ce que je vois.

— Il y a de quoi manger pour toute une semaine ; et je rapporte quelques belles peaux.

— Je m'en chargerai demain si vous voulez, dit Damienne.

— Les peaux peuvent attendre, mais il faut qu'on s'occupe de la viande tout de suite. Elle se conservera beaucoup mieux dehors qu'ici. Vous ne trouvez pas qu'il y a une drôle d'odeur dans la cabane ? demande-t-il en plissant le nez.

— Damienne s'est parfumée, répond Marguerite d'un air sérieux.

Francis la regarde sans trop comprendre. Il se tourne vers Damienne et lui dit :

— Je ne voudrais pas vous offenser, mais croyez-vous qu'on pourrait ouvrir la porte pour changer l'air ? Je ne sais pas pour vous, mais cette odeur m'irrite la gorge.

À ces mots, Marguerite éclate de rire.

— J'ai passé la journée à ouvrir la porte, et voilà ce que cela a donné. Je crois bien que nous allons devoir nous y habituer ; mais rassure-toi, Damienne m'a promis de ne plus se parfumer à l'intérieur. N'est-ce pas ?

— Oui, oui, répond-elle à regret.

— J'ai fait une découverte aujourd'hui, ajoute Francis.

— Raconte, se dépêche de dire Marguerite.

— J'ai trouvé une grotte en plein milieu de l'île. Elle est suffisamment grande pour que nous puissions y dormir tous les trois.

— Mais dis-moi, quel est l'intérêt de dormir dans une grotte ? C'est sûrement très humide et infesté de chauves-souris. Merci pour moi.

— Pour moi aussi, ajoute Damienne.

— On n'est pas obligés d'aller y vivre, c'est juste au cas où. Si vous voulez, je vous emmènerai la voir demain.

# Chapitre 18

Francis tousse à fendre l'âme depuis près d'une semaine. Il est tellement malade qu'il ne met plus le nez dehors. Marguerite est désespérée. Elle fait les cent pas dans la cabane, incapable de poser ses fesses sur une chaise et de rester tranquille. Quand son amoureux souffre, elle souffre aussi. Damienne et elle ont tout essayé pour le soigner; mais comment guérir quelqu'un quand on n'a aucun médicament? Les bouillons bien chauds et les compresses humides le soulagent quelque peu, mais ne donnent pas de grands résultats. Francis est étendu sur sa paillasse et a du mal à respirer. En plus, il est brûlant de fièvre et il grelotte. Avec le froid qu'il fait dehors, la cabane est surchauffée; à l'extérieur, le vent souffle fort et pénètre dans leur demeure par la moindre ouverture, ce qui n'aide pas le pauvre charpentier. Il a le teint vert tellement il est mal en point.

Depuis qu'il est gamin, Francis est le parfait candidat pour attraper tous les microbes qui passent. Bon an mal an, il a au moins deux gros rhumes qui tardent à guérir. Pour lui, ce rhume-ci n'est pas bien différent des autres, mais c'est certain que s'il était à La Rochelle sa mère le frictionnerait avec son petit onguent à base de menthe, ce qui le soulagerait quelques heures. Ici, les deux femmes sont impuissantes. Damienne a vite pris la relève pour chasser les bêtes et rentrer le bois; heureusement d'ailleurs. Bien sûr, Marguerite fait sa part. Chaque fois que sa servante sort, elle fait la cuisine. Elle ne manque pas une occasion de dire que c'est bien meilleur lorsque ce n'est pas elle qui prépare le repas. Pour être franche, elle préfère de loin manger à cuisiner.

Voir Marguerite se promener de long en large aussitôt ses tâches terminées fatigue Francis davantage que son rhume. Il sait bien que sa femme est inquiète pour lui, mais sa façon d'agir ne l'aide pas. Une fois de plus, il lui dit gentiment :

— Marguerite, viens t'asseoir près de moi.

Perdue dans ses pensées, la jeune femme ne l'a pas entendu. Depuis qu'ils sont sur l'île, lorsqu'il arrive quelque chose à l'un d'entre eux, particulièrement à son Francis, elle imagine le pire. « S'il fallait qu'il meure, je ne pourrais pas le supporter. Mon Dieu, je vous en supplie, il faut qu'il guérisse vite. Nous ne sommes pas assez nombreux pour que l'un de nous disparaisse. » Chaque soir, avant de s'endormir, elle prie pour Francis, pour Damienne et aussi pour son bébé. « Ce sont les seuls membres de ma famille, veillez sur eux, je vous en conjure, et donnez-moi la force de surmonter tout ce qu'il m'arrive. »

Avant de vivre sur l'île, ce n'était pas elle qui priait le plus. Certes, elle allait à la messe chaque dimanche. À l'exemple de ses parents, qui étaient des catholiques modérés, elle n'a rien d'une fanatique. Elle croit en Dieu, mais elle prie seulement quand elle en sent le besoin. Autrement, elle sait qu'Il est là quelque part près d'elle et c'est bien suffisant. Pourtant, elle n'a jamais tant prié que depuis qu'elle est isolée. Elle se souvient du jour de leur arrivée. Elle fixait la mer et implorait Dieu de toutes ses forces pour que Francis vienne les rejoindre. Voir son amoureux devant elle tout à coup, dans sa petite barque, tenait du miracle. Chaque soir, elle en remercie le ciel.

— Marguerite, répète doucement Francis, je te parle !

À ces mots, elle se tourne vers lui, les yeux remplis de larmes.

— Viens t'asseoir près de moi, dit-il en lui tendant la main.

Il lui fait une place et la serre contre lui. Elle s'essuie les yeux et renifle.

— Arrête de pleurer, je t'en prie. Je ne suis pas mourant, j'ai juste un rhume. Je vais m'en remettre, ne t'en fais pas. C'est toujours comme cela. Chaque fois que je suis malade, je le suis plus que tout le monde, tu devras t'habituer. Après, quand tout rentre dans l'ordre, je suis tranquille pour un bon moment. Tu n'as pas à t'inquiéter, je t'assure. Tu le sais, quand je suis sur mes deux pieds, je peux abattre plus de besogne que n'importe qui.

Il essuie deux grosses larmes au coin des yeux de sa douce et dépose un baiser sur sa joue. Un pâle sourire se trace enfin sur les lèvres de Marguerite.

— Allonge-toi à côté de moi, cela va te faire du bien.

— Mais je n'ai pas envie de dormir et j'ai encore des tas de choses à faire. J'ai parfois l'impression de ne faire que cela, dormir, depuis que je suis enceinte.

— C'est normal que tu sois plus fatiguée, le bébé te demande beaucoup d'énergie. Ma mère ne faisait jamais de sieste, sauf quand elle était enceinte. Elle se couchait souvent, et pourtant, c'est une femme solide, tu peux me croire.

Il n'y a pas deux minutes qu'elle est allongée qu'elle s'endort au beau milieu de la conversation. Francis la regarde dormir et sourit. L'inquiétude de sa belle le touche beaucoup. « Ma famille va l'adorer. On dirait qu'elle est de la même trempe que nous. Elle ressemble à ma sœur Françoise comme deux gouttes d'eau. C'est fou ce que les miens me manquent, surtout quand je suis malade. Les savoir près de moi me rassurerait. Il y a des jours où j'en veux tellement au sieur de Roberval que si je l'avais devant moi je le tuerais de mes mains. Il ne faut pas avoir de cœur pour abandonner sa nièce comme il l'a fait. J'espère qu'il ira pourrir en enfer, c'est tout ce qu'il mérite. »

Il lui arrive souvent de se demander ce que serait devenue sa vie s'il avait manqué le départ du navire. Il ne peut pas s'imaginer qu'il serait bêtement resté à La Rochelle pour le reste de ses jours. Il avait trop envie de partir à l'aventure. Il aurait sûrement cherché à s'embarquer sur le prochain bateau et, qui sait, peut-être que sa vie aurait été encore pire qu'elle ne l'est présentement. « Difficile d'être pire songe-t-il en souriant. On a un toit, de quoi se chauffer et de quoi manger, c'est vrai, mais à part cela, rien n'est gagné d'avance ici. On ne sait pas de quoi sera fait demain. Pour ce qui est de l'oncle de Marguerite, il doit rire dans sa barbe, parce qu'il ne pouvait pas nous choisir meilleure prison. »

Avoir Marguerite à ses côtés lui fait du bien. Elle est belle comme pas une. Elle a l'air d'un ange avec ses longs cheveux bouclés qui retombent sur ses épaules. Sa peau a la même couleur que les roses. Il met sa main à plat sur le ventre de la future maman et le caresse doucement dans un mouvement de va-et-vient. Il espère de tout son cœur qu'ils auront un fils. Il a convaincu sa douce de lui donner le nom de son père, Adrien de Mire. S'ils ont une fille, ils l'appelleront Gabrielle, car c'est le deuxième prénom de Damienne. Quand elle l'a su, la servante était tellement contente qu'elle s'est dépêchée de dire :

— Je vous avertis, je vais tout faire pour que ce soit une fille. Je prierai jour et nuit s'il le faut.

— Je ne veux pas t'enlever ton plaisir, lance Marguerite, mais je crois bien qu'au point où j'en suis les dés sont déjà jetés. Tout comme Francis, tu as une chance sur deux de gagner.

— À moins que vous ayez des jumeaux, lance-t-elle d'un ton espiègle.

— Là, c'est moi qui vais devoir me mettre à prier. Un bébé, ce sera bien assez pour moi ; en tout cas, tant que nous serons ici.

Quelques minutes plus tard, c'est au tour de Francis de sombrer dans le sommeil.

Deux heures ont passé lorsque, le bruit de la porte qui s'ouvre les réveille en sursaut. Le sourire aux lèvres et les joues rouges comme du feu, Damienne fait son entrée. Elle est gelée jusqu'aux os, mais heureuse comme dix. Elle s'écrie :

— Vous ne pouvez même pas vous imaginer à quel point il fait froid. La neige craquait sous mes pas ; heureusement, d'ailleurs, parce que j'avais vraiment l'impression d'être seule au monde. En tout cas, je n'ai pas croisé d'animaux, c'est à croire qu'ils sont tous restés au chaud.

Elle se libère les épaules de ses prises, se secoue les pieds et enlève ses couvre-chaussures avant de s'approcher du feu. Elle retire vite ses moufles et son manteau qu'elle dépose sur le dossier d'une chaise. La seconde d'après, elle frotte ses mains l'une contre l'autre au-dessus de la flamme. Son nez coule tellement qu'elle ne peut s'empêcher de renifler.

Marguerite et Francis font des efforts pour se réveiller. Ils se frottent les yeux et bâillent à s'en décrocher la mâchoire. Marguerite réussit enfin à s'asseoir sur le bord du lit. Elle regarde Damienne et déclare :

— À ce que je vois, la chasse a été bonne. Nous aurons du travail pour une bonne partie de la journée, puisque nous devrons apprêter ces bêtes.

— Ce n'est pas pour vous contredire, mais je n'appellerais pas cela de la chasse. Je dirais plutôt que la récolte a été bonne lors de la tournée des collets. Regardez, j'ai six lièvres. Je pourrais préparer un bon bouilli avec trois d'entre eux.

— Moi, je me réserve au moins une tête, s'écrie Francis d'une voix enrouée.

— Quant qu'à moi, répond Damienne, vous pouvez avoir les trois.

— Moi, je n'ai jamais compris ce que les gens trouvent de bon dans la tête d'un lièvre, ajoute Marguerite. Je te les laisse toutes.

— Vous ne savez pas ce que vous manquez ! ajoute le jeune homme.

Il prend le menton de Marguerite dans une main et l'oblige à le regarder.

— Tu devrais faire une sieste tous les jours, tu as meilleure mine.

— Si tu me promets de la faire avec moi, je suis partante. On dirait que cela t'a fait du bien à toi aussi. Tu n'as pas toussé depuis au moins cinq minutes.

— Tu verras, les têtes de lièvre vont me guérir.

— Si c'est tout ce dont vous avez besoin pour retrouver la forme, dit Damienne, je peux aller vous en chercher tous les jours, des lièvres.

— Ce ne sera pas nécessaire, vous en faites déjà bien assez.

— Je contribue, c'est tout. Ah oui, j'oubliais, on dirait que la mer gèle de plus en plus. Croyez-vous que la glace nous permettra d'atteindre le continent ?

— Je ne sais pas. De toute façon, qu'elle gèle ou non, cela ne change pas grand-chose pour nous. On n'a pas de traîneau ni de chiens pour le tirer. D'après moi, la terre doit être à une bonne distance d'ici.

— J'ai vu des traces sur le bord.

— Que veux-tu dire ? demande Marguerite.

— Rien de plus que ce que j'ai dit. Il y a des traces d'animaux, c'est tout. J'ai vérifié notre réserve de bois avant de rentrer et je pense qu'il nous faudra faire attention, parce que sinon on n'en aura pas assez.

— Mais comment allons-nous faire l'an prochain ? demande Marguerite.

— On verra en temps et lieu, répond Francis, ne t'inquiète pas. La mer va sûrement déposer du bois sur la plage, comme elle l'a fait cette année. Et je trouverai un moyen d'aller en chercher sur les îles environnantes ; on pensera à tout cela au printemps.

— Bon, je suis enfin réchauffée, s'écrie Damienne. J'avais les doigts tellement gelés que je ne les sentais plus, ce qui m'arrive rarement.

— Je déteste avoir froid au point de ne plus sentir mes mains et mes pieds, dit Marguerite. Comment pourrait-on mieux se protéger du froid ?

— On pourrait superposer deux paires de mitaines, ajoute Damienne, je suis sûre que de cette façon nos mains seraient moins engourdies.

— Nous ne perdrons rien à essayer, dit Marguerite. Bon, je vais te donner un coup de main pour arranger tes prises. Je me porte même volontaire pour aller mettre la viande supplémentaire dans notre coffre, dehors. Cela me fera du bien de prendre un peu l'air.

— Si vous n'êtes pas trop affamés, je pourrais les mettre à cuire tout de suite après, ajoute Damienne en regardant Francis.

— C'est d'accord pour moi, dit le jeune homme, toujours couché sur sa paillasse, j'accepte de souffrir encore deux petites heures. Je vais toutefois manger quelques lanières de saumon séché avant de tomber dans les pommes.

— Ça me va aussi, fait remarquer Marguerite. Tu peux me donner un peu de saumon ?

— J'allais justement te le proposer, lâche-t-il, le sourire aux lèvres. Puisqu'il le faut, je me lève et je vous sers, madame.

Il s'assoit sur le bord de son lit. Quand il se lève, il est pris d'un petit étourdissement qui ralentit son mouvement. « Il est grand temps que je mange » pense-t-il.

— Francis, dit Damienne, vous croyez qu'il y a des habitants sur le continent ?

— Si je me fie à ce que racontait Cartier après son premier voyage, il y en a. Dans son récit, il les appelle les Sauvages. Mais où sont-ils exactement ? Je n'en ai aucune idée. Peut-être se regroupent-ils dans la région où notre navire se rendait. Si, comme je le pense, la mer se couvre de glace d'un bord à l'autre, j'irai voir.

— Il n'est pas question que tu partes tout seul, lance Marguerite, déjà apeurée et inquiète pour son amoureux.

Mais Francis a très envie d'aller voir ce qu'il y a sur le continent et il ira, que cela plaise à Marguerite ou non.

— Cartier n'avait que des bons mots pour ces Sauvages. Il a raconté que, sans eux et leurs nombreux remèdes, ils seraient tous morts. Ces gens connaissent ce pays mieux que quiconque, ils y vivent depuis si longtemps ! Il disait aussi qu'ils étaient très intéressés par les objets en métal.

— On a bien quelques haches en réserve, dit Damienne, on pourrait les échanger contre des graines, par exemple. Ils doivent sûrement cultiver la terre, les Sauvages.

— Je n'en ai aucune idée, ajoute Francis, mais ce serait une bonne chose de cultiver des céréales. Cela nous permettrait de varier un peu notre alimentation.

— Et des légumes, s'écrie Marguerite, je rêve de manger des légumes.

# Chapitre 19

— Joyeux Noël, s'écrient les trois insulaires en levant leur tasse de vin. À nous !

— Moi, dit Damienne, j'aimerais faire un vœu.

— Vas-y, l'invite Marguerite, nous t'écoutons.

— Je lève ma tasse à l'unique Noël que nous passerons sur notre île.

— Je t'en prie, s'exclame la jeune femme, ne dis pas «notre île», cela risque de nous porter malheur. J'aime mieux que tu dises «sur cette île», c'est beaucoup moins engageant.

— Comme vous voulez ! Il n'en reste pas moins que je souhaite que ce soit le premier et dernier Noël ici.

— Moi, dit Francis, je lève ma tasse au petit bébé qui naîtra dans quelques mois. Je souhaite que la vie soit plus facile pour lui que pour nous.

— Et moi, ajoute Marguerite, je lève ma tasse au jour où je reverrai ma chère France. Évidemment, le plus tôt sera le mieux. En attendant, buvons à ce jour béni !

Ils trinquent et prennent une bonne rasade de vin, avant de déposer leur récipient sur la table. Ce jour de Noël est bien différent de ceux auxquels ils sont habitués. À la résidence de Pontpoint, les deux femmes organisaient toujours un repas où elles réunissaient une vingtaine de personnes seules des environs. Damienne préparait ce souper au moins une semaine à l'avance. Ce soir-là, sur la table, il y avait de quoi nourrir une armée. Tous les plats trônaient sur une desserte et chaque invité allait se servir avant de s'asseoir à la grande table. Pour l'occasion, Marguerite sortait quelques bonnes bouteilles de vin de la réserve de son père. Les conversations allaient bon train et le plaisir était au rendez-vous. Les convives finissaient la soirée en chantant. Au grand désespoir de Marguerite, Damienne parvenait toujours à pousser quelques chansons à répondre, ce qui, il faut bien le dire, plaisait à la plupart des invités. Même du temps de son père, la fête se terminait au petit matin.

Un Noël chez les de Mire ne ressemblait absolument pas à cela. Toute la famille se réunissait chez les parents. Grands et petits portaient leurs plus beaux habits. Le père de Francis faisait cuire un porcelet dans la cour arrière toute la journée. L'odeur de la viande rôtie embaumait la maison et les environs. Les enfants couraient partout et, l'alcool aidant, les adultes parlaient de plus en plus fort. Ils chantaient, dansaient et riaient de tout et de rien. Après le souper, ils faisaient un petit échange de cadeaux. La règle était simple : fabriquer les cadeaux que l'on offre. Comme tous connaissaient les talents de sculpteur de Francis, son cadeau était toujours l'un des plus convoités. Une fois les enfants couchés, les adultes jouaient aux cartes jusqu'à tomber de sommeil.

— J'ai un petit cadeau pour vous, s'écrie Marguerite.

— Moi aussi, dit Damienne, le sourire aux lèvres.

— Moi aussi, s'exclame Francis.

Ils éclatent de rire. En se réveillant ce matin, ils ont convenu de faire fi de l'endroit où ils se trouvent et de profiter pleinement de ce jour de Noël plutôt singulier.

— Je commence, ajoute Marguerite. Ce cadeau est pour toi. Joyeux Noël, ma chère Damienne.

— Je vous remercie !

Damienne défait la corde et déroule le papier avec précaution. Elle devine que c'est un dessin de Marguerite et cela la remplit de joie. Quand elle voit l'ours en gros plan, elle prend quelques secondes pour l'admirer et saute au cou de sa maîtresse.

— Il est tellement réaliste que j'ai peur qu'il sorte de la feuille de papier. Merci, vous ne pouviez pas m'offrir un plus beau cadeau, je vais l'ajouter à ma collection. À moi, maintenant, de vous offrir le mien. Tenez !

Marguerite a le sourire aux lèvres ; elle adore recevoir des cadeaux. La jeune noble retire vite le tissu qui sert d'emballage. Quand elle découvre la paire de moufles à l'intérieur, elle est sans voix. Elles sont aussi blanches que la neige. Elle se dépêche de les enfiler et saute au cou de sa servante.

— Je n'ai jamais rien vu d'aussi beau. Merci beaucoup ! Maintenant, il faut me dire ce que c'est.

— J'en ai vu une seule fois, c'est de l'hermine. Lorsque Francis était malade, j'en ai trouvé deux dans les pièges destinés aux lièvres. En touchant la fourrure, je me suis dit qu'elle serait parfaite pour vous coudre des moufles, elle est tellement douce ! Je ne me fatiguais pas de la flatter.

— Mais quand as-tu réussi à les coudre ?

— Ah ! J'ai profité de chaque moment où vous faisiez la sieste. J'avais un œil sur mon ouvrage et un autre sur vous, au cas où vous vous réveilleriez.

— C'est donc pour cela que tu me disais aussi souvent d'aller me reposer.

— Oui et non. Je trouve toujours que vous en faites trop.

— Je suis vraiment contente, merci !

Damienne prend l'autre cadeau, qu'elle avait préalablement déposé sur ses genoux, et le remet à Francis.

— C'est pour vous, j'espère que cela vous plaira.

De nature plus réservée que les deux femmes, le jeune homme remercie Damienne et ouvre vite son cadeau. Il le prend dans ses mains, le tourne de tous les côtés et dit à Damienne :

— Vous allez devoir me dire ce que c'est.

La servante éclate de rire. Elle s'approche de lui, prend le morceau de fourrure en forme de triangle dans ses mains, le passe autour du cou du charpentier, en prenant bien soin de mettre la fourrure sur sa poitrine, et l'attache à l'arrière.

— Je me suis dit que cela vous tiendrait au chaud et vous éviterait sûrement un ou deux rhumes.

— C'est très ingénieux, s'exclame-t-il, et c'est tellement doux ! Comment avez-vous su que je gelais toujours au niveau du cou ?

— Facile ! Chaque fois que vous sortez, vous avez toujours la poitrine exposée au vent. Moi aussi, je prendrais froid.

— Vas-tu pouvoir m'en faire un ? demande Marguerite. Moi aussi je gèle à cet endroit.

— Pas de problème

C'est ensuite au tour de Francis de distribuer ses présents.

— Moi, je vais devoir vous donner mes cadeaux en même temps et vous devrez les ouvrir en même temps aussi. Tenez ! Vous pouvez y aller.

Les femmes se dépêchent d'ouvrir leur cadeau. Marguerite reçoit la sculpture d'un navire avec de grandes voiles, alors que la sculpture de Damienne est un énorme ours brun. Les deux œuvres sont plus vraies que nature. Les femmes admirent le travail du jeune charpentier. Francis dit à Damienne :

— J'ai sculpté un ours afin que vous n'oubliiez jamais que je vous serai toujours reconnaissant d'avoir sauvé la vie de Marguerite.

— Merci, Francis, dit Damienne en caressant son gros ours, il est très beau.

— Et pour toi, ma tendre épouse, j'ai sculpté un navire pour que tu n'oublies jamais qu'un jour tu retourneras en France.

À ces mots, Marguerite se jette dans les bras de son mari et l'embrasse passionnément. Damienne les regarde et sourit ; ils sont si beaux à voir ! Vivre à leurs côtés est un pur plaisir, même ici, sur l'île.

— Et maintenant, dit Marguerite à son amoureux, il me reste un cadeau à te donner. Ne bouge pas, je vais le chercher.

Lorsqu'elle revient, elle tient dans ses mains un petit rouleau de papier attaché avec un bout de tissu.

— Joyeux Noël, mon amour !

Francis fait glisser le bout de tissu, déroule la feuille de papier et lit silencieusement ce qui est écrit dessus :

*Mon bel amour,*

*Je t'ai aimé dès que tu as posé ton regard sur moi, et depuis mon amour pour toi ne cesse de grandir. Si j'avais su tout ce que me réservait de beau et de moins beau cette expédition au Nouveau Monde, je n'aurais quand même pas hésité un instant à être du voyage.*

*Avec toi à mes côtés, je suis prête à affronter les pires tempêtes. Tu es mon phare dans la nuit, mon soleil en plein orage. Avec toi à mes côtés, je ne crains rien, pas même mon oncle.*

Francis est de plus en plus ému. Ça lui va droit au cœur. Il prend une grande respiration avant de poursuivre sa lecture.

*Avant toi, ma vie s'écoulait sans grande fantaisie. Avec toi, chaque jour je tiens le bonheur dans mes mains. Tu embellis ma vie de ta seule présence. C'est pourquoi chaque fois que tu t'éloignes de moi, ne serait-ce qu'un instant, je suis perdue sur cette île.*

*J'ai besoin de toi comme de l'air que je respire. Ton regard me réchauffe. Tes paroles me caressent. Tes lèvres me font perdre la tête. Tes mains me transportent ailleurs. Je t'aime de tout mon cœur, maintenant et pour toujours.*

*Ta femme, Marguerite*

Il roule nerveusement sa lettre et la tient précieusement dans sa main droite. Marguerite le regarde et sourit, heureuse que Dieu ait mis cet homme exceptionnel sur son chemin. De tous ceux qu'elle a croisés dans sa vie, il est le seul avec qui elle veut être.

Francis s'approche et la prend dans ses bras. Il la serre si fort qu'elle a du mal à respirer. Il l'embrasse ensuite dans le cou et lui dit à l'oreille :

— Jamais on ne m'a fait un plus beau cadeau. Je t'aime de tout mon cœur.

Restée à distance, Damienne est remplie de bonheur juste à les regarder. Leur amour éblouit tellement il est fort. Elle ne sait pas ce qui est écrit sur le papier que Marguerite a remis à Francis, mais à voir la réaction du charpentier, elle peut facilement supposer que c'était touchant, et elle est très contente pour lui. Il leur a sauvé la vie en venant les rejoindre, et en plus il aime Marguerite plus que tout au monde. Elle ne pouvait souhaiter mieux pour sa jeune maîtresse, surtout sur cette île.

Essayant de reprendre contenance, Francis dit :

— Est-ce que je vous ai déjà raconté comment j'ai appris à lire et à écrire ?

— Pas encore, répond Marguerite.

— Eh bien ! c'est le moment. Ma mère avait une tante qui a passé sa vie à servir une famille de nobles de La Rochelle. Un jour, alors que sa santé ne lui permettait plus de travailler – il faut dire qu'elle avait plus de soixante ans –, elle a demandé à mes parents si elle pouvait venir vivre à la maison. Tante Isabelle, c'est son nom, avait eu la chance d'apprendre à lire et à écrire en même temps que les enfants de la famille où elle était servante. Ma mère, qui était illettrée, en avait souffert toute sa vie et s'était juré qu'elle ferait tout pour que ses enfants sachent lire et écrire. C'est pourquoi elle a sauté sur l'occasion.

«— Vous êtes la bienvenue à la maison, a-t-elle dit à sa tante, mais à une condition. Je veux que vous montriez à lire et à écrire à tous mes enfants.

«— Ce sera avec plaisir» a répondu tante Isabelle.

«Dès le jour de son arrivée, nous avons eu notre première leçon. Vous dire à quel point j'ai trouvé cela difficile et ennuyeux. Elle nous donnait des devoirs et des dictées. Je détestais les dictées, tellement que c'était moi qui faisais le plus de fautes. Un jour, je m'en souviens comme si c'était hier, mon père m'a offert un livre sur les navires. J'étais fou de joie. J'ai d'abord regardé les images, et sans m'en rendre vraiment compte je me suis mis à lire ce qui était écrit. Les navires me passionnaient. Quand est venue l'heure de ma leçon, j'ai dit fièrement à tante Isabelle que je voulais lire. Elle m'a regardé et m'a souri. Au début, les mots se bousculaient dans ma tête et sortaient parfois d'une drôle de façon. Elle ne m'a pas repris une seule fois. Elle m'a écouté. Arrivé à la fin de mon paragraphe, j'ai relevé la tête et je l'ai regardée.

«— Je savais que tu y arriverais, m'a-t-elle dit fièrement. Viens ici que je t'embrasse.

«Ma mère était folle de joie. Tous ses enfants savaient enfin lire et écrire. Une semaine plus tard, tante Isabelle s'éteignait dans son sommeil.»

— Quelle belle histoire! s'exclame Damienne. Moi, j'ai appris avec Marguerite.

— Savez-vous seulement à quel point nous sommes chanceux ? s'exclame Marguerite. Nous sommes trois sur cette île et nous savons tous lire et écrire, alors que la majorité des gens, en France, ne l'apprendront probablement jamais.

— Je suis d'accord avec toi, ajoute Francis. Dans mon cas, cela a changé ma vie.

— J'ai une idée, lance Damienne, que diriez-vous si on lisait un livre tous les trois ?

— Peux-tu être plus précise ? demande Marguerite.

— C'est simple, on prend un des livres qu'on a et, chaque soir, l'un d'entre nous lit quelques pages à voix haute.

— Pourquoi pas ? dit la jeune femme.

— Je suis partant, cela me permettra de pratiquer ma lecture.

Certes, il n'y aura pas de surprise pendant ces séances de lecture. Ils n'ont pas plus de cinq livres. Comme ils sont sur l'île depuis un peu plus de cinq mois et que les soirées sont plutôt longues au coin du feu, ils ont déjà lu certains plus d'une fois. Par contre, se faire faire la lecture sera sûrement agréable.

— Je propose qu'on commence ce soir, déclare Damienne, mais en attendant, on pourrait prendre un peu de vin chaud, qu'en dites-vous ?

Sans attendre leur réponse, elle se lève et va chercher trois tasses. Elle se dirige ensuite vers le feu, prend le chaudron contenant du vin et verse une bonne ration a chacun.

— Tu es vraiment efficace, dit Marguerite pour l'agacer.

— Vous savez bien que j'avais prévu le coup. C'est Noël, il faut fêter un peu.

— À nous trois et au bébé qui va naître l'année prochaine ! s'écrie Francis en levant sa tasse.

Il est vite imité par les deux femmes. Le vin chaud leur fait le plus grand bien. Certes, ce n'est pas la journée la plus froide qu'ils ont connue, mais à plusieurs endroits le vent s'infiltre dans la demeure. Pourtant, ils sont heureux et profitent de ce moment au maximum.

— Marguerite, dit Francis, j'ai une faveur à te demander. J'aimerais que tu chantes pour nous.

— Je ne sais pas, dit-elle doucement ; à vrai dire, il y a si longtemps que je n'ai pas chanté. Et puis, je ne suis même pas certaine de me souvenir des paroles des chansons.

— Je vous suggère de dire oui, ajoute Damienne ; sinon je vais y aller d'une petite chanson à répondre.

— Non ! s'écrie Marguerite en se prenant la tête ; tout mais pas cela ! Je chanterai, c'est promis. Mais pas avant d'avoir mangé.

# Chapitre 20

*Janvier 1543*

— Arrête un peu, s'écrie Marguerite, tu es pire qu'un écureuil. Si tu continues de la sorte, nous n'en aurons plus une seule.

— C'est trop bon, s'exclame Damienne, vous devriez y goûter. En les trempant dans le miel, c'est… c'est tellement… je ne trouve pas les mots.

— À la vitesse à laquelle tu les manges, je comprends que tu ne trouves pas les mots, tu ne peux pas, tu n'as pas le temps. Allez, donne-moi le pot de noisettes, tu en as assez mangé. Tu es pire qu'une enfant, ma parole. Donne-le-moi !

— Attendez ! Laissez-moi en manger une dernière.

— Non ! répète la jeune femme en prenant le pot d'un coup sec.

L'automne dernier, ils ont découvert des dizaines de noisetiers de l'autre côté de l'île. Ils attendaient patiemment le moment de cueillir les fruits. Un beau jour, ils se sont aperçus qu'ils n'étaient pas les seuls à les convoiter. Des écureuils en transportaient allègrement dans leur réserve, avant même qu'ils soient mûrs. Damienne était furieuse, elle était prête à poser des collets partout autour des arbustes pour tuer ces rongeurs. Marguerite ne cessait de lui répéter que les bêtes avaient le droit de vivre, tout comme eux. Quand le temps de la récolte est enfin arrivé, la servante est partie un bon matin avec un grand sac de toile. Elle est revenue à la cabane à la brunante, son sac sur le dos. Elle avait du mal à le transporter. « J'ai ramassé tout ce qui restait, a-t-elle dit fièrement. Les écureuils se débrouilleront comme ils pourront pour manger cet hiver. »

— J'ai pensé à quelque chose, dit la servante, le sourire aux lèvres, sans être le moindrement offusquée par les propos de sa maîtresse ; je pourrais faire griller des noisettes enrobées de miel. Je suis certaine que cela vous plairait. C'est une bonne idée, non ?

— Je crois bien que tu devras attendre à la prochaine récolte. Il en reste tout au plus une centaine, et le pot était rempli à ras bord.

— Je sais, j'ai exagéré, mais quand j'en croque une, je suis incapable de m'arrêter, c'est plus fort que moi.

— J'ai bien vu cela, dit Marguerite, indignée. Je suis certaine que les écureuils n'en mangent pas autant que toi ; en tout cas, eux, ils doivent au moins prendre le temps de les mastiquer.

— Ne soyez pas si dure, se plaint Damienne, c'est mon seul petit défaut.

— C'est vrai, je suis là à bougonner pour une poignée de noisettes alors que tu fais tellement pour moi ! Je m'excuse. Depuis que je suis enceinte, je ne me reconnais plus. Si j'ai de la peine, je suis inconsolable. Si je suis inquiète, rien ne peut me rassurer. Si je suis heureuse, j'ai un poing dans la poitrine tellement je ris. Je ne savais pas que le bonheur pouvait faire si mal.

— Rassurez-vous, dès que vous aurez accouché, les choses redeviendront comme avant.

— J'espère que tu as raison, je ne veux pas passer ma vie ainsi.

— Vous en avez encore pour quelques mois à peine. Mon petit doigt me dit que vous accoucherez au printemps. À voir la grosseur de votre ventre, le bébé naîtra…

Damienne se gratte la tête pendant qu'elle réfléchit. Marguerite attend patiemment qu'elle poursuive.

— ... disons à la fin d'avril ou au début de mai. Qu'en pensez-vous ?

— Oh ! moi, tu sais, je n'ai aucun point de repère. Je ne m'y connais pas en matière de grossesse. Je me sens comme une petite barque en pleine mer. Je me laisse ballotter, jusqu'à ce que le jour de la délivrance arrive. Je ne peux rien faire de plus, je ne sais pas du tout à quoi m'attendre. Le plus important, c'est que je ne recommence pas à avoir des nausées, je ne le supporterais pas.

— Pas d'inquiétude pour cela. Ma mère disait toujours que les nausées ne reviennent jamais après le premier trimestre de la grossesse. Vous êtes tellement belle à voir ! J'ai toujours trouvé que les femmes enceintes avaient quelque chose de particulier dans le regard, quelque chose qui ne s'explique pas mais qui se voit dès qu'on en croise une.

— C'est curieux, Francis me dit la même chose. Il faudrait que je me regarde dans le miroir. Moi, j'ai plutôt tendance à me trouver laide et grosse.

Damienne se lève et va chercher le petit miroir pour le remettre à Marguerite.

— Tenez !

La future maman se regarde sous tous les angles. Déçue, elle dépose le miroir sur la table et dit :

— Je ne sais vraiment pas de quoi vous parlez. En tout cas, je ne vois rien de spécial, si ce n'est que j'ai les yeux cernés jusqu'aux joues et que je suis pâle à faire peur.

— Arrêtez un peu ! Vous êtes pétante de santé et toujours aussi belle. Vous ne vous regardez pas avec les bons yeux.

— Une chose est certaine, j'ai hâte que cet hiver finisse pour aller prendre un bain de soleil. Tu ne peux pas t'imaginer à quel point cela me manque de me balader dehors. J'ai l'impression d'hiberner comme les ours.

— C'est un peu ce qu'on fait, mais dites-vous qu'on a de la chance, malgré tout.

— Tu as raison, mais moi j'ai plutôt tendance à penser à ceux qui vivent mieux que moi. Mon père disait : « Si tu veux améliorer ton sort dans la vie, regarde ceux qui ont réussi et fais comme eux. »

— Ce sont de belles paroles, mais il faut déjà être né sous une bonne étoile pour améliorer son sort. Le mien disait : « Si tu n'as pas ce que tu veux, chéris ce que tu as. »

— Mais quand tu n'as rien, comment peux-tu chérir ce que tu as ? Nous n'avons rien.

— Notre vie pourrait être encore bien pire, croyez-moi.

— Je te le répète, notre vie pourrait être encore bien mieux.

— Vous savez comme moi qu'on n'a pas d'autre choix que de tirer le maximum de ce qu'on a ici.

— Tu as raison, je te le disais tout à l'heure : depuis que je suis enceinte, je ne me reconnais plus.

Certes, Marguerite est contente d'être enceinte, mais elle est inquiète pour son bébé. Plus elle le sent grandir en elle, plus elle a peur. Quelle sorte de vie pourra-t-elle lui offrir sur cette île ? Elle n'en sait rien. Et puis elle n'a aucune idée de ce qu'est être mère. Elle n'a eu qu'un seul modèle, celui d'une mère malade et alitée. Si Damienne ne s'était pas occupée d'elle, elle aurait eu une enfance triste à mourir. Elle veut offrir à son enfant tout ce qu'elle n'a pas eu. Elle veut jouer avec lui, faire des pique-niques, courir dans les bois, se baigner, lui lire des histoires, le regarder dormir. Elle veut être heureuse.

Comme si elle lisait dans les pensées de Marguerite, Damienne lui dit :

— Vous serez une excellente mère, arrêtez de vous en faire.

Les larmes aux yeux, Marguerite se lève et enlace Damienne.

— Heureusement que tu es là !

La seconde d'après, la porte s'ouvre tellement brusquement que les deux femmes sursautent. Le sourire aux lèvres, Francis s'écrit :

— Habillez-vous chaudement et venez vite avec moi. Il faut que je vous montre quelque chose.

— Qu'est-ce que c'est ? demande Marguerite. Parle !

— Il vaut mieux que vous voyez cela par vous-mêmes ; sinon vous ne me croirez pas.

— Tu m'inquiètes, ajoute sa femme.

— Tu n'as pas à t'en faire, c'est quelque chose de beau. Je n'en reviens tout simplement pas.

En moins de deux, les femmes sont prêtes à le suivre.

— Venez, c'est sur la grève.

Il les amène exactement à l'endroit où les marins les ont débarquées. Une fois sur place, il s'écrie :

— Regardez-moi cela, c'est un cadeau du ciel.

Incrédules, les deux femmes s'approchent. Un gros tas de bois est empilé sur la grève. Tout autour, il y a des traces de traîneau et de bêtes. Il y en a aussi sur la glace. Marguerite réfléchit quelques secondes et dit :

— J'y pense, je me suis fait réveiller cette nuit par des aboiements. J'ai cru que c'étaient des loups et je me suis rendormie.

— Mais qui a bien pu déposer tout ce bois ici ? demande Damienne.

— Je n'en sais rien, répond Francis. Tout ce que je sais, c'est que cela ne pouvait pas mieux tomber. Ces bûches nous permettront de nous chauffer jusqu'à la fin de l'hiver.

— À la condition qu'il ne s'éternise pas trop, ajoute la jeune femme.

— Avec ce bois, déclare Francis, si mes calculs sont bons, on va pouvoir se rendre jusqu'en mai sans problème.

— C'est le plus beau cadeau qu'on pouvait nous faire, lance Damienne. Mes prières ont été exaucées.

— Il faudrait quand même savoir qui nous l'a offert, s'exclame Marguerite.

— Je pense qu'on peut tout de suite éliminer votre oncle.

— Vous avez bien raison, dit Francis en riant. Je pourrais suivre les traces sur la glace ; si elle est assez solide pour supporter le poids d'un traîneau rempli de bois, je serais capable de traverser.

— Ce n'est pas une bonne idée, lance Marguerite, inquiète ; tu n'y penses pas ? Nous n'avons aucune idée de la distance qui sépare notre île et le continent et nous n'avons ni traîneau ni chiens. Non, je refuse que tu partes à pied, c'est trop risqué. Regarde la profondeur des traces, tu auras de la neige jusqu'aux genoux par endroits.

— Aujourd'hui, ajoute-t-il, on a la confirmation qu'il y a des habitants sur le continent, et je suis certain qu'ils pourraient nous aider. On pourrait échanger des objets avec eux.

— Mais quoi ? demande Marguerite. Nous n'avons rien.

— Je ne sais pas trop. On pourrait leur donner des haches.

— Et peut-être un ou deux couteaux, ajoute Damienne.

— Arrêtez, tous les deux! s'exclame Marguerite. Cela ne mène nulle part. Ce n'est pas des petites haches et deux couteaux qui les convaincront de s'intéresser à nous.

— Mais tu ne comprends pas, lâche Francis, ils s'intéressent déjà à nous. Regarde ce qu'ils nous ont offert. S'ils nous voulaient du mal, ils ne nous auraient pas donné tout ce bois!

— Je continue à croire que c'est trop dangereux de te laisser aller à pied jusqu'au continent. Voici ce que je propose. Nous transportons d'abord tout ce bois dans notre réserve. Après, nous planterons un bout de bois dans la neige et nous mettrons des haches et des couteaux dans une petite pochette que nous accrocherons après ce poteau pour les remercier. Avec un peu de chance, ils viendront peut-être nous rencontrer s'ils reviennent.

— Et après? demande Francis.

— Après? Nous construirons un radeau pour aller sur le continent quand la neige sera fondue. Nous pourrons ainsi faire la connaissance de nos bienfaiteurs et rapporter du bois pour l'hiver prochain.

Francis ne dit rien. Il est déçu. Si ce n'était que de lui, il chausserait ses bottes de cuir brut, enfilerait ses vêtements les plus chauds et suivrait les traces du traîneau jusqu'au continent. Il sait que c'est une entreprise dangereuse, mais ce ne serait pas la première fois qu'il risquerait sa vie depuis son arrivée sur l'île. Cette rencontre avec les Sauvages ne peut que leur être bénéfique. Cependant, étant donné que Marguerite est enceinte, il vaut mieux qu'il reste avec elle, même si cela ne fait pas son affaire.

— C'est d'accord, finit-il par dire du bout des lèvres, je n'irai pas, mais ce n'est que partie remise. Quand notre bébé sera là, nous irons tous les quatre sur le continent.

Restée à l'écart, Damienne comprend très bien pourquoi Francis aurait aimé aller sur le continent. Elle comprend aussi pourquoi il est si déçu. C'est vrai qu'il s'agit d'une aventure risquée, surtout qu'il ne connaît pas la distance qu'il doit parcourir ; mais tant qu'ils resteront sur cette île, ils ne pourront pas améliorer leur sort.

Damienne est également consciente de la raison pour laquelle sa jeune maîtresse ne veut pas que son mari se rende sur le continent. Marguerite est issue d'un autre monde. Elle avait tout, et maintenant elle n'a plus rien. Toute sa vie tourne autour de Francis. Et elle ne veut pas le perdre.

Néanmoins, le simple fait de savoir qu'ils ne sont pas seuls les rassure tous les trois. Reste maintenant à entrer en relation avec leurs bienfaiteurs.

— Que diriez-vous de manger du poisson ce soir ? demande Francis sur ton léger

— Mais la glace… commence Marguerite.

— Je t'arrête tout de suite, lance Francis, la glace est assez solide pour un traîneau, des chiens, du bois et au moins une personne. Alors je ne vois pas pourquoi elle ne le serait pas pour un seul homme qui pêche. Mais je vais d'abord transporter le bois.

— Un beau saumon ferait bien l'affaire, dit Damienne d'un air joyeux. Je vais vous aider pour le bois.

— Si vous voulez, répond le jeune charpentier ; je prends un bout de la bûche et vous prenez l'autre. Si c'est trop pesant, vous n'avez qu'à me le dire.

— Ne vous en faites pas, cela ira.

Le cœur un peu triste, Marguerite retourne à la cabane. Elle n'aime pas faire de la peine à Francis, et là elle voit bien qu'il n'est pas content. Seulement, c'est plus fort qu'elle, elle ne peut pas imaginer sa vie sans lui. Une fois à l'intérieur, elle se déshabille et se laisse tomber sur sa paillasse. Une petite sieste lui fera le plus grand bien.

# Chapitre 21

Cette nuit-là, aucun des trois ne peut fermer l'œil. Le vent siffle si fort qu'ils ont l'impression que la cabane va s'envoler. Bien cachés sous leurs multiples couches de peaux, ils prient pour que rien de fâcheux ne leur arrive. Francis se lève de temps en temps pour alimenter le feu puis se dépêche de retourner se coucher, au chaud. Jamais une nuit n'a duré aussi longtemps.

Au matin, Damienne se lève pour préparer à manger. Quand elle ouvre la porte pour aller chercher de la neige, comme à chaque matin, le vent souffle si fort qu'il l'emporte et elle se retrouve dans un banc de neige. De leur paillasse, Francis et Marguerite la voient disparaître. Ils se lèvent d'un seul coup pour regarder où est passée la servante. À la porte, ils éclatent de rire. Tout ce qu'ils ont sous les yeux, ce sont les fesses de Damienne. Tout le haut de son corps est caché par la neige. Francis finit par redevenir sérieux et aide Damienne à se relever. En voyant le visage de sa servante plein de neige, Marguerite s'esclaffe une fois de plus. La pauvre en a jusqu'à la taille. Il a fallu qu'elle ouvre les yeux pour que les tourtereaux soient certains qu'elle était toujours vivante. Marguerite s'appuie au mur et rit à gorge déployée, alors que Damienne essaie par tous les moyens d'enlever la neige sur ses vêtements.

— Je n'ai jamais vu un vent aussi fort, dit-elle quand elle réussit à reprendre son souffle, il m'a poussée sans que je puisse réagir.

— Tu étais tellement drôle ! s'écrie sa maîtresse entre deux hoquets. On aurait dit que quelqu'un t'avait tirée vers l'extérieur.

— C'est comme cela que je me suis sentie aussi. Merci, Francis, de m'avoir sortie de là.

— Il n'y a pas de quoi, répond-il en riant. Venez, on va fermer la porte ; sinon on perdra toute notre chaleur.

— Attendez ! s'exclame Damienne, je n'ai toujours pas ramassé de neige.

— Je m'en occupe, dit Francis. Rentrez !

— Tu devrais changer de vêtement, fait remarquer Marguerite, ce n'est pas le temps d'attraper froid.

— Je vais le faire, ne vous inquiétez pas. C'est fou ce que le vent est fort ici. J'en suis encore toute retournée.

— Il y a de quoi, ajoute la jeune femme, je n'avais jamais vu une telle scène de toute ma vie. Je pensais aller faire mes besoins dehors, mais je crois bien que je vais me contenter du seau.

— Je vous le conseille, si vous ne voulez pas vous envoler.

Une fois changée, Damienne prépare le déjeuner. Les deux conjoints ont parfois le fou rire. Chacun revoit la scène dans sa tête et ne peut s'empêcher de s'esclaffer. En France, il vente, mais jamais comme ici.

— J'y pense, dit Marguerite, si tu es tombée dans un banc de neige en face de la porte, c'est qu'il a neigé plus que l'on croit.

— Désolée, je n'ai pas eu le temps de voir.

— Attendez, dit Francis, je vais vérifier.

Il ouvre la porte prudemment, craignant d'être à son tour poussé par le vent, et sort en se tenant au cadrage. Tout est blanc. Une grosse congère s'est formée juste devant la porte, et ce, malgré le muret qu'il a fabriqué. S'il se fie à ce qu'il voit, la tempête n'est pas prête de se terminer. Il neige à plein ciel. De gros flocons se laissent porter par le vent. La neige est si dense que Francis ne voit pas plus loin que la portée de ses bras. Il rentre dans la cabane et ferme la porte derrière lui.

— Je ne pense pas aller à la chasse aujourd'hui, dit-il, même que j'ai bien peur d'avoir du mal à retrouver mes collets demain avec toute cette neige. Quand on va raconter ce qu'on a vu et vécu ici, à notre retour, personne ne nous croira. Jamais je n'ai vu autant de neige. Jamais je n'ai entendu le vent siffler de cette façon. Je ne suis pas peureux, mais là, pour être franc, j'ai hâte que l'hiver finisse.

— Moi aussi, ajoute Marguerite.

L'instant d'après, elle s'écrie :

— Hé, je pense que le bébé a bougé. Regardez mon ventre, il monte et descend.

Le sourire aux lèvres, Damienne et Francis accourent et mettent une main sur son ventre, mais rien ne se produit pendant cinq bonnes minutes. Patients, ils attendent à genoux, à côté de la paillasse de Marguerite ; l'enfant finira bien par bouger encore. C'est Francis qui le perçoit le premier. Il dit :

— Je le sens, regardez, regardez, il bouge !

Et Damienne d'ajouter :

— Moi, je n'ai rien senti. Tassez vos mains, faites-moi une petite place.

En déplaçant un peu ses mains, elle sent tout de suite une petite vague sur le ventre de Marguerite. Elle est folle de joie.

— Je le sens, je le sens ! J'attendais ce moment depuis si longtemps ! Merci, Marguerite, de porter un bébé.

— Tout le plaisir est pour moi, répond celle-ci. Je suis aussi énervée que vous. J'ai maintenant la preuve que je suis vraiment enceinte.

— Vous n'allez pas me dire que vous en doutiez ? demande sa servante.

— D'une certaine façon, oui ; mais là, je suis prête à être mère. Pour célébrer ce moment, que diriez-vous si nous donnions un nom à l'île ? Mon bébé ne peut pas naître dans un endroit sans nom.

Damienne et Francis la regardent d'un drôle d'air. Voilà déjà plus de six mois qu'ils sont ici, et aucun d'eux n'a encore pensé à baptiser cette terre inhospitalière.

— Imaginez quand nous retournerons en France, ajoute-t-elle, les gens vont nous poser des questions. Ils voudront savoir où nous vivions. Je me vois très mal leur répondre «quelque part sur une île, près de Terre-Neuve, au beau milieu de la mer». Avez-vous des suggestions ?

Elle leur laisse quelques minutes pour réfléchir à la question avant de reprendre la parole.

— Moi, j'en ai une. Si je pense à mon oncle, je l'appellerais l'île de la Mort, parce qu'il souhaitait notre mort, mais ce n'est pas très gai de rester dans un tel endroit, surtout que nous sommes toujours vivants.

— Ce n'est pas beaucoup mieux que le nom qu'il lui avait donné, l'île aux Démons, dit Damienne. Pourquoi pas l'île de la Demoiselle ?

— Non, je ne trouve pas que c'est une bonne idée, je ne suis pas seule ici. Nous sommes trois, et bientôt nous serons quatre. C'est un beau nom, mais il ne convient pas.

— On pourrait l'appeler l'île aux Moustiques, lance Damienne en blaguant.

À ces mots, Francis et Marguerite sourient.

— J'ai une idée, dit Francis. Comme il y a beaucoup de bleuets, on pourrait l'appeler l'île aux Bleuets.

— Cela me plaît bien, lance Marguerite. L'île aux Bleuets. Et c'est joli. Sinon j'ai une autre suggestion. Nous pourrions l'appeler l'île de la Démesure.

— C'est très beau, dit Damienne, et c'est plutôt représentatif. Ici, tout est plus grand que nature : le beau comme le laid. J'aime beaucoup ce nom.

— Moi aussi, ajoute Francis ; je vote pour ce nom.

— Alors, dit Marguerite, ce soir, nous baptiserons l'île.

\* \* \*

Occupée à coudre quelques bouts de peaux, Marguerite réfléchit au nom qu'ils viennent de trouver pour leur terre d'accueil. L'île de la Démesure. Quel beau nom ! Un nom qui évoque leur quotidien depuis leur arrivée sur cette terre où les moustiques sont plus voraces que dans toute la France, où le vent vient de tellement loin qu'il est d'une force incroyable, où la pluie tombe pendant des jours sans jamais diminuer d'intensité, où les tempêtes de neige semblent vider tous les nuages de leur eau, où la forêt est toute petite, où le bois est rare, où la chaleur succède parfois rapidement au froid, et ce, dans la même journée, où l'hiver commence en automne et l'automne en été, où rien n'est facile, mais où tout est possible.

Assis au bout de la table, Francis finit de sculpter une cuillère en bois, à la demande de Damienne. Au moment où il allait donner son dernier coup de couteau, sa main glisse et la lame pénètre dans le creux de son autre main, comme dans du beurre. Instantanément, le sang se met à couler. Le jeune homme reste calme. Il se lève et va chercher un bout de tissu qu'il enroule autour de sa main. Il saigne tellement qu'en moins de deux minutes le tissu est complètement imbibé. Il prend un bol et va chercher de la neige. Le froid lui fera du bien. C'est au moment où il referme la porte que Marguerite constate que son mari s'est blessé.

— Francis, que t'est-il arrivé ? hurle-t-elle. Tu saignes ! Vite, Damienne, il faut l'aider. Moi, si je m'approche trop, je vais perdre connaissance.

Sa peur du sang ne date pas d'hier. Chaque fois que, plus jeune, elle s'écorchait un genou ou un coude, elle pleurait à fendre l'âme dès qu'elle voyait une goutte de sang. Pendant que Damienne la soignait, elle tournait la tête pour ne pas la voir faire et elle chantait pour penser à autre chose. Un jour, sa meilleure amie est tombée d'un arbre. Elle s'était blessée à un bras et elle saignait. Marguerite la regardait en pleurant, incapable de faire quoi que ce soit. La vue du sang lui fait perdre tous ses moyens et parfois même conscience. Heureusement, il lui en faut beaucoup plus maintenant pour faiblir. Aujourd'hui, elle est capable de préparer un poisson et même de découper un lièvre.

La jeune femme met sa main devant ses yeux et commence à fredonner une vieille chanson en se berçant doucement pour penser à autre chose.

Damienne lâche aussitôt son ouvrage et vient rejoindre Francis. Elle le fait asseoir et enlève le tissu enroulé autour de sa main pour voir l'état de sa blessure.

— Vous ne vous êtes pas manqué, constate-t-elle. Voulez-vous bien me dire comment vous avez fait votre compte ? Votre blessure est creuse. Je dois vous faire un bandage assez serré pour arrêter le sang, parce qu'à la vitesse où vous le perdez vous n'en aurez plus une seule goutte dans une heure. Je vais chercher une bande de tissu propre, ne bougez pas.

— Dans mon état, je n'irai nulle part, vous n'avez rien à craindre.

D'une main habile, Damienne lui fait un bandage bien serré. Elle ajoute ensuite un morceau de peau par-dessus pour l'imperméabiliser.

— Tenez, cela devrait faire l'affaire. Le temps que votre plaie arrête de saigner, il serait bon que vous gardiez votre main à la verticale.

— Vous pourrez essayer votre nouvelle cuillère, dit-il, elle est terminée.

— Merci, ce sera beaucoup plus facile de brasser la viande.

— Est-ce que je peux regarder maintenant? demande Marguerite.

— Oui, mon amour, répond Francis, tout est fini, et la bonne nouvelle, c'est que je vais survivre.

— Je l'espère bien, s'exclame-t-elle. Je suis désolée.

— Il va pourtant falloir vous habituer, dit Damienne, parce qu'à l'accouchement il risque d'y en avoir plus que moins.

— Alors j'accoucherai les yeux fermés.

\* \* \*

Le lendemain matin, Francis sort de la cabane, alors que les deux femmes dorment encore. Depuis que Damienne lui a offert un triangle en fourrure pour recouvrir sa poitrine, il ne manque jamais une occasion de le porter. Cela le tient vraiment au chaud. Il enfile difficilement sa moufle en raison de sa main blessée. Avec le bandage, sa main est à l'étroit, il n'arrive pas à bouger ses doigts; il sait déjà que le froid aura vite raison de lui. Il n'aura qu'à s'aventurer moins loin.

Il y a tellement de neige au sol que Francis a du mal à marcher. En réalité, il a de la neige jusqu'aux genoux. Une belle neige folle qui se soulève à chacun de ses pas. «J'aurai moins de difficulté à trouver mes pièges» pense-t-il. Son sac en bandoulière, il commence sa tournée près de leur cabane. Il enlève la neige au-dessus du piège et libère un beau gros lièvre à la fourrure aussi blanche que l'hiver. Le simple fait de se servir un peu de sa main blessée le fait souffrir. Il grimace et continue tout de même son trajet. Quand il met le sixième lièvre dans son sac, sa mitaine est pleine de sang. Il vaut mieux qu'il retourne à la cabane.

Lorsqu'il rentre, Damienne est déjà debout. Elle le salue et prend le sac qu'il lui tend. C'est alors qu'elle voit la moufle, complètement rouge.

— Enlevez vite votre manteau, je vais refaire votre bandage. Vous auriez dû m'attendre, ce n'était pas une bonne idée d'y aller seul. Vous devez faire attention si vous voulez que votre plaie se referme.

— À part Marguerite, je suis le seul à savoir où sont situés les collets.

— J'irai avec vous demain et vous m'indiquerez les endroits.

— Il vaudrait mieux y aller aujourd'hui, parce que si la neige durcit, ce sera difficile de les dégager.

— Si vous me promettez de garder votre main en l'air et de ne rien faire, nous irons tout à l'heure.

C'est sur ces paroles que Marguerite ouvre les yeux. Elle salue Damienne et Francis d'une voix encore endormie.

— Mais où es-tu allé ? demande-t-elle à son mari.

— Vérifier les collets.

— Avec ta main blessée ? Ce n'est pas sérieux ! Elle s'est sûrement remise à saigner, ne me la montre pas, je t'en supplie !

— Ça saigne un peu, en effet.

— Un peu trop, ne peut s'empêcher d'ajouter Damienne. Je vais devoir lui faire un nouveau bandage. Le sang a tout imbibé sa moufle. Je lui ai dit qu'il ne fallait pas qu'il se serve de sa main en attendant que la plaie se referme. Tout à l'heure, j'irai avec lui vérifier les collets restants. Ensuite, j'irai pêcher sur la glace.

— Je vous accompagnerai, dit Francis, bien triste de se retrouver soudainement limité.

— Donnez-vous une petite semaine, ce n'est pas si long !

— Pour moi, c'est bien plus long que vous pensez, sans compter que c'est vous qui devrez faire tout le travail.

— Ne vous en faites pas pour moi.

— Je n'aime pas que les autres fassent les choses à ma place.

Depuis qu'il est tout petit, Francis a toujours été vaillant. Il avait à peine quatre ans que déjà il accompagnait son père en forêt. Monsieur de Mire partait des journées entières à la recherche d'arbres aux essences nobles. Il rapportait ensuite le bois chez lui, le faisait sécher et s'en servait pour fabriquer des meubles. La qualité de son ouvrage était reconnue dans toute la région. Son carnet de commandes était plein pour des années à venir. Francis passait ses grandes journées avec son père, qui lui donnait de petites tâches à accomplir. Le jeune homme a toujours été passionné par le travail, il a toujours eu envie d'aider les autres et de leur faire plaisir.

De toute sa vie, il a toujours tenu à faire les choses par lui-même. Il aime être indépendant. Depuis qu'ils sont arrivés sur l'île, il s'est chargé des gros travaux et il a ainsi facilité le quotidien des deux femmes. Son orgueil de mâle en a pris un coup quand un rhume l'a cloué au lit pendant plus d'une semaine ; pourtant, même s'il avait voulu travailler, il en aurait été incapable. Et voilà qu'hier il s'est planté un couteau dans la paume de la main gauche. Une seule seconde d'inattention et le voilà de nouveau dépendant des autres ; il serait plus juste de dire qu'il est dépendant de Damienne. La pauvre servante n'est plus très jeune. Elle a beau être vaillante, elle n'a quand même plus l'âge de tout faire. Francis se console en se disant que, tout compte fait, la tournée des collets et la pêche sur la glace ne demandent pas tant d'énergie que cela.

# Chapitre 22

— Je suis certain que les Sauvages sont venus cette nuit, dit Francis, j'ai entendu aboyer leurs chiens. Je vais aller voir.

— Tu ne peux pas attendre un peu? lui demande Marguerite. Pour une fois que nous sommes seuls, nous pourrions en profiter pour…

Sans prendre la peine de terminer sa phrase, elle pose ses lèvres sur celles de Francis et l'embrasse passionnément. Ils oublient instantanément où ils se trouvent et plongent dans un monde de volupté où seul le plaisir compte.

Francis signifie à Marguerite de se coucher sur le dos et, de sa main valide, il détache les vêtements de sa femme. Il laisse ensuite vagabonder ses mains sur le corps de Marguerite, pendant que sa bouche explore le cou et les seins de celle-ci. Elle réagit à chacune des caresses de son mari. Elle laisse entendre de petits bruits en tous points semblables au miaulement d'une chatte, ce qui encourage Francis à poursuivre.

L'instant d'après, il embrasse de nouveau sa femme sur les lèvres. Elle en profite pour détacher le pantalon de Francis et libère d'une main avisée cette partie de lui qui est sur le point de pénétrer son propre corps. Elle savoure déjà le plaisir que cela lui procurera. Faire l'amour avec Francis est de loin ce qui la satisfait le plus dans la vie. Plus qu'une randonnée à cheval sur le bord de la rivière. Plus qu'une bonne bouteille de vin. Plus qu'un concert au coin d'un feu. Plus qu'un repas divin. Cet homme, c'est celui qu'elle attendait depuis toujours. Plus les jours passent, moins sa conscience se fait entendre.

Les deux amants reposent maintenant côte à côte sur leur paillasse. Les yeux ouverts, Marguerite regarde le plafond et dit :

— Est-ce que je t'ai déjà dit à quel point je te trouvais habile de tes mains ?

— Des dizaines de fois, répond-il, le sourire aux lèvres.

— Eh bien ! je vais te le redire encore une fois. Tu n'avais pratiquement rien pour construire cette cabane et tout est droit.

— Si tu regardais de plus près, tu verrais que ce n'est pas parfait, mais c'est le mieux que je pouvais faire dans les circonstances. Te rends-tu compte que, sans les abris, il aurait fallu aller sur le continent afin de rapporter du bois ? dit Francis, avec un brin de déception dans la voix.

— Je comprends que tu veux y aller et je sais aussi que je n'ai pas le droit de t'en empêcher, mais j'aimerais que tu attendes que notre bébé soit au monde. Je serais plus rassurée. Mais explique-moi comment tu vas t'y prendre.

— Je ne sais pas. Si je traversais aujourd'hui, je pense que le mieux serait d'y aller à pied, grâce à la glace. Sinon je pourrais construire un radeau, mais j'ignore avec quel bois, il faudrait aussi que j'étudie les vents. Nous en reparlerons plus tard ; pour le moment, j'aimerais aller sur la grève. Tu veux venir avec moi ?

— Oui, prendre un peu l'air me fera du bien. Je fais vite.

— Tu peux prendre ton temps, je vais nous faire chauffer de l'eau pour infuser le thé.

Quand ils arrivent sur la grève, la première chose qu'ils voient sont les traces d'un traîneau à chiens.

— J'avais raison, s'écrie Francis, ils sont venus cette nuit. Regarde ce qu'ils ont laissé pour nous. Un gros rouleau de peaux, qui nous sera très utile.

— Est-ce qu'ils ont pris les haches et les couteaux ?

— Je crois que oui, le sac n'est plus là.

— On dirait que ce sont nos anges gardiens. Moi, j'aimerais bien faire leur connaissance un jour.

— Tu devras être patiente. Je crois bien qu'ils viendront nous rencontrer quand ils seront prêts. Pour le moment, ils préfèrent veiller sur nous à distance. Si tu permets, je vais faire quelques pas sur la glace pour voir la direction des traces. Tu peux retourner à la cabane, si tu veux, je ne serai pas long.

— Je préfère t'attendre ici, ne t'inquiète pas pour moi.

Francis revient au bout d'une demi-heure à peine. Marguerite ne peut s'empêcher de lui sauter au cou quand elle l'aperçoit. Elle ne le lui dira pas, mais elle s'imagine les pires scénarios dès qu'il n'est plus dans son champ de vision. Elle a beau se répéter qu'il n'arrivera rien à son beau prince charmant, elle continue à s'en faire.

— Pendant que nous sommes ici, je vais taquiner le poisson. J'ai apporté ce qu'il faut. Je ne sais pas si tu es comme moi, mais je mangerais bien du poisson pané rôti dans la poêle avec du lard.

— C'est une excellente idée. J'espère seulement qu'il reste un peu de lard, dit-elle d'un air gêné. Souviens-toi, j'en ai mangé plus que ma part au début de ma grossesse.

— Chacun ses caprices. Damienne a mangé beaucoup de noisettes trempées dans le miel, et toi tu as ingéré beaucoup de lard salé grillé.

— Et toi ?

— Moi, je préfère les têtes de lièvres, tu le sais bien.

— On peut dire que tu es bien servi ces temps-ci. J'ai parfois l'impression qu'il n'y a que cela sur cette île.

— Il y a beaucoup d'autres animaux, mais le lièvre est le plus facile à attraper l'hiver. Je ne te l'ai pas dit, mais l'autre jour j'ai vu des traces de sabot de la même grosseur que ceux des vaches. Cette bête semblait venir de la grève.

— De la grève? Et tu n'as aucune idée de quel animal il s'agit?

— Peut-être un élan, mais je ne l'ai pas vu. Demain matin, je me lèverai plus tôt et j'irai arpenter l'île. Avec un peu de chance, je l'apercevrai peut-être.

— Ce n'est pas tellement prudent, ta main n'est pas encore guérie.

— Je ne peux pas forcer, je le sais, mais je peux tirer. Ma main blessée ne fait que tenir mon fusil. Je ne perds rien à essayer.

— Cher Francis, tu as vraiment de la difficulté à ne rien faire.

— Bien plus que tu le penses, mais je fais mon possible pour guérir. Bon, j'y vais.

— Si tu n'y vois pas d'inconvénient, je vais te regarder pêcher un moment.

— À la condition que tu me promettes de ne pas te laisser geler.

— C'est promis. Ramène-nous vite quelques gros poissons.

Francis fait un trou dans la glace avec sa petite scie. Il n'a pas besoin de s'éloigner du bord, le poisson abonde. Marguerite voit très bien son mari d'où elle est. Il met sa ligne à l'eau et attend patiemment. Une demi-heure plus tard, il tient trois beaux poissons.

— Viens, dit-il à Marguerite, on va les arranger avant que Damienne revienne.

— Je m'en occupe, dit-elle. Il n'est pas question que tu te serves de ta main. Ta plaie n'est pas encore totalement refermée.

— Comme tu veux. Pendant ce temps, je vais me servir un peu de vin.

Marguerite lui sourit. Elle l'aime profondément et elle adore être avec lui. Tout ce qu'ils font ensemble la rend heureuse. Dommage que ses parents ne soient plus de ce monde, Francis leur aurait beaucoup plu. Et même s'il n'est pas issu d'une famille de nobles, elle est convaincue qu'ils l'auraient accepté en tant que gendre. Sous ses airs sévères, son père était la bonté même. Il lui arrivait souvent de ramener un chanteur ambulant à la maison, les soirs de grand froid. Il demandait à Damienne de lui servir à manger et de l'installer dans une chambre d'amis. Son protégé pouvait rester tant que le temps n'était pas plus clément. Marguerite aimait beaucoup ces moments. Le soir, la maison était remplie de musique et de chansons. Il arrivait même parfois que sa mère descende passer un peu de temps au salon avec eux. Ces soirs-là, Marguerite était survoltée. Elle s'asseyait près d'elle et lui flattait le bras, jusqu'à ce que son père la ramène dans sa chambre, ce qui était, à ses dires, toujours trop tôt.

Elle a à peine fini de nettoyer les poissons quand Damienne fait son entrée, les bras chargés de lièvres. Marguerite regarde les prises avec une petite moue. Elle aime bien cette viande, mais elle commence à en avoir assez. Elle s'ennuie de manger des fruits. Elle rêve de plus en plus de bleuets bien sucrés, mais elle doit attendre encore quelques mois. Elle désire encore plus retourner en France, dans sa maison ; mais pour l'instant, les chances sont bien minces. Tant que les glaces ne seront pas fondues, aucun navire ne peut se risquer jusqu'ici. S'il s'agit des Basques, ils n'arriveront pas avant juillet, et c'est à la condition qu'ils chassent de nouveau la baleine, ce qui est loin d'être certain. «J'aurais tellement aimé ne pas avoir à fêter notre premier anniversaire de mariage ici» pense-t-elle.

— Salut la compagnie, s'écrie Damienne d'un air joyeux. Pour tout vous dire, je suis plutôt contente d'être enfin à la chaleur. Ce n'est pas que c'est très froid dehors, mais c'est humide. Je déteste l'humidité, autant l'hiver que l'été.

— C'est normal que tu sois gelée, dit Marguerite, tu es partie depuis un bon moment déjà et tu dois être affamée.

— Vous dormiez encore quand j'ai quitté la cabane, répond-elle fièrement.

En se tournant vers Francis, elle ajoute :

— J'ai vu de drôles de traces près de la grotte. On aurait dit des sabots de vache. Je sais très bien qu'il n'y en a pas sur l'île, mais auriez-vous une idée de quelle bête il s'agit ?

— Peut-être un élan. J'en parlais justement à Marguerite ce matin. Y a-t-il longtemps que vous les avez vues ?

— Juste avant de revenir. Vous savez, à l'endroit où vous avez placé le dernier collet.

— Je vois où c'est. Je sais que vous venez juste d'arriver, mais que diriez-vous si on allait voir ?

— Là ? Maintenant ?

— Vous n'êtes pas obligée de venir, mais si on voit la bête, ce sera plus facile de la tuer si on est deux.

— Laissez-moi le temps de boire quelque chose de chaud et de changer de moufles puis je vous accompagne.

— Mais j'allais faire cuire le poisson ! s'écrie Marguerite. Suis-je donc la seule à être affamée ?

— Fais-en cuire pour toi, dit Francis. Damienne et moi mangerons en revenant. Peut-être que nous dégusterons autre chose que du lièvre ; qu'en dis-tu, mon bel amour ?

— C'est très tentant. Allez-y, ajoute-t-elle d'un ton qu'elle veut plaintif, abandonnez-moi encore une fois.

Dès qu'ils sont dehors, Francis prend les devants. Il est tout énervé à l'idée de croiser cette bête qui laisse de si grosses traces dans la neige. « Cet animal vient sûrement du continent ; il a dû traverser grâce à la glace » pense-t-il. Et s'ils arrivaient face à face avec lui ?

Damienne sur les talons, le charpentier se dirige vers la grotte. Plus ils s'en approchent, plus il y a des traces de la bête qu'ils traquent. Il se tourne vers la servante et lui dit tout bas :

— On va suivre les traces, on ne sait jamais. Venez et soyez prête à tirer.

Ils avancent doucement, sans faire de bruit. Ils ont dépassé la grotte depuis un bon moment quand tout à coup, au détour, juste devant eux, un élan avec un grand panache leur fait face. Surpris autant que l'animal, les chasseurs prennent leur fusil, le visent et tirent en duo. La bête n'a aucune chance de fuir. Avant même que le bruit des coups tirés cesse de résonner, elle tombe au sol en écrasant la neige.

Francis et Damienne sont fous de joie. Ils dansent sur place. Ils sont aussi contents que si on venait de leur donner deux pièces d'or.

— L'avez-vous vu tomber ? demande Damienne.

— Oui, c'était spectaculaire. Mais maintenant, il faut transporter cet animal jusqu'à la cabane.

— Je n'y avais pas encore pensé. Comment va-t-on faire ? Cette bête doit être pesante !

— Sûrement ! Allons d'abord la voir de plus près.

— À mon avis, on ne pourra pas transporter cet animal en une seule pièce.

— On verra bien. C'est Marguerite qui sera contente de manger autre chose que du lièvre.

Une fois à la hauteur de leur gibier, ils en font le tour pour estimer son poids.

— Elle est énorme, cette bête ! s'exclame Damienne. On ne peut pas la laisser ici toute la nuit.

— Non, ce serait trop risqué avec les loups. Je vais chercher des cordes et des couteaux puis je reviens.

— Je vous attends.

Quand ils déposent enfin le dernier morceau de viande dans le coffre, il fait nuit. Ils sont épuisés, mais heureux. Avec cette prise, ils sont assurés d'avoir de la viande pour plusieurs semaines, voire plusieurs mois. Demain, ils feront le nécessaire pour en faire sécher une partie et Damienne fera cuire un morceau de fesse pour le souper. La viande est d'une belle couleur rouge foncée, un peu plus colorée que celle de la vache domestique. Ils se régaleront, c'est certain. En attendant, la servante fait griller les poissons pêchés ce matin. Ils mangent avec grand appétit. Sitôt la dernière bouchée avalée, ils se glissent sous les couvertures et sombrent dans un sommeil profond, jusqu'au lendemain matin.

# Chapitre 23

*Le 18 mars 1543*

— Réalises-tu que nous sommes mariés depuis sept mois déjà ? demande Marguerite à Francis, la voix remplie d'émotion.

— Sept mois de bonheur ; merci, mon amour ! Grâce à toi, je suis l'homme le plus heureux de l'île.

— Ce serait bien difficile d'en être autrement, ajoute-t-elle en lui lançant une moufle, tu es le seul homme ici.

— Sérieusement, je ne pourrais pas être plus heureux. Ces sept mois m'ont paru très courts.

— Je ne pensais pas dire cela un jour, mais à moi aussi.

— Il vaudrait mieux que tu m'expliques ce que tu entends par là, parce que j'ai de la difficulté à te suivre.

— Excuse-moi, dit-elle en riant, je me suis mal exprimée. Ce que je voulais dire, c'est que je n'aurais jamais pensé que le temps passerait vite sur l'île.

— J'aime mieux cela, répond Francis d'un ton faussement offusqué.

— Que comptes-tu faire aujourd'hui ?

— Je vais commencer par remettre un peu d'ordre dans la réserve de bois. Cela me permettra de savoir exactement ce qu'il nous reste. Je m'occuperai des peaux et j'irai ensuite pêcher sur la glace.

— Tu crois qu'elle est encore assez solide ?

— Oui, je crois bien. Si je me fie à l'épaisseur qu'elle avait la dernière fois que j'ai fait un trou pour pêcher, elle peut amplement supporter mon poids.

— Promets-moi d'être prudent et de bien vérifier avant de t'aventurer plus loin. Le temps est plutôt doux depuis quelques jours.

— Tu peux m'accompagner si tu veux. Je serai là seulement pour prendre quelques poissons que j'ai l'intention de fumer.

— D'accord. Viens m'avertir quand tu seras prêt. En attendant, je vais ranger la cabane. Notre Damienne est bourrée de qualités, mais elle n'est pas très ordonnée. Regarde, tout ce qui traîne lui appartient ! Je vais lui en parler quand elle reviendra. Cela ne peut pas continuer ainsi.

— Tu peux bien lui en glisser un mot, mais à son âge je doute fort que tu puisses la changer.

Une fois seule, Marguerite se met au travail en chantant. Elle ramasse un livre par-ci, un pantalon par-là, une assiette sale au pied de la paillasse de Damienne, une paire de moufles mouillées dans un coin. Quand on a une cabane avec une seule pièce, il vaut mieux conserver un certain ordre, parce que sinon ce n'est plus vivable. Marguerite balaie ensuite le plancher et le nettoie. Ils ont beau retirer leurs couvre-chaussures en entrant, il y a toujours un peu de neige qui fond à côté et qui laisse une flaque.

Elle termine sa besogne quand Francis vient l'aviser qu'il est prêt à partir.

— Je t'attends dehors. Ne t'habille pas trop chaudement, le soleil est très fort. On dirait presque que le printemps est arrivé.

— Peut-être que demain il se mettra à neiger et à faire froid de nouveau.

— On ne sait jamais !

Ils parcourent la courte distance qui les sépare de la grève en silence. Chacun profite du beau temps. Le soleil réchauffe leur tête et ça sent bon le printemps. Lorsqu'ils sont enfin sur place, Marguerite dit à son mari :

— Je trouve qu'il fait vraiment doux. Cela ne me dit rien de bon que tu ailles pêcher sur la glace. J'aimerais mieux que tu le fasses de la plage.

— Tu t'inquiètes pour rien. Si je reste ici, je ne prendrai rien d'autres que des petits poissons. Non, aujourd'hui, je veux prendre de gros poissons. Regarde, la glace est très belle, même qu'elle brille !

— Fais quand même attention, je ne veux pas élever notre enfant toute seule.

— Marguerite, arrête de toujours penser au pire. Je vais juste pêcher un peu. Je serai assez proche et tu me verras tout le temps.

— Oui, mais on ne sait jamais. Peut-être qu'avec le temps doux la glace a fondu. Tomber dans cette eau glacée ne pardonne pas, tu le sais comme moi. Je t'en prie, reste au bord.

— Non, cette fois, tu devras te faire une raison, parce que je vais pêcher sur la glace, que tu le veuilles ou non.

— Je vais t'attendre ici, cède Marguerite, le cœur gros.

Elle est consciente qu'elle s'inquiète toujours pour rien, mais c'est plus fort qu'elle. Ici, dans ce pays loin de tout, elle se sent très vulnérable. Elle a beau essayer de se raisonner, rien n'y fait. Elle voit le danger partout et n'arrête pas de brimer ceux qu'elle aime parce qu'elle s'inquiète pour eux.

Francis s'approche du bord. Il commence par mettre un pied sur la glace et la sonde. Elle semble solide. Il met ensuite le deuxième pied et avance lentement. Selon lui, elle est aussi ferme que la semaine passée. Il s'éloigne du bord et marche ensuite d'un bon pas, jusqu'à ce qu'il soit encore assez près pour que Marguerite le voit et assez loin pour attraper des gros poissons. Il adore sa femme, mais quand elle panique comme elle le fait, il aurait envie de partir en courant, même s'il sait qu'il reviendrait encore plus rapidement qu'il est parti. Il peut comprendre pourquoi elle agit ainsi, mais ce n'est pas pour autant moins agaçant. Il aime être libre. Il aime être maître de sa vie.

Il regarde en direction de la grève et fait un grand signe de la main à sa belle. Elle lui répond de la même façon ; elle semble sourire. Il sort sa scie et commence à percer un trou. C'est alors qu'il entend la glace craquer près de lui. Il interrompt son mouvement et se tourne en direction du son qu'il vient d'entendre. Il aperçoit une grande fissure. L'eau commence à poindre au-dessus. Il regarde autour de lui et décide quand même d'aller de l'avant. Un deuxième craquement se fait entendre, mais cette fois devant lui. Il comprend vite que la glace est en train de céder sous son poids. À partir de là, les choses se bousculent. Il enjambe la fissure et, au moment où il s'apprête à reposer l'autre pied, la glace se brise sous lui. La seconde d'après, il disparaît au fond de l'eau.

De la grève, Marguerite n'a rien perdu de la scène. Elle se lève et crie comme une perdue en se tenant la tête :

— Francis ! Francis ! Non ! Je ne veux pas que tu meures ! Il faut que tu remontes ! Je t'en prie, remonte ! Francis !

Le jeune homme tente de sortir de l'eau. Elle le voit mettre ses bras sur la glace. Dès qu'il s'appuie dessus, elle cède et il plonge de nouveau dans l'eau. Marguerite hurle de plus belle :

— Francis ! Tu n'as pas le droit de mourir ! J'ai besoin de toi ! Francis ! Non !

Elle surveille le moindre mouvement, mais on dirait que la glace s'est refermée sur lui. Elle se laisse tomber à genoux et crie de toutes ses forces :

— Francis! Francis! Non! Francis! Francis! Je te l'avais dit que la glace n'était pas solide!

Alarmée par les cris de sa maîtresse, Damienne arrive en courant. Elle ne comprend pas ce qui se passe, jusqu'à ce qu'elle entende ce que Marguerite ne cesse de répéter.

— Je te l'avais dit que la glace n'était pas solide. Tu avais juré de ne pas m'abandonner. Je t'ai dit que je ne voulais pas élever notre enfant toute seule. Tu n'avais pas le droit de mourir.

— Venez, lui dit-elle en la prenant par les épaules.

— Non, je veux rester ici. Et s'il remontait? Je ne peux pas le laisser tout seul.

— Il ne remontera pas, Marguerite, venez, c'est terminé.

— Je ne veux pas qu'il meure! Il ne peut pas être mort! Il m'avait promis de ne jamais m'abandonner!

Damienne se retient de pleurer. Elle sait à quel point Marguerite a mal et elle souffre pour sa maîtresse. Elle l'aide à se relever et la ramène à la cabane en la supportant. Une fois à l'intérieur, Marguerite se laisse tomber sur sa paillasse et pleure toutes les larmes de son corps en répétant sans arrêt le nom de son mari. La voir dans cet état chavirerait le plus dur des hommes. Damienne la regarde et sait que seul le temps fera son œuvre.

* * *

Le soleil est déjà levé depuis un bon moment lorsque Marguerite ouvre les yeux. Elle a l'impression qu'un troupeau de chevaux lui est passé sur le corps tellement elle a mal partout. Elle s'assoit et regarde autour d'elle, comme si elle ne reconnaissait pas l'endroit où elle se trouve. Elle met ensuite ses mains sur son ventre et, enfin, un pâle sourire se dessine sur ses lèvres. Dès qu'elle voit Damienne, affairée près du feu, elle se dépêche de lui dire:

— J'ai fait le pire des cauchemars cette nuit. Francis s'était noyé en allant pêcher sur la glace. C'était terrible, et j'assistais à cette scène. Dans mon rêve, je l'ai vu couler, puis refaire surface et tenter de remonter sur la glace, mais elle a cédé sous son poids. Et là, la glace s'est refermée sur lui et il n'est jamais remonté. De toute ma vie, je n'ai jamais fait un cauchemar aussi affreux. J'en ai la chair de poule juste à te le raconter.

Damienne dépose sa cuillère en bois et vient s'asseoir près d'elle. Elle prend sa jeune maîtresse par les épaules et lui dit doucement, en la regardant dans les yeux :

— Marguerite, ce n'était pas un cauchemar, c'est arrivé pour vrai. Francis s'est noyé hier en allant pêcher sur la glace.

— Non, tu te trompes, c'est impossible. C'est un rêve, je viens de te le dire. Cela ne peut pas être vrai.

— Il va pourtant falloir vous y faire, il ne reviendra pas.

À mesure que Damienne parle, la jeune femme se remémore les événements de la veille. Lentement, elle prend conscience que son homme est parti pour toujours. De grosses larmes coulent sur ses joues. Damienne la prend dans ses bras et lui caresse les cheveux.

— Je suis là. Je vais m'occuper de vous.

— Il m'avait juré de ne jamais m'abandonner. Je n'y arriverai pas sans lui.

— Je suis là, je vais vous aider. Vous verrez, on va y arriver toutes les deux, je vous le promets.

— Non, c'est trop injuste. Tu ne comprends pas, il n'avait pas le droit de me laisser toute seule. Je refuse qu'il soit mort. Viens, allons sur la grève, peut-être que…

— Vous vous faites du mal inutilement, dit la servante en lui caressant la joue, il ne reviendra pas, Marguerite ; du moins, pas vivant. Si vous voulez, on pourrait aller planter une croix sur le bord de la grève, juste devant l'endroit où il s'est noyé.

— Je ne veux plus de ce bébé, si c'est pour l'élever toute seule.

— Ne parlez pas comme cela, je vais vous aider.

— Jure-moi que tu ne me quitteras pas toi aussi, dit la jeune femme en mettant ses mains de chaque côté du visage de Damienne. Jure-le-moi.

— Vous savez bien que je ne vous quitterai jamais, vous êtes toute ma vie. Je vous aime plus que tout au monde.

— Alors jure-moi de ne jamais partir sans moi. Si je me retrouve seule sur cette île, je ne survivrai pas.

S'il y a un mot avec lequel Damienne a de la difficulté, c'est bien le mot «jurer». Pour elle, il faut éviter à tout prix de l'utiliser, sous peine d'être puni par Dieu. Sa religion lui a appris qu'on ne peut jurer de rien, étant donné qu'on n'a jamais le mot de la fin. Il y a toujours quelqu'un au-dessus de nous qui décide pour nous. Pourtant, dans les circonstances, elle sait qu'il vaut mieux qu'elle acquiesce à la demande de sa jeune maîtresse. C'est quand même à contrecœur qu'elle lui dit :

— Je vous le jure sur la tête de ma mère.

L'instant d'après, Marguerite se laisse tomber dans les bras de sa servante et pleure à chaudes larmes pendant un long moment. Damienne ne bouge pas, elle tente de consoler la future maman en silence. Seuls les petits coups de pieds du bébé viennent faire diversion. C'est alors que Marguerite s'éloigne de sa servante et met ses mains sur son ventre. Le bébé s'en donne à cœur joie maintenant. La peau du ventre de la jeune femme bouge de tous les côtés. À la vue de cette nouvelle vie à venir, Damienne sourit.

— Voyez à quel point il a besoin de vous. Personne ne pourra jamais remplacer Francis, mais votre enfant doit pouvoir compter sur vous.

Marguerite ne répond pas, elle réfléchit. Soudain, elle pose son regard sur le rouleau de peaux offert par les Sauvages. Elle se lève et va le chercher. Elle le dépose sur la table et dénoue le lacet de cuir qui les retient. Elle déroule les peaux. À sa grande surprise, au milieu, il y a trois petits pots en terre cuite.

— Regarde, dit-elle en les montrant à Damienne. Viens, nous allons les ouvrir.

Elles prennent chacune un pot et l'ouvrent vite, curieuses de savoir ce qu'ils peuvent bien contenir. Dans le premier, ce sont des confitures de fraises ; dans le second, il y a du sucre brun en crème et, dans le dernier se trouvent des graines. Damienne trempe vite un doigt dans les confitures.

— Vous devriez y goûter, elles sont délicieuses.

— Je n'en ai pas envie. Tu peux goûter à l'autre si tu veux.

Sitôt dit, sitôt fait. Dès l'instant où elle passe sa langue sur son doigt rempli de cette crème qu'elle ne connaît pas, Damienne écarquille les yeux.

— Je n'ai jamais mangé quelque chose d'aussi bon de toute ma vie. Vous feriez mieux de goûter à cette crème sucrée avant qu'il n'en reste plus.

— Tu peux toute la manger si tu veux, moi je n'ai pas faim.

— Je tiens à ce que vous y goûtiez. Allez, trempez votre doigt dedans.

Marguerite n'a aucune envie de manger quoi que ce soit. Ce qu'elle souhaite, c'est retrouver son mari, et personne ne peut le lui rendre. Cependant elle connaît assez Damienne pour savoir que celle-ci insistera jusqu'à ce qu'elle cède. C'est pourquoi Marguerite trempe le bout de son petit doigt dans cette mixture sucrée, ce qui n'échappe pas au regard de Damienne.

— Je trouve que vous exagérez, s'exclame la servante pour détendre l'atmosphère ; franchement, vous auriez pu en mettre moins.

Quand elle porte la goutte de crème dorée à sa bouche, la jeune femme ferme les yeux sans s'en rendre compte et savoure le goût délectable de cette petite merveille. L'espace d'un instant, elle parvient à oublier son drame et trempe de nouveau son doigt dans le pot, au grand plaisir de Damienne.

— Je vous l'avais dit que c'était bon, vous devriez me croire quand je vous parle.

Mais Marguerite se désintéresse rapidement de ce nouveau petit plaisir. Elle prend le pot rempli de graines dans ses mains et les observe, mais elle n'arrive pas à les identifier.

— Dès que le beau temps viendra, dit Damienne, nous les mettrons en terre. Avec un peu de chance, nous mangerons peut-être des légumes cet automne.

Sans se donner la peine de lui répondre, Marguerite retourne se coucher sur sa paillasse et revoit en boucle la scène d'hier. Elle a l'impression que son cœur va éclater tellement elle a mal.

De la table, Damienne l'observe. Elle ne doit pas la laisser ainsi.

— Venez manger. Après, on ira sur la grève et on plantera une croix pour Francis.

— Je ne suis pas certaine d'en avoir la force. Ne t'occupe pas de moi, je grignoterai plus tard.

— Je vous avertis, je ne vous laisserai pas faire. Je peux comprendre que vous ayez de la peine, j'en ai moi aussi, et vous en aurez sûrement pendant un moment, mais malgré cela vous devez manger, parce qu'il y a un petit être qui compte sur vous. Venez, ajoute-t-elle en l'obligeant à se lever.

Une fois à la table, Marguerite réussit à avaler quelques bouchées. Elle ne le fait pas par plaisir, mais par obligation. Elle ne vit plus, elle survit. Francis est parti avec ce qu'elle avait de plus précieux : le plaisir de vivre. Jamais elle ne lui pardonnera de l'avoir abandonnée. S'il l'avait écoutée, il serait ici avec elle. Il la ferait rire. Il l'embrasserait dans le cou en passant près d'elle. Il lui dirait à quel point elle est belle. Il lui chuchoterait qu'il l'aime. Il lui demanderait de chanter et elle chanterait pour lui.

La cuisine rangée, Damienne s'essuie les mains sur son pantalon et dit à Marguerite :

— Sortons, il vaut mieux le faire tout de suite.

# Chapitre 24

Il y a plus d'une semaine que Francis est mort et Marguerite le pleure toujours à longueur de journée. Elle reste là, étendue sur sa paillasse, à fixer le plafond. Elle mange comme un oiseau et refuse de sortir prendre l'air. Elle est pâle à faire peur et elle risque de mettre la vie de son enfant en danger.

Damienne vaque à ses occupations du mieux qu'elle peut, mais elle commence à sentir la fatigue. Elle fend le bois, le rentre, vérifie les collets, arrange le gibier, traite les peaux, cuisine ; elle n'a pas une seule seconde à elle. Ce n'est pas qu'elle veut se plaindre, mais elle commence à en avoir assez de voir sa belle maîtresse se morfondre de la sorte. Elle comprend que Marguerite a du chagrin, mais à la différence de Francis, elle est bel et bien vivante et il est grand temps qu'elle se fasse violence et sorte de sa torpeur. Si elles étaient à Pontpoint, Damienne pourrait toujours s'en tirer, mais sur l'île, tous les bras disponibles sont nécessaires pour survivre.

Quand Damienne ouvre les yeux, ce matin-là, elle décide que c'est aujourd'hui que Marguerite se secoue. La jeune femme pourra continuer à regretter son beau Francis tant qu'elle voudra, mais après avoir mis la main à la pâte. Leur survie en dépend. La servante se lève et va chercher du bois pour alimenter le feu. Cette fin de mars est plutôt clémente, mais pas assez pour se passer de chaleur. Elle dépose une grosse bûche dans le feu, se frotte les mains pour enlever la poussière du bois et va réveiller Marguerite. Elle lui secoue le bras pendant quelques secondes avant que la jeune femme finisse par ouvrir les yeux.

— Mais pourquoi me secoues-tu comme un prunier ? demande-t-elle d'un ton impatient.

— Parce que c'est le temps de vous lever.

— Non, je n'en ai pas la force, laisse-moi dormir.

— C'est terminé, Marguerite, répond Damienne d'un ton ferme. Cela ne peut plus continuer. J'ai besoin de vous et votre bébé aussi.

— Ne me parle pas de bébé, je t'en prie. Je fais tout pour l'oublier.

— C'est impossible de revenir en arrière. Que vous le vouliez ou non, il est là pour rester. Dans moins de deux mois, vous le tiendrez dans vos bras.

— Je te l'ai déjà dit, je n'en veux pas. Il est hors de question que je l'élève toute seule.

— On ne reprendra pas cette discussion, pas ce matin. Je vous l'ai déjà dit, je suis là et je vais vous aider. Pour le moment, vous vous levez et vous venez manger.

— Laisse-moi tranquille, lance la jeune femme, impatiente.

— Je ne vous lâcherai pas tant que vous ne vous lèverez pas. Et ce n'est pas tout. Après le déjeuner, on va partager les tâches.

— Je ne suis pas ta servante, s'écrie Marguerite.

Ces quelques mots vont droit au cœur de Damienne. Elle s'éloigne de sa maîtresse et retourne près du feu, le cœur en miettes. Deux petites larmes perlent au coin de ses yeux. « C'est trop injuste, pense-t-elle. Je fais cela pour l'aider, et voilà comment elle me traite. Jamais je n'aurais pensé entendre cela un jour de la bouche de Marguerite. Elle doit vraiment souffrir beaucoup pour être aussi méchante. »

Allongée sur sa paillasse, Marguerite réalise qu'elle a dépassé les bornes. Elle souffre, c'est vrai, plus qu'elle n'a jamais souffert, mais elle n'a aucun droit de traiter Damienne de la sorte. « Je suis la pire des ingrates, se dit-elle. Je ne pense qu'à moi et à mon malheur. Pauvre Damienne ! Je suis vraiment allée trop loin. » Elle prend une grande respiration, trouve la force de se lever et va rejoindre sa servante. Elle pose ses mains sur les épaules de celle-ci et lui dit en se collant contre elle :

— Pardonne-moi, je n'avais pas le droit de te dire cela. Tu as raison sur toute la ligne. À partir de maintenant, tu pourras compter sur moi. Viens t'asseoir, nous allons partager les tâches.

Au moment où la servante allait se tourner, le bébé se manifeste en donnant des coups. Charmée, Damienne s'écrit :

— Regardez-le faire ! J'ai tellement hâte de lui voir la face !

Les deux femmes sourient. Damienne dépose un baiser sur la joue de Marguerite, qui en profite pour serrer sa fidèle servante contre elle et l'embrasser également sur la joue.

— Vous êtes toute pardonnée, dit doucement Damienne en regardant sa maîtresse dans les yeux, mais je ne vous laisserai jamais baisser les bras.

— Merci ! Alors, nous le faisons, ce partage des tâches ? Je t'avertis, je refuse de faire la cuisine.

À ces mots, elles éclatent de rire.

— Et moi, je refuse de ranger la cabane.

— Ne t'inquiète pas, il n'était pas question que je te charge de cela.

— On va y arriver, ajoute Damienne en mettant la main sur le bras de Marguerite ; je vous le promets, ajoute-t-elle.

Pendant toute la journée, Marguerite a chantonné. Au début, c'était plus un murmure qu'autre chose, mais à mesure que le temps passait, elle prenait de l'assurance. Elle ne pourrait pas dire qu'elle va mieux, loin de là. Probablement qu'elle n'ira plus jamais bien ; du moins, plus jamais aussi bien que lorsqu'elle était avec Francis. Mais Damienne a réussi à la sortir de sa torpeur ; pourtant, Marguerite a mal jusqu'au fond de son âme.

Quand les deux femmes s'assoient enfin, Marguerite est épuisée. Si elle n'avait pas un bébé à nourrir, elle irait se coucher sans manger, mais elle connaît suffisamment Damienne pour savoir qu'elle ne la laissera pas faire. Elle regarde son assiette et sait d'avance que mastiquer lui demandera un effort qu'elle n'est pas certaine de pouvoir fournir.

La maîtresse et la servante se regardent et sourient. Elles ont abattu beaucoup de travail en une seule journée.

— Je suis fière de vous, dit Damienne, je savais que vous alliez y arriver.

— Tu sais, je suis loin d'être guérie. En se noyant, Francis a créé un grand vide en moi et je ne sais pas si je pourrai le remplir un jour. Pour l'instant, tout ce que je peux faire, c'est avancer sans regarder derrière. J'ai pensé à quelque chose. Je vais dessiner Francis pendant que j'ai encore une image claire de son visage. Comme cela, je pourrai montrer à mon enfant de quoi son père avait l'air.

— C'est une excellente idée, vous dessinez tellement bien !

— Si cela ne te gêne pas, j'accrocherai mes dessins au-dessus de ma paillasse. J'aurai ainsi l'impression qu'il veille sur moi d'où il est.

— Pas de problème pour moi. Mettez-en autant que vous voulez. Je l'aimais beaucoup moi aussi. C'était un homme bien.

— Oui, c'est ce que je pense aussi ; mais tu vois, même si je le retenais de faire ce qu'il voulait, sous prétexte que j'avais peur, ça ne l'a pas empêché de faire à sa tête. Et cette fois-là, il s'est noyé.

— Ce n'est pas votre faute, vous ne pouviez pas savoir ce qui allait arriver et lui non plus. Mon père disait qu'on vient tous au monde avec un billet autour du cou, sur lequel est indiquée la date de notre mort. Pour certains, cette vie est trop longue, et pour d'autres, elle se termine alors qu'elle vient à peine de commencer. Francis me manque à moi aussi.

— La vie est imprévisible. Ma mère a souffert toute sa vie et elle ne demandait pas mieux que de mourir, alors que Francis…

Émue, Marguerite n'arrive pas à terminer sa phrase.

— Disons qu'il a eu un coup de malchance. Ce n'était pas la première fois qu'il pêchait sur la glace.

— Jamais je n'oublierai ces images. Je le voyais, et la seconde d'après, il n'était plus de ce monde. Il venait de m'envoyer la main !

— Ma pauvre Marguerite, je peux m'imaginer à quel point c'est difficile pour vous. Si on mangeait un peu avant d'aller dormir ?

— Je vais prendre quelques bouchées, mais pas plus, je n'ai qu'une envie : me laisser aller au sommeil.

— Et je ne vous suivrai pas de très loin. Demain, si vous voulez bien, nous regarderons ce que nous devrons faire ce printemps.

— Nous serions peut-être mieux de ne pas aller trop vite ; selon moi, l'hiver n'est pas encore terminé.

— Vous avez raison. On va essayer de vivre le moment présent d'abord.

\* \* \*

Depuis la mort de Francis, c'est la première nuit que Marguerite ne fait pas de cauchemar. Au matin, elle se réveille la première, fraîche comme une rose. Elle roule sur le côté pour se lever et, sans faire de bruit, va chercher du bois pour ranimer le feu. Alors qu'elle s'apprête à déposer le bois par terre, elle trébuche sur un couvre-chaussure et passe près de s'étendre de tout son long. Elle laisse tomber le bois, ce qui, bien sûr, réveille Damienne.

Marguerite ne peut s'empêcher de dire à sa servante, d'un ton qui laisse paraître son impatience :

— Serait-ce trop te demander de ne pas laisser tes couvre-chaussures traîner ? Un peu plus et je perdais pied !

— Je suis désolée, je vous promets de faire attention.

— Tu as intérêt, ajoute Marguerite en prenant une grosse voix, parce que sinon je vais te laisser exécuter toutes les tâches.

— Donnez-moi une autre chance, incite Damienne, je vous en prie, cela ne se produira plus.

— Je l'espère bien ! lance-t-elle en boutade. Au fait, il fait un froid de canard dehors. On dirait que nous sommes revenues en plein cœur de janvier. Si tu veux mon avis, nous n'irons pas très loin aujourd'hui.

— Mais je dois aller faire la tournée des collets si je ne veux pas que les loups mangent les prises.

— Alors j'irai avec toi.

— Dans votre état, je crois qu'il est préférable que vous restiez près de la cabane. Il y a des peaux à tanner et des vêtements à repriser. Ne vous inquiétez pas, vous n'aurez pas une seule minute à vous.

— C'est ce que je vois, ajoute Marguerite d'un air faussement déçu, tu as vraiment pensé à tout.

— Maintenant qu'on a seulement deux paires de bras, on ne peut pas vraiment se reposer ; du moins, pas pour le moment.

— Mes vacances sont bel et bien terminées !

— Vous avez tout compris. Et j'aime autant vous le dire, ce sera encore plus exigeant quand vous tiendrez votre petit trésor dans vos bras.

— Il va vraiment falloir que tu m'aides, je ne sais même pas comment mettre une couche.

— On va l'apprendre ensemble. Ici, rien ne ressemble à ce qu'on connaît. Une chose est sûre, vous allez devoir le nourrir.

— Ah oui ? demande Marguerite, l'air inquiet.

— Vous n'avez pas le choix. On n'a rien qui ressemble à un biberon et, pour être franche, c'est beaucoup plus simple de l'allaiter.

— Si tu le dis, tu me montreras comment faire ?

— Disons plutôt que je vous dirai quoi faire, parce que vous savez que je n'ai aucune expérience sur ce plan.

— Alors nous sommes deux. Mais dis-moi, qu'est-ce que je vais lui donner à manger ? Nous n'avons que de la viande et du poisson !

— Si je me souviens bien, ma mère disait que sa tante Charlotte nourrissait ses enfants jusqu'à cinq ans. D'ici là, il aura des dents pour mâcher. Mais ne vous inquiétez pas, on va s'organiser. Et il ne faudra pas oublier d'aller chercher des œufs quand les canards vont venir pondre.

— Tu peux compter sur moi. Je rêve depuis tellement longtemps de manger une omelette que tu peux être certaine que je ne manquerai pas mon coup. J'y pense, nous pourrons faire des crêpes aussi, il nous reste de la farine. Je suis certaine que ce sera délicieux avec la petite crème dorée que les Sauvages nous ont donnée.

À ces mots, Damienne rougit jusqu'à la racine des cheveux, ce qui n'échappe pas à Marguerite.

— Non ! Tu ne vas pas me dire que tu l'as déjà toute engloutie ? lui demande-t-elle.

— Pas encore, répond la servante d'un air gêné, mais disons qu'il n'en reste pas beaucoup. Il y a de la confiture par contre.

— Tu es vraiment la personne la plus gourmande que je connaisse. À partir de maintenant, interdiction de toucher aux confitures et à la crème dorée, sauf quand nous mangerons des crêpes. Tu es indomptable, mais je t'aime comme cela, alors ne change pas.

— Heureusement que vous m'aimez comme je suis, parce que je ne sais pas si je pourrais changer.

— Hier soir, avant de m'endormir, je me demandais si nous aurions la visite des Sauvages pendant la belle saison. Jusqu'à maintenant, ils sont venus deux fois par la glace.

— On verra bien. Dès que la neige sera fondue, je commencerai à transporter le bois qui a échoué sur la grève.

— Je t'aiderai.

— D'après moi, vous aurez bien mieux à faire d'ici là. Vous êtes de plus en plus grosse, le jour de la délivrance approche à grands pas.

— Je sais, j'ai peine à me tourner sur ma paillasse, et quand il faut que je me lève, je n'ai pas d'autre choix que de rouler sur le côté pour y arriver. Je commence sérieusement à avoir hâte de retrouver ma taille.

— Vous et votre taille de guêpe, ajoute Damienne avec un petit sourire en coin.

# Chapitre 25

Bien installée sur sa roche plate, face à la mer, Marguerite dessine. La glace est pratiquement toute fondue. Les vagues peuvent de nouveau venir mourir sur les rochers. Des tas de bois jonchent la grève. Damienne et elle ont éloigné du bord tous les morceaux qui risquaient de partir à la dérive. Elles n'ont pas les moyens de laisser filer le moindre bout de bois, surtout depuis le départ de Francis.

— Je ne sais pas si c'est un signe, dit Damienne, mais il y en a au moins deux fois plus que lorsqu'on est arrivées ici.

— Tant mieux, parce que sur l'île le bon bois est plutôt rare, répond Marguerite. Je vais t'aider à le transporter.

— Rien ne presse pour le moment. Maintenant que la mer ne peut plus reprendre notre bois, il vaut mieux le laisser sécher sur place. Ici, il est au grand vent et en plein soleil.

— Comme tu veux.

— Si cela vous tente, on va arpenter la grève. Tant qu'il y aura du bois, on le ramassera, quitte à agrandir l'espace où nous le rangeons.

— Je suis d'accord avec toi. Il faudra aussi préparer la terre pour semer nos graines.

— Je sais, mais ce qui m'embête, c'est qu'on ignore ce qui va pousser.

— Ce n'est pas grave, ce sera une surprise. J'adore les surprises !

— Moi aussi, j'aime les surprises ; mais le problème, c'est qu'en ignorant la grosseur des plantes, on ne sait pas à quelle distance on doit semer les graines l'une de l'autre.

— Tu t'en fais pour rien, ma chère Damienne, nous les classerons par sorte, et puisque ce n'est pas l'espace qui manque ici, nous les planterons à une bonne distance l'une de l'autre, et le tour sera joué.

— C'est bien beau, tout cela, mais il faut défricher avant de semer. Je n'ai pas l'intention de nettoyer l'île au complet.

— Mais tu pourrais défricher seulement un petit espace à chaque endroit où tu mets une graine en terre.

— Oui, c'est une solution, mais notre jardin sera loin d'être beau, sans compter que les mauvaises herbes vont l'envahir avant même que les plantes se pointent. Non, à bien y penser, je vais défricher un petit espace et on fera avec. Au fil des années, on pourra l'agrandir.

À ces mots, Marguerite frémit. Elle a du mal à supporter l'idée que son avenir soit sur cette île. Elle veut bien vivre le moment présent à fond, ce qu'elle s'efforce de faire malgré les circonstances, mais de là à envisager les années à venir, c'est trop pour elle.

— Si tu es d'accord, dit-elle, nous allons commencer par faire un jardin ce printemps, parce que, comme tu le sais, je n'ai pas l'intention de vivre ici jusqu'à la fin de mes jours.

— Je suis désolée, ma belle Marguerite. Moi non plus, je ne veux pas rester ici toute ma vie, mais que voulez-vous, je m'emporte facilement dans mes projets et, surtout, j'aime bien prévoir l'avenir.

— Ne t'en fais pas avec cela. Où veux-tu semer les graines ?

— Je pense que le meilleur endroit serait près de la cabane. Pour deux raisons. D'abord parce qu'il fait plus chaud et qu'il vente moins, et ensuite parce qu'on pourra plus facilement garder les bêtes à distance.

— Je vais t'aider à défricher.

— C'est gentil, mais il faut d'abord attendre que la terre soit dégelée et que vous ayez accouché.

— Mais arrête de me prendre pour une invalide, je te rappelle que je ne suis pas malade ; je suis enceinte, et plus pour très longtemps.

— Je vais savoir bientôt si j'ai vu juste, s'exclame-t-elle en se frottant les mains.

Marguerite se concentre sur son dessin. Elle en a déjà fait une bonne dizaine de Francis. Coucher ses souvenirs sur papier lui fait du bien. De cette façon, elle s'endort et se réveille avec lui. Elle n'est pas guérie pour autant, il lui arrive encore de s'endormir en pleurant. Son mari lui manque tellement ! L'idée même qu'il ne lui fera plus jamais l'amour la bouleverse. Ne plus sentir les mains de son époux sur son corps est la pire des punitions. Elle pleure en silence pour ne pas alerter Damienne. La pauvre, elle en a bien assez sur les bras depuis la mort de Francis. Tant que Marguerite travaille, le temps passe. C'est seulement lorsqu'elle se retrouve seule que le temps semble s'arrêter et que ses souvenirs la bouleversent.

Satisfaite de son dessin, elle inscrit la date à l'arrière et lève les yeux. C'est chaque fois la même chose : en posant son regard sur la mer, elle revoit la scène dans ses moindres détails. Elle ferme les yeux pour s'y soustraire, mais rien n'y fait lorsque le processus est enclenché. Quand sa mémoire ramène ces instants horribles, elle doit se raccrocher à autre chose, ce qui est parfois très difficile. Elle se lève rapidement, malgré son état, et se rend jusqu'à la petite croix qu'elles ont érigée, près de là, en l'honneur de son cher amour. Une fois devant, elle se laisse tomber à genoux et commence à chanter en se berçant doucement. Pendant qu'elle pense aux paroles de sa ballade, sa plaie au cœur se referme doucement. Dos à la mer, elle ne voit pas le canot au loin. Elle ne voit pas que quelqu'un l'observe.

Se relever est un réel tour de force. Sans poser les yeux sur la mer, elle retourne à la cabane pour afficher son dessin. Il faudra pourtant qu'elle finisse par l'accepter, elle aime trop la mer pour avoir mal chaque fois qu'elle la regarde. Quand elle ouvre la porte, Damienne est déjà assise à la table.

— Je n'ai pas eu la patience de vous attendre pour commencer à manger, j'étais trop affamée.

— Ce n'est pas grave. Continue, je vais me servir. Tu n'arrêtes jamais une minute ; c'est normal que tu aies faim !

— Montrez-moi votre dessin.

Marguerite le lui remet. La servante n'en revient pas de voir la ressemblance avec Francis.

— Je crois bien que c'est votre plus beau. J'ai l'impression de le voir.

À ces mots, la jeune femme sourit et reprend son œuvre.

— Je vais l'accrocher au mur tout de suite.

— Venez vous asseoir, j'ai quelque chose à vous dire.

— Donne-moi une minute.

Marguerite n'a pas encore posé ses fesses sur la chaise que Damienne lui confie :

— Francis m'avait demandé de garder ses lettres.

— Mais de quelles lettres parles-tu ?

— De celles qu'il a écrites pour sa famille ; elles sont dans son sac.

— C'est curieux, il ne m'en a jamais parlé.

— Il ne faut pas lui en vouloir, c'était son petit secret.

Damienne va les chercher et les remet à Marguerite.

— Quelques semaines avant sa mort, il m'a fait promettre de les remettre à ses parents s'il lui arrivait quelque chose. Dans les circonstances, je crois qu'il est préférable que vous soyez au courant de l'existence de ces lettres et des volontés de votre mari.

— Tu crois que je pourrais les lire ?

— Je ne sais pas, j'imagine que oui ; pourvu que vous alliez les porter à sa famille quand vous retournerez en France.

— Tu peux être certaine que je les remettrai aux parents de Francis, mais tu ne t'en tireras pas aussi facilement, j'espère bien que tu m'accompagneras.

Sur ces mots, Marguerite se lève et va s'asseoir sur sa paillasse.

— Hé ! Vous n'avez pas pris une seule bouchée.

— Je mangerai tout à l'heure.

La jeune femme déroule la peau qui protège les lettres de Francis. Dès qu'elle les tient entre ses mains, elle est submergée par une vague d'amour. Elle les serre contre son cœur en pensant très fort à son amoureux. Curieuse, elle les déroule ensuite et commence à les lire. Les premières ont été écrites sur le navire.

*Aujourd'hui, je suis tombé face à face avec un ange. Cette femme s'appelle Marguerite et je l'ai aimée dès la première seconde où j'ai plongé mon regard dans le sien.*

Elle a les larmes aux yeux, ce qui l'empêche de lire. D'un geste brusque, elle s'essuie du revers de sa manche et poursuit sa lecture.

*Je ne connais pas encore très bien le commandant, mais je pense qu'il est le pire homme qu'il m'ait été donné de rencontrer. Et vous savez quoi ? C'est l'oncle de mon ange. La vie est remplie de surprises.*

*C'est fou ce que vous me manquez et, en même temps, je ne pourrais être ailleurs qu'ici, auprès de ma belle. La vie sur le navire n'est pas facile, mais cela me plaît. J'ignore totalement ce qui m'attend dans le Nouveau Monde, mais pardonnez-moi de dire que je n'ai jamais été aussi heureux que maintenant.*

Cette lecture fait du bien à Marguerite. Elle a l'impression d'entendre son Francis, et cela lui réchauffe le cœur.

*Je pense bien que je lui plais, mais je ne sais pas comment notre histoire finira. Vous n'y pensez pas ? Elle est issue d'une famille de nobles, alors que moi je ne suis qu'un homme du peuple. N'allez pas croire que je renie mes origines, c'est juste que je veux passer le reste de ma vie avec elle et qu'il ne semble pas y avoir de possibilités de rapprochement, du moins, pas sur ce navire, puisque son oncle monte la garde mieux qu'une horde de chiens enragés.*

De la table, Damienne regarde sa jeune maîtresse. De grosses larmes coulent maintenant des yeux de Marguerite, mais elle continue sa lecture malgré tout.

*Je vous ai dit que c'était un ange. Eh bien ! elle chante aussi comme un ange. Vous auriez dû l'entendre hier, alors que les femmes venaient de perdre trois des leurs. Jamais je n'avais entendu quelque chose d'aussi émouvant. Je l'aime de tout mon cœur, et elle aussi. Elle me l'a dit et je l'ai crue. Jamais personne ne m'a rendu aussi heureux. J'ai hâte que vous fassiez sa connaissance, vous allez l'adorer.*

Après avoir lu ces dernières lignes, Marguerite replace les lettres en pile et enroule la peau d'ours autour avant d'attacher la corde. Elle porte le petit paquet à sa bouche et y dépose un baiser avant de les mettre à côté d'elle, à l'endroit même où Francis dormait.

— Il faudrait les ranger ailleurs, dit doucement Damienne, afin de ne pas risquer de les abîmer.

— Tu as raison, je vais les mettre avec le navire qu'il m'a offert.

— C'est une bonne idée. Venez manger maintenant.

— Je n'ai pas très faim.

— Alors il faudra vous forcer un peu. N'oubliez pas que votre enfant a besoin de manger, lui.

— D'accord. Tu sais, de toute ma vie, je n'avais jamais lu autant de belles choses sur moi. J'ai eu de la chance d'être aimée par un homme comme Francis.

— Je vous l'ai toujours dit. C'était un homme bien.

— Je jure d'aller porter ces lettres à ses parents dès que je retournerai en France. J'en profiterai pour leur présenter leur petit-fils.

— Ou leur petite-fille, ajoute Damienne d'une voix espiègle. N'oubliez pas qu'il y a cinquante pour cent des chances que ce soit une fille.

— Garçon ou fille, cela a peu d'importance. Tout ce qui compte, pour moi, c'est que mon bébé soit en parfaite santé. S'il fallait qu'il ait une santé fragile, je serais la plus malheureuse des mères, parce qu'ici je ne pourrais pas le soulager.

— Ne pensez pas à cela, vous vous faites du mal inutilement.

— Si j'ai bien compté, ce sera ton anniversaire dans trois jours. Quel âge auras-tu ?

— Vous ne vous trompez pas sur la date. J'aurai quarante-cinq ans le vingt-quatre avril prochain. La vie passe trop vite. J'ai parfois l'impression qu'hier encore je courais dans les champs avec mon père. Me voilà maintenant une vieille femme, à l'aube de la mort.

— Arrête ! Je t'interdis de parler comme cela. Tu n'as rien à voir avec les vieilles femmes de Pontpoint. Tu as l'air toute jeune.

— Peut-être, mais je n'en ai pas moins l'âge que j'ai. Je me fatigue plus vite qu'avant, j'ai mal aux jambes, je digère moins bien…

— Bon, j'en ai assez entendu! Finies les lamentations de Damienne! Qu'est-ce que tu aimerais comme cadeau?

La servante n'a pas besoin de réfléchir. Elle sait déjà ce qu'elle veut.

— J'espère que vous ne me trouverez pas trop demandante. J'aimerais que vous fassiez un dessin de notre cabane et aussi que vous me chantiez ma chanson préférée.

— C'est tout? questionne Marguerite.

— Pour tout vous dire, j'ai une dernière petite requête à vous faire.

Le sourire aux lèvres, Marguerite attend patiemment.

— Je voudrais qu'on aille faire un tour dans la grotte.

— Tu auras tes trois cadeaux le jour de ta fête, à la condition, bien sûr, que mon bébé n'en décide pas autrement.

# Chapitre 26

— Tu es bien certaine de ne pas avoir oublié de faire une marque ? demande Marguerite à Damienne.

— Absolument ! Vérifiez par vous-même ! Nous sommes le vingt-trois avril.

— Ne va pas croire que je mets ta parole en doute, mais je voudrais m'assurer que nous sommes effectivement cette date.

— Je n'ai aucun problème à ce que vous fassiez le décompte. Allez-y, je peux même vous aider.

Quelques minutes plus tard, Marguerite lance :

— C'est du beau travail ! J'arrive à la même date que toi.

— Entre vous et moi, cela ne demande pas de bien grandes qualités, répond Damienne d'un ton trahissant sa déception. Faire une petite barre chaque matin est on ne peut plus facile.

— Je ne voulais pas te blesser, dit Marguerite, excuse-moi. Je suis tellement bête parfois ! Mais c'était plus fort que moi, il fallait que je vérifie depuis combien de temps nous sommes sur l'île.

— Et puis ?

— Un peu plus de neuf mois ! Et moi qui croyais y rester quelques semaines seulement…

— Voyons, Marguerite, vous savez que les navires n'affluent pas par ici.

— Je sais, mais depuis notre arrivée jamais je n'ai cessé d'espérer qu'un beau jour quelqu'un vienne nous chercher pour nous ramener en France.

— J'imagine que cela risque d'arriver un jour, mais quand ? Je ne le sais pas. À mon avis, il vaut mieux vous faire à l'idée que vous êtes ici pour un petit moment encore.

— Je vais continuer à prier, c'est tout ce que je peux faire.

— J'espère que vous priez la bonne personne.

— Tu n'es pas drôle. Tu ne vas quand même pas m'en vouloir jusqu'à la fin de tes jours d'avoir douté de toi ? Je viens de t'expliquer pourquoi je l'ai fait.

— Ça va. Je vais aller pêcher.

— Le temps de prendre un châle et je te rejoins.

— Ne le prenez pas mal, mais j'ai besoin d'être seule.

Marguerite regarde sa servante s'éloigner. Elle se demande bien quelle mouche l'a piquée de vérifier le décompte des jours passés sur l'île devant Damienne. Elle avait envie de savoir depuis combien de temps elle était arrivée sur cette terre. «Je n'avais qu'à faire le décompte seule, pense-t-elle. J'aurais évité de la blesser. Je ne suis vraiment pas fière de moi. Je finis toujours par faire du mal aux gens que j'aime. Damienne est bien la dernière personne que je veux voir souffrir. Il faut que je répare mon erreur. Mais comment ?» Elle réfléchit à la façon de se faire pardonner. Demain, c'est l'anniversaire de sa servante et elle veut que celle-ci se souvienne de cette journée. Elle a dessiné la cabane, comme Damienne le lui avait demandé. Elle lui chantera sa chanson préférée et elles iront visiter la grotte. «J'ai une idée ! se dit-elle. Je vais préparer quelque chose à manger et nous ferons un pique-nique. Je sais aussi ce qui lui fera plaisir. Je vais l'autoriser à se parfumer. Si je lui montre comment faire, elle pourra en mettre chaque fois qu'elle le souhaitera. Ce n'est pas une enfant, je n'ai pas le droit de lui interdire ce plaisir. Il vaut mieux que j'aille la rejoindre. »

Quand elle arrive sur la grève, Damienne ne pêche pas comme elle l'avait dit. Elle est assise sur une roche et regarde au loin. Elle est tellement perdue dans ses pensées qu'elle n'entend pas arriver Marguerite, qui s'assoit à ses côtés et passe un bras autour de ses épaules. La jeune femme la regarde et s'écrie :

— Mais tu pleures ? Ma pauvre Damienne, je ne sais vraiment pas quoi faire pour me faire pardonner.

— Il n'y a rien à faire, ce n'est pas vous, c'est toujours comme cela la veille de ma fête. Je suis plus susceptible que la pire des vieilles filles. J'ai la larme à l'œil pour tout et pour rien. J'en veux à la terre entière. Si je m'écoutais, je me roulerais en petite boule sur ma paillasse et j'attendrais que cela passe.

— Eh bien ! fais-le.

— Je ne peux pas, j'ai bien trop de travail. Voulez-vous voir ma liste ?

— Non ! Je te crois sur parole. Veux-tu voir la mienne ? Voilà ce que je te propose. Nous allons travailler jusqu'à l'heure du dîner, et après nous prendrons congé. Nous le méritons bien, n'est-ce pas ? Nous pourrions en profiter pour lire ou pour ne rien faire, si tu préfères. Libre à toi.

— Merci, Marguerite ! Je ne sais pas ce que je ferais sans vous.

— Et moi donc ! Que dirais-tu si je te donnais l'un de tes cadeaux tout de suite ?

— C'est demain, mon anniversaire. Mais vous me connaissez assez pour savoir que je ne peux pas résister à l'idée d'avoir un cadeau avant le temps.

— En réalité, ce n'est pas un vrai cadeau, mais je tiens à t'en faire profiter tout de suite. Cela devrait te faire plaisir. Allons à la cabane.

Dès qu'elles entrent, Marguerite va chercher le parfum de Damienne et lui remet en lui disant :

— Je n'ai pas le droit de t'empêcher de te parfumer. Voici ce que je te propose : tu peux te parfumer quand tu veux, mais je vais te montrer comment faire.

Damienne éclate de rire. Elle sait pertinemment qu'elle en met trop, mais c'est plus fort qu'elle. Elle aime que tout le monde sente son parfum, mais elle est prête à faire un effort.

— Je vous écoute, dit-elle après avoir repris son sérieux. Je vais en profiter avant que les moustiques se réveillent.

En moins de deux minutes, la leçon est terminée. Damienne est heureuse et Marguerite trouve même que sa servante sent bon. Elles passent le reste de l'avant-midi à préparer des peaux de castor.

— Tu ne trouves pas que nous devrions arrêter de chasser ces pauvres bêtes ? demande Marguerite. Nous avons déjà beaucoup de peaux de castor !

— Pas tant que cela ! N'oubliez pas que nous allons peut-être vivre un autre hiver.

— Je le sais bien, mais nous ne sommes plus que deux.

— Bientôt trois ! Il va falloir l'habiller chaudement, ce petit enfant. Et à mon avis, il va souiller plus d'une peau avant d'être propre.

— Je n'avais pas pensé à cela. Crois-tu que nous pourrions nous faire des manteaux de fourrure avec les peaux de castor ? De vrais manteaux, je veux dire !

— Oui, mais il nous en faudrait encore plus. Regardez comme il faut. Une fois qu'on a enlevé la tête et les pattes, il ne reste plus grand-chose.

— Tu as raison. C'est dans ces moments-là que je comprends pourquoi je n'exerce pas le métier de couturière.

— Ne soyez pas trop sévère avec vous-même. Depuis notre départ de Pontpoint, vous avez appris des tas de choses.

— C'est vrai! Je sais coudre un peu, faire à manger même si je déteste cela, faire la tournée des collets, préparer les peaux…

— … chanter, dessiner, pêcher. Vous êtes mon idole!

— N'en mets pas trop, il ne faut pas que je me gonfle de vanité.

— Je n'ai aucune inquiétude à ce sujet. Je ne connais pas de personne plus humble que vous.

— Méfie-toi, je pourrais bien changer du tout au tout. Pendant que j'y pense, as-tu une idée de ce que nous pourrions offrir aux Sauvages au cas où ils reviendraient?

— Je ne sais pas. À mon idée, ils sont mieux nantis que nous.

— Comment peux-tu dire cela? Nous n'en savons rien. Ils ont du bois, des graines, des peaux, des confitures, de la crème dorée, c'est vrai, mais on ignore pour le reste.

— C'est vrai, mais on n'a pas grand-chose. On pourrait leur donner de la corde, il nous en reste beaucoup, et quelques chandelles. Qu'en dites-vous?

— Oui, c'est une bonne idée, mais je trouve que c'est bien peu comparé à ce qu'ils nous ont donné lorsqu'ils sont venus cet hiver.

— Je comprends, mais ils doivent habiter ici depuis bien plus longtemps que nous. On pourrait ajouter des couverts. On en a beaucoup plus que ce qu'on peut utiliser.

— On devrait leur préparer un paquet et le mettre à la même place que le précédent.

— Il faudrait le protéger de la pluie. On ne sait même pas s'ils viendront. Si oui, ce sera peut-être l'hiver prochain. J'ai tout de même ce qu'il faut ; il reste un grand morceau de peau de phoque, je vais l'utiliser.

— Parfait ! Je ne sais pas si tu es comme moi, mais j'ai à la fois hâte et peur de les voir.

— Vous n'avez aucune raison d'avoir peur. S'ils nous voulaient du mal, il y a longtemps qu'ils nous auraient attaquées.

— Tu as raison.

Alors que le soleil atteint le zénith, les deux femmes arrêtent leurs travaux, se servent un peu de vin, prennent une bouchée et se la coulent douce le reste de la journée.

*** 

Le 24 avril 1543, quand Damienne ouvre les yeux, Marguerite s'approche de la paillasse de sa servante et lui chante sa chanson préférée. La bonne servante s'appuie sur ses coudes et sourit. Il ne faut pas grand-chose pour la rendre heureuse. Quelques notes fredonnées par sa maîtresse suffisent amplement.

Sa chanson terminée, Marguerite lui offre son dessin.

— Il est vraiment très beau. Cela me fait beaucoup de bien de savoir que, lorsque nous serons de retour en France, nous pourrons nous souvenir de l'endroit où nous avons été heureuses, sur l'île de la Démesure. Merci, Marguerite, je suis très contente. Je vais l'accrocher au mur, au pied de ma paillasse, pour qu'il soit bien visible.

— Viens manger maintenant, j'ai tout préparé.

— Merci, Marguerite. Considérant votre amour pour la cuisine, je suis doublement touchée.

— Si j'étais à ta place, j'attendrais de goûter avant de remercier la cuisinière.

— L'important, ce n'est pas le goût, c'est l'intention.

— Alors je veux bien accepter tes remerciements. Vas-y, mange pendant que c'est chaud. Si le cœur t'en dit, j'ai sorti le pot de confiture et celui de crème dorée aussi.

— Je ne peux pas accepter, on s'est dit qu'on les gardait pour les crêpes. Je vais attendre.

— Comme tu veux. Après le déjeuner, nous pourrons marcher jusqu'à la grotte. J'ai même prévu un goûter.

— Vous m'impressionnez !

— Profites-en bien, parce que demain tout va revenir à la normale. Au fait, as-tu une idée de l'endroit où elle est, cette grotte ?

— Oui, Francis et moi avons chassé l'élan tout près de cet endroit. Je devrais vous y conduire sans problème.

Dès que Marguerite a fini de tout ranger, les femmes prennent le sentier qui les conduira près de la grotte. Damienne est heureuse comme pas deux. Elles ont apporté des chandelles avec elles. Il faut dire que Marguerite n'est pas très friande des grottes. Tout ce qu'elle sait de ces endroits, c'est qu'ils sont remplis de chauves-souris, et elle a une sainte horreur de ces petites bêtes qui volent bien trop près d'elles à son goût. Lorsqu'elle était jeune, son père l'avait amenée chez l'un de ses amis. Il habitait un grand château. Marguerite adore les châteaux, elle aime courir d'une pièce à l'autre. Elle s'imaginait qu'elle était une princesse. Elle surveillait la venue de son beau prince par la fenêtre de sa chambre. Évidemment, la fenêtre n'avait ni rideaux ni volets, et à la nuit tombée la pauvre petite se faisait réveiller par des chauves-souris. Elle s'en souvient comme si c'était hier. Elle commençait par entendre des battements d'ailes. Et ces bruits se rapprochaient tellement qu'elle avait l'impression que ces petits mammifères volants étaient au-dessus de sa tête. C'est alors qu'elle hurlait de toutes ses forces. Son père rentrait en coup de vent dans sa chambre, une chandelle à la main. Il la rassurait et s'en retournait après avoir laissé la chandelle allumée, près du lit de sa fille. Au matin, Marguerite regardait partout dans sa chambre à la recherche de l'oiseau qui était venu la réveiller. Évidemment, elle ne le trouvait jamais. De retour à Pontpoint, son père lui avait dit que ces oiseaux étaient en réalité de vulgaires chauves-souris. C'est là qu'elle avait compris qu'elle n'aimerait jamais les grottes. Depuis ce jour-là, elle déteste ces petites bêtes. Pourtant, elle n'en a jamais vu une de près.

Les deux femmes marchent une bonne demi-heure avant d'arriver à la grotte. Marguerite s'essuie le front. Ce n'est pas tellement parce qu'il fait chaud que parce qu'elle se fatigue de plus en plus vite.

— Nous pourrions nous arrêter un peu avant d'entrer dans la grotte, dit-elle à Damienne en se tenant le ventre.

— Mais bien sûr ! Je suis désolée, il m'arrive encore d'oublier que vous êtes sur le point d'accoucher.

— Ne t'inquiète pas pour moi ; jusqu'à maintenant, tout se passe bien. Pour tout te dire, disons que les grottes me font un peu peur.

— Alors nous sommes deux.

— Pourquoi sommes-nous venues jusqu'ici alors ?

— Parce que Francis m'a dit qu'il était important qu'on vienne la voir, cette grotte. On ne sait jamais, elle pourrait nous être utile.

— Ne compte pas sur moi pour vivre avec les chauves-souris. Non, merci.

— Je peux y aller toute seule si vous préférez. Vous n'avez qu'à m'attendre ici.

— Non, non. Donne-moi juste une minute pour reprendre mon souffle. Maintenant que j'y suis, il n'est pas question que je reste dehors.

Elles allument leurs chandelles et prennent leur courage à deux mains. Elles n'ont pas encore fait deux pas dans la grotte que tout leur corps tremble. Elles se tiennent très près l'une de l'autre et regardent partout. Ici, il fait très noir, tellement que la flamme de leurs chandelles arrive à peine à éclairer les lieux. L'air est tellement humide qu'elles ont l'impression que leurs vêtements sont complètement mouillés. Et il fait froid. Elles avancent avec précaution et débouchent enfin sur une grande pièce où elles entendent couler de l'eau. En regardant de plus près, elles voient un petit filet d'eau qui descend à même la paroi rocheuse. Le sol est couvert de pierres inégales. Les deux femmes avancent prudemment jusqu'au fond de la grotte et constatent qu'elles ne peuvent aller plus loin. Elles se regardent, soulèvent les épaules et prennent le chemin de la sortie. Une fois dehors, Marguerite dit :

— En tout cas, pour ma part, je n'ai aucune envie de m'installer là.

— Moi non plus ; mais on ne sait jamais, cet endroit peut servir.

# Chapitre 27

Marguerite essaie depuis plusieurs minutes de se lever, mais elle n'y arrive pas. Elle a l'impression que son corps est enraciné dans sa paillasse. Elle prend son courage à deux mains et, dans un ultime effort, parvient à se tourner sur le côté et à s'asseoir. C'est quasiment un exploit. De grosses gouttes de sueur perlent sur son front. Elle ne dirait pas qu'elle en a assez d'être enceinte et qu'elle a hâte d'accoucher, mais plus les semaines avancent, plus elle a du mal à se déplacer. En fait, depuis qu'elle et Damienne sont allées à la grotte, elle se limite à faire le tour de la cabane, non par choix, mais parce que c'est tout ce qu'elle est capable de parcourir dans son état. Quant à ses tâches, elle peut tout faire, à la condition qu'elle soit assise.

Elle regarde le plancher et, en posant les pieds par terre, a soudainement une crampe ; jamais elle n'a ressenti une telle douleur. Elle ne peut s'empêcher de crier, ce qui réveille Damienne en sursaut. En moins de deux, la servante est à ses côtés.

— Qu'est-ce qui vous arrive ? lui demande-t-elle en mettant un bras autour des épaules de la jeune femme.

— Ce n'est rien, j'ai juste eu une crampe dans le bas du ventre. Je vais mieux maintenant. Je suis désolée de t'avoir réveillée, va te recoucher.

— Non, ce n'est pas la peine, je ne m'endors plus, et de toute façon, il est grand temps que je me lève. Je vais préparer le déjeuner.

— Ne fais rien pour moi, je serai incapable d'avaler quoi que ce soit. Je boirais bien quelque chose de chaud par exemple.

— Allez vous asseoir, je m'en occupe.

Marguerite n'a pas fait deux pas qu'elle a une autre crampe, tellement forte qu'elle ploie les genoux. Et la seconde d'après, un liquide chaud coule le long de ses jambes. La jeune femme se fige. Elle ne comprend rien à ce qui lui arrive. En voyant cela, Damienne lui dit, le sourire aux lèvres :

— Eh bien ! ma chère Marguerite, le jour de la délivrance est enfin arrivé ! Ce ne sont pas des crampes ordinaires que vous avez, ce sont des contractions. C'est maintenant une question d'heures avant que vous teniez votre bébé dans vos bras. Je suis si contente ! J'ai tellement hâte de le voir !

— Promets-moi que je ne souffrirai pas, lance Marguerite en lui prenant le bras.

— Je voudrais bien, mais la Bible dit : « Tu enfanteras dans la douleur. » Tout ce que je sais, c'est que c'est différent pour chaque femme. J'ai entendu très souvent ma mère raconter à propos des femmes du village : « La mère Madeleine, elle accouche comme une chatte, alors que la mère Diane souffre chaque fois le martyre. »

— Je ne peux pas dire que tu es la meilleure personne pour me rassurer. J'ai horreur de la souffrance, tu le sais bien.

— Mais personne n'aime souffrir, ma belle Marguerite. Je suis désolée, c'est tout ce que je peux vous dire. Tout va bien se passer, ne vous inquiétez pas.

Damienne fait son possible pour paraître sûre d'elle, alors qu'au fond d'elle-même elle est effrayée. Elle a peur pour Marguerite. Et si les choses se passaient mal pour la future maman ? Et si le bébé refusait de venir au monde ? Et s'il était trop gros pour passer ? Et si Marguerite mourait en accouchant, la laissant seule avec le bébé ? Sa tête est remplie de questions, toutes sans réponses. Mais sa plus grande angoisse résulte dans le fait qu'elle ne s'y connaît pas en matière d'accouchement. Tout ce qu'elle sait, elle l'a entendu de la bouche de sa mère et de ses cousines, ou encore de celle de Francis. À bien y penser, c'est en écoutant le jeune charpentier qu'elle en a appris le plus. Un jour, alors qu'elle faisait la tournée des collets avec lui, il lui a fait part de tout ce qu'il savait sur le sujet. Comment couper le cordon. Comment faire sortir la poche dans laquelle le bébé a passé toute la grossesse. Comment nettoyer le bébé. Damienne en sait peu et trop tout à la fois. S'il y a le moindre problème, elle pourra seulement se fier à son instinct. Aussi en sait-elle beaucoup au sujet des animaux, mais peu sur les femmes.

— Mais là, qu'est-ce que je suis censée faire? lui demande Marguerite en s'essuyant le front.

— Il ne reste plus qu'à attendre. À partir de maintenant, c'est votre bébé qui décide.

— Belle affaire!

— Ne commencez pas à vous lamenter! Parce que vous en avez pour un bon moment!

— Ne me parle pas comme cela, ordonne Marguerite en se tenant le ventre. Les contractions se rapprochent de plus en plus. J'ai du mal à reprendre mon souffle entre chacune d'elles et cela fait mal, tu ne peux même pas imaginer à quel point. Je vais prendre l'air un peu, il fait trop chaud ici.

— N'allez pas trop loin.

Ne t'inquiète pas. Même si je voulais, je ne pourrais pas. J'ai de la difficulté à mettre un pied devant l'autre. J'ai l'impression que mon ventre va se décrocher du reste de mon corps.

— C'est quand même un peu ce qu'il va arriver. Il faut que vous soyez forte.

— Facile à dire, ne peut s'empêcher de lâcher Marguerite, je voudrais bien te voir à ma place.

— Moi non, marmonne Damienne.

Une fois dehors, Marguerite s'appuie contre l'arbre du temps et ne bouge pas. Les contractions sont de plus en plus rapprochées, tellement que la douleur qu'elle ressent devient insupportable. Elle entoure le tronc de l'arbre de ses bras et rentre ses ongles dans l'écorce pour essayer de rester debout.

Si elle avait su tout ce qu'être enceinte impliquait, elle aurait préféré ne jamais l'être. Comme le dit Damienne, il est trop tard pour changer d'idée. Son bébé est sur le point de venir au monde, elle le sent. Elle a l'impression qu'il descend en elle. Il exerce une pression de plus en plus forte sur son bas-ventre ; c'est comme si les parois de son ventre s'éloignaient l'une de l'autre pour que le petit bébé puisse sortir de là. Elle a très hâte de le tenir dans ses bras et, en même temps, elle est terrifiée à l'idée de devoir s'occuper de lui sur cette île. La vie n'est déjà pas facile pour elle et Damienne, alors comment le sera-t-elle pour son enfant ? « Les choses auraient été si faciles à Pontpoint », pense-t-elle. À ce moment-ci, elle en veut terriblement à son oncle de l'avoir abandonnée. « Il n'avait pas le droit. »

Les contractions sont de plus en plus fortes et de plus en plus rapprochées. Marguerite n'arrive même plus à penser. Elle se tient à l'arbre de toutes ses forces et cherche son souffle. Ses vêtements sont complètement trempés, ses cheveux aussi. Depuis quelques jours, comme lui a suggéré Damienne, elle ne porte que des jupes. Elle a tellement perdu l'habitude qu'elle se sent toute drôle. D'ailleurs, quand elle sera de retour chez elle, elle continuera à porter des pantalons, c'est tellement plus confortable et plus pratique. Elle sait d'avance qu'elle sera mal vue, mais cela n'a aucune importance pour le moment.

Damienne est sortie pour lui frotter le dos. Si elle le pouvait, elle prendrait la moitié de sa douleur tellement elle déteste voir souffrir sa jeune maîtresse.

— Vous êtes certaine que vous ne voulez pas rentrer ? J'ai préparé votre paillasse.

— Non, je suis mieux debout.

— C'est vous qui le savez.

— Ma pauvre Damienne, je dois bien avouer que je ne sais pas grand-chose. J'ai l'impression d'être assise sur un cheval fou ; je ne contrôle rien. Je ne sais pas si c'est important, mais il y a de moins en moins de temps entre les contractions, et c'est tellement douloureux, tu ne peux même pas t'imaginer à quel point. En tout cas, tout ce que je sais, c'est que je ne veux plus avoir d'enfant.

— Ne dites pas cela. Dès que vous le tiendrez dans vos bras, vous oublierez tout.

— Nous verrons bien. Pour l'instant, impossible d'oublier cette douleur. Ah ! Ah ! fait Marguerite. J'ai peine à tenir sur mes jambes. Je tremble de partout.

— Voulez-vous que j'aille chercher votre châle ?

— Non, je n'ai pas froid, j'ai chaud, je suis toute en sueur. Ah ! Ah ! J'ai l'impression que mon ventre se déchire en dedans. On dirait que le bébé veut sortir. Qu'est-ce que je dois faire ?

Damienne relève la jupe de Marguerite et s'accroupit pour voir la progression du bébé.

— Je vois sa tête ! s'écrie-t-elle. Poussez de toutes vos forces ! Encore ! Encore ! Je tiens maintenant sa tête entre mes mains. Allez-y ! Poussez ! Plus fort ! Plus fort ! Il faut faire passer ses épaules.

Marguerite se tient toujours à l'arbre, sauf que plus le temps passe, plus ses jambes fléchissent.

— Ce n'est pas le temps de vous reposer, crie Damienne ; allez-y, poussez de toutes vos forces ! Encore une fois ! Vous y êtes presque ! Ça y est ! Vous pouvez arrêter de pousser, je le tiens. C'est un beau gros garçon. Toutes mes félicitations !

Sans y penser, Damienne montre le bébé à Marguerite. Comme celui-ci est couvert de sang, en moins d'une seconde Marguerite tourne de l'œil et tombe par terre. La servante dépose vite le bébé sur la poitrine de sa mère et donne quelques tapes sur les joues de Marguerite pour que celle-ci revienne à elle. Au bout de quelques secondes, la nouvelle maman ouvre les yeux et dit :

— Je suis épuisée.

— C'est normal, ma belle enfant, vous venez de donner naissance à un beau garçon. Je m'occupe du bébé et je reviens vous voir.

— Prends tout ton temps, je vais fermer les yeux en t'attendant.

Damienne se concentre sur ce qu'elle a à faire. D'abord couper le cordon qui relie l'enfant à la mère. Elle prend ensuite le bébé dans ses bras, le serre contre elle et l'emmène dans la cabane. « Il a l'air aussi solide que son père, c'est une excellente chose » pense-t-elle. Elle le nettoie et se dépêche de l'envelopper dans une couverture, avant de le déposer dans son berceau. Ce n'est qu'à ce moment-là qu'il se met à pleurer. Ses cris remplissent toute la demeure.

— Tu vas devoir attendre un peu, mon petit bonhomme, lui dit-elle en déposant un baiser sur son front. Je m'occupe vite de ta maman et je reviens avec elle.

Damienne doit maintenant sortir la poche qui a servi de maison à l'enfant pendant toute la grossesse. Elle prend une grande respiration et fait exactement ce que Francis lui a dit de faire. Dès qu'elle appuie sur le ventre de Marguerite, celle-ci se réveille en sursaut et s'écrie :

— Arrête ! Tu me fais mal !

— Restez calme. J'en ai à peine pour une minute, et après, je vous laisse tranquille, c'est promis.

Elle a l'air sûre d'elle en apparence, alors qu'en fait elle est morte de peur. Il y a tout un monde entre les paroles et l'action. Elle appuie de nouveau sur le ventre de sa jeune maîtresse et, en moins de temps qu'il en faut à Marguerite pour se plaindre, le placenta est expulsé. Tout est fini. Damienne s'essuie les mains sur une guenille et dit fièrement :

— Je vais vous aider à vous relever. Il y a quelqu'un dans la cabane qui a bien hâte de manger.

À ces mots, Marguerite sourit. Elle est prête à commencer sa nouvelle vie de mère.

— Alors nous sommes deux, je suis affamée ; mais disons que je peux attendre un peu.

— Lui, non. Vous l'entendez ? Venez ! Étendez-vous sur votre paillasse, je vais vous l'amener. Après, je vous aiderai à faire votre toilette et à vous changer.

— Disons que ce ne sera pas du luxe. J'ai l'impression d'être allée à l'eau tout habillée.

Quand Marguerite pose son regard sur son fils, de grosses larmes coulent sur ses joues. Ce sont des larmes de joie, car elle tient enfin son enfant dans ses bras. Mais également des larmes de tristesse, car ce petit être ne connaîtra jamais son père.

— Il ressemble à Francis comme deux gouttes d'eau, parvient-elle à dire, la voix remplie d'émotion. Il me manque tellement.

— Ce n'est pas le temps de pleurer, avance Damienne. Regardez comme il est beau. Je pense qu'il a assez pleuré pour cette fois, il faut vite le nourrir.

Comme c'est souvent le cas, le bébé met quelques minutes avant de téter, ce qui insécurise Marguerite au plus haut point. Épuisée, la nouvelle mère est déjà prête à abandonner après une minute à peine.

— C'est inutile, je n'y arriverai pas. Vous le voyez aussi bien que moi, il ne veut pas téter.

— Arrêtez un peu, lui dit Damienne d'un ton autoritaire, il faut lui donner une chance. C'est la première fois qu'il doit se nourrir de cette façon. Où est donc passée votre patience habituelle ?

— Je crois que je suis trop fatiguée.

— Essayez encore, je sais que vous allez réussir.

Comme s'il comprenait que sa maman est au bout du rouleau, le bébé se met soudainement à téter. Marguerite le regarde avec amour et lui caresse les cheveux. Une partie de sa fatigue vient de s'envoler. Elle l'aime déjà de tout son cœur.

Témoin de la scène, Damienne observe la mère et le fils et sourit. Il y a des jours où la vie vaut la peine d'être vécue, et ce, peu importe l'endroit où l'on est. La scène qui se déroule sous ses yeux n'a pas son pareil. Elle a eu de la chance. Le petit est venu au monde sans complications et la mère se porte très bien. Il faudra qu'elle remercie Dieu avant de s'endormir.

Une fois le bébé rassasié, Damienne le prend et va le déposer dans son berceau. Le temps qu'elle revienne vers Marguerite, celle-ci s'est tournée sur le côté et dort déjà à poings fermés.

# Chapitre 28

De sa paillasse, Marguerite regarde dormir le petit Adrien et sourit. C'est le portrait tout craché de son père. Sa présence lui fait du bien. Depuis qu'il est né, il ne s'est réveillé que pour manger, c'est-à-dire assez souvent. En fait, elle a l'impression d'avoir passé la majorité de son temps à le nourrir. Elle aime lui donner le sein. Chaque fois, c'est comme si plus rien d'autre n'existait. Pendant qu'il tète, elle en profite pour l'observer et le caresser. Il est si beau avec ses petites mains potelées, son nez retroussé, ses cheveux aussi noirs que la nuit et ses yeux de la même couleur que les flots.

Si elle était à Pontpoint, elle lui mettrait ses plus beaux vêtements, le coucherait dans son landau et ferait le tour du village pour le montrer à tout le monde tellement elle est fière de lui. Ensuite, elle ferait une grande fête et inviterait ses amis et les amis de sa famille à venir admirer sa petite merveille.

Elle n'a vraiment aucune idée de ce qui l'attend avec son petit trésor sur cette île, mais elle sait qu'elle est prête à tout pour lui.

Damienne est folle du petit. Dès qu'il finit de manger, elle vient le chercher et lui fait faire son rot. Elle le colle contre elle et le bécote tout partout. Marguerite est contente. Elle ne pouvait rêver d'une meilleure grand-mère pour son fils. De son côté, la bonne servante pense qu'elle ne pouvait avoir de plus beau cadeau que cet enfant, auquel elle tient déjà comme à la prunelle de ses yeux.

— Il faudrait bien que je fasse ma toilette, déclare Marguerite en se frottant les yeux, je porte encore les mêmes vêtements qu'hier, je suis dégoûtante.

Damienne se tourne et lui dit en souriant :

— Ce serait une bonne idée. J'irai faire le lavage à la source après le déjeuner. Aujourd'hui, Marguerite, j'aimerais qu'on discute de quelques affaires.

— À quel sujet ? Rien de grave, j'espère.

— Non ! Prenez le temps de faire votre toilette et nous parlerons après. Mais ne vous inquiétez pas.

Depuis la mort de Francis, plusieurs choses ont changé dans leurs façons de procéder. D'abord parce qu'aucune d'elles n'a la force d'un homme. Elles ont beau avoir la meilleure volonté du monde, quand arrive le temps de forcer, elles atteignent vite leur limite. Et puis le départ du charpentier les a instantanément privées d'une paire de bras, ce qui n'est pas à négliger dans leur situation. Pour se préparer à leur premier hiver, ils n'étaient pas trop de trois. Ils y ont survécu, mais il y en aura un autre, et peut-être celui-là sera-t-il encore plus rude. C'est pourquoi Damienne a bien réfléchi et s'est dit qu'il valait mieux qu'elle parle avec Marguerite dès maintenant. Sans Francis, il y a quelques tâches qu'elles ne pourront tout simplement plus effectuer, à moins de trouver des solutions ensemble. À titre d'exemple, elles ont besoin de glace pour conserver leurs provisions pendant la saison chaude, mais Damienne a beau y réfléchir, elle ne voit pas comment elle pourrait aller en couper sur les icebergs qui défileront au cours de l'été. Contrairement à elle, Francis était fort et agile, deux qualités qu'elle n'a plus depuis belle lurette.

Avec la naissance du petit Adrien, c'est un peu comme si Damienne se retrouvait seule pour tout faire, à tout le moins le temps que Marguerite reprenne du poil de la bête. Et de toute façon, il faudra toujours quelqu'un pour prendre soin de l'enfant. La jeune femme a beau vouloir faire sa part, elle vient tout de même de mettre un bébé au monde, ce qui n'est pas rien. Et si elle reprend le travail trop vite, elle mettra un temps fou à se remettre de sa grossesse, ce que Damienne ne souhaite absolument pas. Alors elles doivent parler ensemble de tout cela et établir les priorités.

« La mort de Francis ne pouvait pas plus mal tomber pense Damienne. Mais une mort peut-elle vraiment bien tomber ? Ce que je dis est stupide. Il n'y a pas de bonne saison pour mourir. Nous avions besoin de lui à longueur d'année ici. Et Marguerite avait besoin de lui encore plus que moi. Pauvre petite, elle n'a pas assez d'avoir perdu son amoureux, voilà qu'elle se retrouve seule pour élever leur enfant. La partie n'est pas gagnée d'avance. »

Marguerite est allée faire sa toilette à la source. L'eau est si froide, en ce début de mai, qu'elle frissonne ; mais en même temps la fraîcheur de l'eau lui fait le plus grand bien. Accoucher est une rude épreuve. C'est de loin la chose la plus difficile et la plus éprouvante qu'elle ait vécue. Elle n'a pas la réputation d'être très endurante à la douleur, mais accoucher dépassait l'entendement. La douleur était telle qu'à plusieurs moments elle aurait préféré mourir plutôt que de continuer à souffrir. C'était d'une telle intensité qu'il lui est impossible de qualifier sa souffrance. Elle ne le criera pas sur les toits, mais tout ce qu'elle espère, c'est de ne plus jamais revivre une telle expérience ; quoique de toute manière elle ait pris la décision de ne jamais se remarier et, surtout, de ne plus avoir d'enfant. Il y a des femmes faites pour enfanter chaque année, mais ce n'est pas son cas. « Le curé aura beau me faire la morale, jamais je ne céderai » pense-t-elle en ramassant ses vêtements sales. Elle est tentée de les laisser là, mais elle se dit qu'avec les petites bêtes qui rôdent autour il vaut mieux les rapporter à la cabane, même si Damienne a prévu faire le lavage bientôt.

De retour à la cabane, elle s'assoit à la table avec Damienne.

— Il faudrait que vous mangiez un peu, parce que le petit Adrien aura bientôt faim.

— Je ne veux pas me plaindre, mais c'est tout ce qu'il fait depuis qu'il est né. Tu as vu comme il est drôle quand il tète ?

— Il est vraiment mignon. Loin de moi l'intention de vous décourager, mais il risque de manger et de dormir encore un bon bout de temps, et croyez-moi, c'est mieux ainsi. Vous vous sentez en forme aujourd'hui ; mais demain vous risquez d'être fatiguée. Plus votre petit prince dormira, plus vous récupérerez vite.

— Ma parole, tu as l'air d'en savoir beaucoup plus que tu veux bien le laisser paraître.

— Non, malheureusement, tout ce que je sais, je l'ai entendu ; mes connaissances sont très limitées. J'aurais préféré en savoir davantage. J'avais peut-être l'air sûre de moi hier, mais je n'ai pas arrêté de prier pour que les choses se passent bien.

— Chère Damienne, je ne sais vraiment pas ce que je ferais si tu n'étais pas là, j'ai tellement besoin de toi.

— Et moi donc ! Que diriez-vous si on parlait pendant que vous mangez ?

— Pas de problème, je t'écoute.

— Eh bien ! dans deux mois, on aura connu les quatre saisons ici, ce qui fait qu'on a une bonne idée de nos besoins pour survivre à chacune d'elles. J'aimerais d'abord qu'on regarde ce qui s'est bien passé et ce qui s'est moins bien passé.

— C'est une bonne idée. Pour ma part, je trouve que, malgré tout, nous nous en sommes plutôt bien tirées. Nous n'avons pas eu toujours très chaud dans notre cabane lors des gros froids cet hiver, mais nous n'avons jamais manqué de nourriture, même que nous en avons perdu à quelques reprises parce que nous n'arrivions pas à la conserver. L'île abonde en bêtes à fourrures, et jusqu'à maintenant nous en avons eu assez pour nous faire des vêtements chauds et des couvertures.

— Ce que vous dites est juste, mais l'année à venir risque d'être différente. Il faut bien le reconnaître, la disparition de Francis complique les choses, et c'est de cela que je voudrais qu'on discute ensemble.

— Tu sais, Damienne, chaque fois que j'entends un bruit provenant de l'extérieur ou encore la porte s'ouvrir, j'ai l'impression que c'est lui qui arrive ; mais chaque fois je suis déçue. Je ne voulais pas qu'il meure et qu'il me laisse seule avec notre fils. C'est trop injuste.

— Ce n'est pas la première chose injuste, ni la dernière, ma petite Marguerite. Je comprends que vous ayez du chagrin, mais vous vous faites du mal inutilement. Je vous l'ai déjà dit, Francis ne reviendra pas.

— Dans ma tête, je comprends très bien ce que tu me dis. C'est quand mon cœur se met de la partie que tout s'embrouille. Il y a des jours où, si je ne me retenais pas, j'irais m'asseoir sur ma roche plate et je passerais mon temps à pleurer et à me plaindre de ce qui m'arrive.

— Je ne vous fais pas la morale, mais je vais vous citer une phrase que mon père disait : « Les braves ne vivront pas toujours, mais les plaintifs ne vivront pas du tout. »

— Il était bien sage, ton père, et il avait raison ; mais c'est parfois plus fort que moi. Je rêvais d'aventure, pas d'être obligée de me battre jour après jour pour assurer ma survie.

— C'est pourtant à cela – et à rien d'autre – que vous vous exposiez en embarquant sur le navire de votre oncle. Dites-vous que ce qui attendait le reste de l'équipage est peut-être encore pire que ce que l'on vit ici.

— Tu crois vraiment que cela est possible ? demande Marguerite d'un air surpris.

— Imaginez, ne serait-ce qu'une minute, si votre oncle était avec nous.

— Pour nous régenter ? Non, merci ! Je ne peux pas le renier, mais je ne veux plus jamais avoir affaire à lui. S'il a été capable de me rayer de sa vie, je peux au moins en faire autant, et avec plaisir. Tu as probablement raison, nous ne savons pas comment ça se passe pour eux. Il m'arrive de penser aux femmes.

— Moi aussi, mais on ne peut rien faire pour elles… Si on revenait à nos moutons ?

— Ne prononce pas ce mot devant moi, je t'en prie.

— Vous êtes vraiment obsédée par la nourriture, fait remarquer Damienne en souriant. Continuons avant que le petit prince vous réclame.

— Je peux faire deux choses en même temps, tu sais.

— Je n'ai pas de crainte là-dessus. Alors, affronter l'hiver est notre plus grand défi à relever.

— C'est le plus grand défi que nous ayons relevé jusqu'à maintenant !

— Je crois que la mer a rejeté suffisamment de bois pour nous chauffer.

— Ce qui est une très bonne nouvelle, parce que si les Sauvages ne nous en avaient pas donné l'hiver dernier, je pense bien que nous en aurions manqué.

— À mon avis, on devrait le laisser sécher jusqu'en juillet et le transporter près de l'abri par la suite.

— Mais il faut le couper aussi.

— Vous avez bien raison ! Je suggère qu'on le coupe là où il est ; il sera plus facile à transporter. Il faut donc commencer à le couper dès maintenant ; sinon on n'y arrivera pas.

— Je veux bien contribuer, mais il va falloir me montrer comment faire. Et j'ai bien peur de ne pas être la personne la plus habile avec une hache.

— Moi non plus, ajoute Damienne, mais je vais m'en charger. Contrairement à vous, je sais déjà me servir d'une hache, mais je vous enseignerai tout de même comment faire.

— Un instant ! Il n'est pas question que tu fasses tous les gros travaux, je tiens à te donner un coup de main.

— D'accord ! Disons que je coupe le bois et que vous le transportez.

— Ce sera fait. Et pour conserver nos provisions cet été, est-ce que tu as une solution ?

— On n'en a pas cinquante. On peut aller chercher de la glace sur les icebergs, fumer notre viande ou encore faire sécher tous les surplus.

Marguerite prend le temps de réfléchir. Certes, il y a pire que manger de la viande fumée ou séchée, mais à longueur d'année cela devient monotone. Avoir de la glace était bien pratique, sans compter que cela leur permettait de ne pas perdre leurs vivres, ce dont elle a horreur. Elle pourrait s'en charger. Après tout, elle a vu faire Francis.

— Il nous faut de la glace. Je vais essayer d'aller en chercher, dit fièrement la jeune femme.

— Vous êtes sérieuse ? Il me semblait que vous trouviez cela trop dangereux…

— Je le crois toujours, mais je pense que nous n'avons pas d'autre choix. Si nous voulons conserver nos provisions pendant l'été, il nous faut de la glace. Et puis, pense aux œufs de canard : il faudra bien les conserver. Je me promets de manger plus d'une omelette.

Damienne est surprise au plus haut point que Marguerite se propose d'aller couper des morceaux de glace, mais ça l'enchante également. Elle-même ne pouvait se résoudre à le faire, elle aurait coulé à la première tentative ; mais la jeune femme est capable d'y arriver. Elles n'auront qu'à prendre toutes les précautions nécessaires.

— Mais je vous l'ai dit, ajoute-t-elle quand même par acquit de conscience, on n'a qu'à fumer la viande ou à la faire sécher et on s'en tirera très bien. Mais pour le reste, c'est sûr que...

— Non, je vais au moins essayer ; après, nous verrons.

— Je vous connais assez pour savoir que, malgré tout ce que je vous dirai, je n'arriverai pas à vous faire changer d'idée. Promettez-moi de faire très attention.

— Ne t'inquiète pas, je n'ai pas envie de finir au fond de la mer comme Francis. As-tu vérifié notre réserve de poudre ?

— Oui, disons qu'en faisant très attention on devrait en avoir suffisamment pour un bon bout de temps.

— Pourrais-tu être plus précise ?

— Pas vraiment. En fait, je suggère qu'on fasse le maximum pour trapper les bêtes ; de cette façon, on ménagera notre poudre.

— À moins que tu n'arrives face à face avec un ours.

— Ne vous inquiétez pas ; dans un cas comme celui-là, la question ne se pose même pas : je tire avant qu'il charge et j'espère de tout mon cœur ne pas le manquer. Il reste une douzaine de chandelles, ce qui est vraiment peu étant donné qu'on n'a plus une seule goutte d'huile.

— Nous pourrons chercher un nid d'abeilles à l'automne, pour la cire et le miel.

— Cela devrait être facile. En le sachant, on va pouvoir repérer les nids à l'avance et aller les chercher avant les ours.

— Je sais bien que les Basques chassaient la baleine pour son huile, mais peut-être – enfin je n'en sais rien – que nous pouvons en tirer des phoques aussi. Cet animal est plus facile à chasser pour nous.

— Je l'ignore également, mais on ne perd rien à essayer, surtout qu'ils étaient très nombreux sur les roches l'année dernière. C'est une bonne idée, on va s'essayer. Mon grand-père m'a déjà raconté comment ils faisaient pour extraire l'huile des baleines. Et j'ai vu comment procédait Francis quand il a chassé les phoques pour leur peau.

Marguerite ne peut s'empêcher de sourire. Alors qu'il y a à peine plus d'un an elle se la coulait douce dans son domaine de Pontpoint, voilà qu'aujourd'hui elle discute de chasse aux phoques sur les roches et de coupe de glace sur les icebergs. Si quelqu'un lui avait prédit tout cela, elle ne l'aurait pas cru. Elle espère retourner en France, mais il y a des jours où elle ne peut s'empêcher de penser que ses chances sont extrêmement minces. Pour tenir la promesse faite à Francis, Damienne et elle doivent trouver un moyen de signifier leur présence sur l'île aux futurs pêcheurs qui passeront à proximité, sans pour autant alerter son oncle lorsqu'il reprendra cette route.

— Nous devons faire sécher plus de petits fruits, parce que manger seulement de la viande et du poisson, dit Marguerite, est vraiment ennuyeux à la longue.

— Il nous faudrait des petits pots en terre cuite, comme ceux que les Sauvages nous ont donnés. J'espère qu'on réussira à les rencontrer. Comme cela, on pourrait leur demander de nous apprendre à en fabriquer.

— Oui, mais c'est plus facile à dire qu'à faire. Quand Francis était là, nous avions des chances de nous rendre sur le continent par la mer ; mais là je ne nous vois pas construire un radeau. Même avec la meilleure volonté du monde, nous n'y arriverions pas. Je ne sais vraiment pas comment nous pourrions nous y prendre.

— Moi non plus, soupire Damienne. Pour en revenir aux petits fruits, je peux fabriquer un autre séchoir. J'étais avec Francis quand il a construit le premier ; mais dans quoi va-t-on les mettre après ?

— Nous avons encore plusieurs tasses, nous nous en servirons.

— J'ai hâte de semer les graines, je suis tout énervée à la simple idée de les voir pousser.

— En attendant, nous pourrions nous promener sur l'île et voir s'il ne pousse pas quelques plantes comestibles. Je sais bien qu'il est tôt dans la saison, mais on ne sait jamais.

— C'est une bonne idée ! On ira dans quelques jours.

— Pourquoi attendre ? Nous pouvons y aller aujourd'hui, je suis en pleine forme.

— Si vous y tenez, on ira dès que vous aurez donné le sein à Adrien ; mais j'y pense, comment allez-vous le transporter ?

— Dans mes bras, comme toutes les mères ! s'écrie Marguerite.

— Mais toutes les mères ne vivent pas sur une île infestée de moustiques et de bêtes sauvages ! Non, il faut qu'on trouve un moyen pour que vous le transportiez tout en ayant les mains libres si vous devez tirer ou le protéger.

— Une chance que tu es là pour me mettre les yeux en face des trous. On dirait que j'oublie parfois où je suis.

— C'est une très bonne chose. Plus vous serez heureuse d'être ici, plus la vie vous semblera facile.

— Quand même, il ne faudrait pas exagérer. Je rêve chaque matin d'aller chercher mon pain à la boulangerie du village.

# Chapitre 29

Son bébé bien collé contre elle, Marguerite détache les moules des rochers une à une. Elles sont si abondantes qu'elle a à peine bougé depuis qu'elle a ramassé la première. Elle se relève seulement lorsque son panier est plein. Elle les nettoyera puis les fera cuire. Elle se promet tout un festin. Elle ne s'est pas améliorée en matière de cuisine depuis leur arrivée sur l'île, mais elle sait au moins faire cuire des moules. Lorsqu'elle adore quelque chose, elle apprend vite. Elle emprunte le petit sentier pour retourner à la cabane et sourit. Cette belle journée ensoleillée du début de juin lui remplit le cœur de bonheur.

Une fois devant l'arbre du temps, Marguerite s'arrête quelques secondes et le regarde en se disant qu'elle sera la plus heureuse des femmes lorsque Damienne et elle n'auront plus à faire le décompte des jours. Ce jour-là, elles auront réintégré leur ancienne vie à Pontpoint.

Damienne est encore à l'endroit où Marguerite l'a laissée un peu plus tôt pour aller chercher leur dîner. Elle défriche un petit coin de terre pour faire leur jardin. En voyant sa maîtresse arriver, elle en profite pour faire une petite pause.

— À ce que je vois, votre tâche vous a demandé moins de temps que la mienne. Je ne sais pas pourquoi, mais cette terre est dure à retourner. C'est incroyable. On dirait du roc.

— Arrête un peu, tu es rouge comme une *forçure*. Je vais déposer Adrien dans son berceau et je reviens prendre la relève.

— C'est un travail bien trop dur pour vous !

— Je ne veux pas en entendre plus. Dépose ta pelle et viens boire un peu d'eau. Si tu tiens absolument à travailler, tu n'as qu'à nettoyer les moules et je les ferai cuire après.

— Je me régale déjà. Ce coin de pays a bien des défauts, mais tous ses fruits de mer à portée de main valent leur pesant d'or. Ce soir, si vous voulez, je pourrais apprêter les gros crustacés avec des pinces. Vous savez, ceux qui passent du noir au rouge en pleurant comme un bébé sur la braise. Je ne sais pas si vous vous souvenez, Francis en a préparé une seule fois.

— Certain que je m'en souviens, c'est une excellente idée ; et demain j'irai pêcher des crevettes avec mon châle de dentelle.

— Vous voyez, c'est ce que j'appelle l'abondance. Et nous en profitons, puisque nous avons du plaisir à manger, tout simplement.

— Tu as raison, mais je me satisferais de moins, à la condition que nous soyons en France.

— Vous n'allez pas recommencer, dit Damienne d'un ton plaintif. Je vous l'ai déjà dit : il vaut mieux profiter de chaque beau moment de notre vie, ici ou ailleurs, parce qu'aucun ne repassera.

— Toi, tu es un grand sage, ajoute la jeune femme en souriant. Je sais bien que le temps passé ne revient pas. Je sais aussi que je devrais vivre chaque moment comme si c'était le dernier, mais j'ai parfois du mal à oublier que je ne vis pas au bon endroit.

— Je peux vous poser une question ?

— Vas-y, je t'écoute.

— Si vous deviez mourir demain, que feriez-vous ?

— C'est simple, je m'occuperais de mon petit garçon jusqu'à mon dernier souffle et je ne cesserais de lui répéter à quel point je l'aime. Je t'inviterais aussi à partager ma table une dernière fois et je te dirais combien tu comptes pour moi.

— Vous voyez, Marguerite, vous m'avez parlé des gens qui vous entourent, et non des lieux que vous habitez. Ce que vous venez de dire peut se faire n'importe où dans le monde, même ici.

— Je comprends ce que tu m'expliques, mais j'ai cette manie de toujours vouloir ce que je n'ai pas ou de vouloir être ailleurs. En fait, j'ai de la difficulté à vivre le moment présent.

— Oui ! Pourtant, quand on a compris que le moment présent est le plus important, pour la simple et unique raison qu'il ne reviendra jamais, le choix est facile à faire. Mon père vous aurait dit qu'il vaut mieux faire partie du spectacle de sa vie qu'en être le spectateur.

— Ce n'est pas pour rien que je te trouve sage, avoue Marguerite en passant la main dans les cheveux en broussaille de Damienne. Mais toi, que ferais-tu ?

— Moi, je ne changerais absolument rien à ce que je suis en train de faire, parce qu'Adrien et vous, vous êtes les deux êtres à qui je tiens le plus. Ici ou ailleurs, je trouve mon bonheur à vos côtés.

— Mais n'est-ce pas seulement par devoir que tu as accepté de m'accompagner dans cette folle aventure et de venir dans le Nouveau Monde ?

— Oui, je ne m'en suis jamais cachée. Moi, je serais restée à Pontpoint. Je n'avais pas envie de vivre cela, et c'est pourquoi je veux retourner vivre en France le plus tôt possible. La différence entre vous et moi, c'est qu'étant donné que je ne peux rien changer à ma situation, du moins pour le moment, je l'accepte et j'essaie d'en tirer le maximum.

— Tout en espérant quitter l'île.

— C'est cela. De cette façon, la vie s'écoule plus facilement. Les travaux me paraissent moins exigeants. Les moustiques, moins piquants. Le manque de légumes, moins important.

— Allez, assez parlé, je me mets au travail.

Dès son premier coup de pelle, Marguerite se met à penser aux propos de sa servante. Si elle l'avait écoutée, elle ne serait pas là, à défricher la terre à la sueur de son front. Elle reviendrait tout juste de sa promenade à cheval et un déjeuner copieux l'attendrait. Elle s'attablerait et discuterait avec Damienne de tout ce qu'elle a vu au cours de la dernière heure. Elle monterait ensuite se changer de vêtement et proposerait à sa servante d'aller pêcher dans la rivière. Elles discuteraient tranquillement de tout et de rien en profitant du soleil de juin. Le soir, elles s'assoiraient au coin du feu et sortiraient leurs travaux de broderie sur lesquels elles travaillent depuis tellement longtemps qu'elles en viennent à ne plus se souvenir pour qui elles les font. À Pontpoint, sa vie s'écoulait lentement, sans grand souci. Elle n'avait pas besoin de se poser de question, tout était à sa portée.

La jeune femme essuie d'un geste rapide les gouttes de sueur qui perlent sur son front. Elles sont de plus en plus nombreuses ; tellement que certaines lui chauffent les yeux au passage. Avant de monter sur le navire de son oncle, elle ignorait ce que signifiait « travailler à la sueur de son front ». Elle doit bien admettre que simplement travailler ne faisait pas partie de son quotidien. Finalement, elle aime bien travailler ; ce qu'elle déteste, c'est d'avoir l'air négligé, les cheveux défaits, le visage maculé de poussière ou de terre, et de porter des vêtements mal taillés. Mais elle doit bien reconnaître qu'elle ne s'est jamais sentie aussi vivante que maintenant. Ne serait-ce que pour cela, cette aventure aura valu son pesant d'or. « À partir de maintenant, je vais faire mon possible pour profiter de chaque seconde de ma vie » pense-t-elle en retournant la terre.

Quand Damienne sort de la cabane et regarde tout le travail que Marguerite a accompli, elle sourit. Elles l'auront, leur jardin. Dans moins de deux semaines, elles pourront mettre leurs graines en terre. En apercevant sa servante, la jeune femme relève la tête et appuie son menton sur sa pelle.

— J'y pense, j'ai oublié de te dire que, selon moi, les canards se font de plus en plus nombreux sur l'île. Sur la grève, j'entendais piailler tout autour de moi. Tu crois que ce sera bientôt le temps d'aller ramasser les œufs ?

— Donnez-leur encore une semaine ou deux.

— T'ai-je déjà dit qu'il ne se passe pas une seule nuit sans que je rêve que je suis attablée devant une grosse omelette bien baveuse ?

— Au moins cent fois, mais j'aime beaucoup mieux que vous rêviez aux omelettes que vous fassiez des cauchemars. Vous pouvez me parler de vos envies de manger des omelettes tant que le cœur vous en dit.

Marguerite continue de bécher avec ardeur, jusqu'à ce que le petit Adrien se manifeste. Le sourire aux lèvres, elle cède sa place à Damienne, s'essuie les mains sur son tablier, secoue ses vêtements et retourne à la cabane, le cœur léger. Avant la naissance de son petit amour, jamais les pleurs d'un enfant n'avaient sonné à ses oreilles comme la plus douce des musiques.

*** 

Le soleil vient à peine de se coucher quand les deux femmes mettent leurs gros crustacés à cuire sur les braises. Elles sont crevées d'avoir travaillé fort, mais elles sont heureuses. Le simple fait de penser que dans quelques mois à peine elles pourront récolter les légumes de leur jardin leur a donné toute l'énergie nécessaire pour retourner la terre. C'est loin d'être parfait, mais au moins il ne reste plus de racines ni de mauvaises herbes.

Bien installées à table devant leur grand crustacé, elles décident de commencer leur repas par la queue. Même si elles n'ont mangé qu'une seule fois ce fruit de mer, elles se souviennent parfaitement que c'est dans la queue qu'il y a le plus de chair savoureuse. Armées d'un couteau bien affilé, elles coupent leur crustacé d'une main sûre sur le sens de la longueur. Une fois la chair libérée, elles prennent le temps d'en savourer chaque bouchée. Durant tout le repas, très peu de paroles sont prononcées. Les yeux fermés, la plupart du temps, les deux femmes profitent du moment présent. Elles finissent leur repas en mangeant une petite cuillère de miel ; c'est d'ailleurs à peu près tout ce qu'il reste de leur récolte de l'année passée. Elles font tourner le miel dans leur bouche jusqu'à ce qu'il disparaisse totalement et qu'il ne reste, dans leur gorge, que le souvenir de ce liquide au goût divin. La seconde d'après, elles se regardent et éclatent de rire en même temps.

— Cet automne, s'exclame joyeusement Damienne, c'est deux nids d'abeilles que nous devrons trouver.

— C'est justement ce que j'allais te dire, déclare Marguerite, le sourire aux lèvres. Je suis crevée, ajoute-t-elle.

— Moi aussi, je suis crevée, mais très contente de tout ce qu'on a accompli aujourd'hui.

— Oui, Francis aurait été fier de nous.

— À qui le dites-vous ! Je vous avertis, je ne veillerai pas longtemps. Mes jambes me font tellement mal que, si je pouvais, je les couperais. Je suis assise et j'ai l'impression de courir autour de la cabane sans pouvoir m'arrêter.

— Ma pauvre Damienne, y a-t-il quelque chose que je puisse faire pour toi ?

— Pas vraiment, à moins que vous vouliez changer de jambes.

— Et si je te frictionnais ?

— Bien voyons, cela ne se fait pas. C'est moi votre servante et pas le contraire !

— Je t'en prie, il n'est pas question de hiérarchie sociale ici. Étends-toi sur ta paillasse, je vais te frictionner. Je ne te promets rien, mais il me semble que cela devrait au moins te soulager un moment. Après, tu devrais soulever tes jambes. Rappelle-toi quand j'étais petite, j'avais souvent mal aux jambes. Et quand j'allais voir ma mère dans sa chambre, elle plaçait deux gros coussins en dessous de mes chevilles. C'était magique, mon mal de jambes passait sur-le-champ.

— Je ne veux pas vous enlever vos illusions, mais je gagerais bien que le simple fait d'être avec votre maman suffisait à vous soulager.

— C'est à mon tour de te dire de laisser tes vieilles croyances de côté. Après tout, tu ne perds rien à essayer. Tu te laisses d'abord frictionner les jambes, et après je place une pile de couvertures sous tes chevilles. Tu verras bien si cela marche, mais je ne veux rien entendre avant demain matin.

— Je suis prête, docteur, lance Damienne d'une voix enjouée.

Au moment où Marguerite allait s'étendre sur sa paillasse, le petit Adrien se fait entendre. Il pleure à chaudes larmes et il est inconsolable. Deux heures plus tard, sa mère le promène toujours dans la cabane sans savoir ce qu'il a, alors que Damienne dort à poings fermés depuis un bon moment déjà.

# Chapitre 30

Le jour est levé depuis un bon moment déjà quand Marguerite et Damienne se risquent à ouvrir un œil. Depuis qu'elles sont sur l'île, elles n'ont jamais été les témoins d'un orage aussi violent. Les éclairs traversent le ciel d'un bout à l'autre. Le tonnerre gronde comme si tout allait exploser. Le vent menace de tout emporter sur son chemin. Quant à la pluie, elle est si abondante qu'elle s'infiltre allègrement dans la cabane par la moindre ouverture. Les deux femmes surélèvent ce qu'elles peuvent pour éviter que tout ce qu'elles possèdent soit détrempé. En quelques minutes seulement, l'eau recouvre le sol. Elles se mettent ensuite à prier pour que l'eau cesse de monter. C'est le seul recours qu'il leur reste.

Marguerite regarde dormir son bébé, bien installé à côté d'elle. Elle lui caresse les cheveux et sourit. Le pauvre enfant a pleuré une partie de la nuit, ce qu'elle peut comprendre assez facilement. Les éléments étaient si déchaînés que, si elle ne s'était pas retenue, elle se serait mise à pleurer elle aussi tellement sa peur grandissait de minute en minute. La pluie martelait si fort le toit qu'il n'aurait pas été étonnant qu'il s'effondre. «Je n'ai jamais été aussi fière de Francis que cette nuit, pense-t-elle. Ses talents de charpentier ne sont plus à démontrer. Si la cabane a résisté, c'est grâce à lui.» Elle relève la tête et regarde les dessins représentant son amoureux sur le mur.

De son côté, Damienne se remet tranquillement de ses émotions. De toute sa vie, jamais elle n'a eu aussi peur. Elle a été davantage effrayée que la fois où elle est arrivée face à face avec un ours et le jour où l'oncle de Marguerite les a débarquées sur l'île. On aurait dit que la fin du monde était arrivée. Elle est d'ailleurs très inquiète à l'idée d'aller constater les dégâts laissés par cette tempête. « Pourvu que la pluie n'ait pas endommagé tout notre jardin, pense-t-elle. Pitié, Seigneur. »

Prises chacune dans leurs pensées, les deux femmes n'osent pas briser le silence. Les yeux ouverts, elles fixent le plafond et retardent le plus possible le moment où elles devront évaluer les dommages.

Au bout d'un moment, le petit Adrien se manifeste. Il n'en faut pas plus pour les faire bouger de leur paillasse. Marguerite s'assoit et prend son bébé dans ses bras. Quand elle pose les pieds sur le sol, elle a de l'eau jusqu'aux chevilles.

— Ce n'est pas possible ! s'exclame-t-elle. Tu as vu toute cette eau ? Qu'allons-nous faire ?

Et Damienne de répondre :

— Je pense qu'on n'a pas d'autre choix que d'attendre qu'elle s'en aille. Il a trop plu cette nuit, la terre est saturée d'eau.

— Nous pourrions la pousser dehors avec la pelle.

— Si vous voulez, je peux le faire, mais je suis loin d'être certaine que cela va changer quelque chose.

— J'ai horreur d'avoir les deux pieds dans l'eau.

— Consolez-vous en vous disant que la pluie est chaude. Imaginez un peu si nous étions en plein mois d'octobre, ce serait beaucoup moins drôle.

— Tu as raison ! Mais tu sais, je n'ai pas envie de sortir et de constater la désolation laissée par la tempête.

— Moi non plus. Juste à penser à ce qui nous attend, j'en ai la chair de poule.

— Il va pourtant falloir le faire à un moment ou à un autre. Voici ce que je suggère : je nourris mon petit trésor, nous mangeons un peu et nous allons bravement constater les dégâts.

— C'est d'accord. Je vais préparer le déjeuner. Prendriez-vous un thé?

— Avec plaisir, je pense que nous avons toutes les deux besoin d'un peu de réconfort.

Ce qu'elles voient en ouvrant la porte de leur cabane n'a rien de réjouissant. Une main sur la bouche, elles se retiennent toutes les deux de crier. L'arbre du temps a été coupé en deux par l'orage. Juste à côté, la grande toile qui recouvrait le bois de chauffage a disparu. Quant à la corde de bois, elle n'est plus que l'ombre d'elle-même. Les bûches jonchent le sol et forment un tas on ne peut plus inégal. Le vent s'en est donné à cœur joie. Les deux femmes font quelques pas jusqu'à leur jardin. Si elles ne se retenaient pas, elles hurleraient de douleur. La moitié des plants ont été déracinés. Quant aux autres, ils luttent pour leur survie. Elles qui se faisaient une joie de manger autre chose que de la viande et du poisson!

Découragées, les deux femmes se regardent, les yeux remplis de larmes. Elles sont incapables de bouger; elles sont pétrifiées. Au bout d'un moment, Marguerite parvient enfin à sortir de sa torpeur. Elle s'approche de Damienne et lui dit:

— C'est toi qui as dit que les plaintifs ne vivront pas du tout?

— Oui, répond la servante. Pourquoi?

— Alors nous allons relever nos manches aussi haut que possible et faire le nécessaire pour tout remettre en ordre. Tu es prête?

Damienne met quelques secondes avant de répondre, avec un début de sourire sur les lèvres:

— Par quoi voulez-vous commencer?

— Par le jardin. Je propose qu'on remette vite en terre tous les plants qui ont été déracinés. Il faudra aussi attacher les autres pour les rendre plus résistants au vent. Ensuite, nous corderons le bois.

— Et la toile ?

— Nous irons la chercher dès que nous en aurons fini avec le jardin.

— Et l'arbre du temps ?

— Nous nous en occuperons demain. Pour l'instant, nous avons plus urgent à faire. Je vais aller coucher Adrien et je reviens tout de suite. Je laisserai la porte ouverte pour l'entendre. Avec un peu de chance, l'eau devrait s'écouler.

Quand elles finissent de s'occuper du jardin, les deux femmes ont les mains et les ongles souillés de terre. Leur petit potager a retrouvé son allure de la veille. Il est trop tôt pour dire si les plants survivront mais, pour le moment, c'est le mieux qu'elles puissent faire.

Après avoir déposé quelques morceaux de bois pour surélever leurs bûches et ainsi éviter que celles-ci prennent l'eau, elles commencent à corder leur bois. Il est gorgé d'eau, donc beaucoup plus lourd que d'habitude. Elles travaillent sans relâche, sans même se permettre la moindre pause, jusqu'à ce que Marguerite place la dernière bûche sur le dessus de la corde.

— Nous sommes bien parties, dit fièrement Marguerite. Sincèrement, je croyais que nous mettrions beaucoup plus de temps que cela pour exécuter cette besogne.

— Il nous faut maintenant retrouver la toile. Si vous voulez rester avec Adrien, je peux m'en charger.

— Non, je vais aller le chercher et je t'accompagne. Je veux voir si le vent a fait d'autres dommages.

— Entre vous et moi, il n'y a pas grand-chose d'autre à briser.

— Tu oublies la barque.

— C'est vrai, je n'y pensais plus !

— Donne-moi une minute et je reviens.

Marguerite entre dans la cabane, saisit au passage le bout de tissu pour enrouler son fils sur sa poitrine et va jusqu'au berceau. Le petit garçon dort à poings fermés. La jeune maman sourit. Chaque fois qu'elle regarde son enfant, elle est submergée par une vague d'amour. Elle n'avait jamais rêvé d'avoir des enfants un jour, et voilà que le simple fait de regarder son fils l'émeut au plus haut point. En fait, depuis le jour de la naissance d'Adrien, sa vie est complètement bouleversée. Elle prend doucement son bébé dans ses bras et rejoint Damienne.

— Tu peux m'aider à l'installer ? lui demande-t-elle en lui tendant le bout de tissu.

— Bien sûr. Tenez-le debout devant vous. On va essayer de ne pas le réveiller, il a l'air tellement bien !

— Oui, contrairement à toi et moi, lui, il dort quand il veut !

— Et il se réveille aussi quand il veut, ajoute la servante en souriant.

— J'ai remarqué, oui. Allons-y avant que mon petit homme se fasse entendre.

— Je vous suis.

Quand elles débouchent sur la grève, le spectacle qui s'offre à elles est désolant. Elles avaient tout nettoyé, et là la grève est jonchée de troncs rejetés par la mer. De nombreux arbustes ont plié l'échine au passage de l'orage. Un peu partout, des épinettes noires ont été déracinées.

— La bonne nouvelle, dit joyeusement Marguerite, c'est que nous ne manquerons pas de bois cet hiver. Et la mauvaise, c'est que nous ne sommes pas sorties de l'auberge. Il nous faudra des jours pour remettre de l'ordre sur la grève.

— Et couper les troncs pour en faire des bûches, dit Damienne.

— Étant donné que nous risquons de brûler ce bois plus tard cet hiver, et peut-être seulement l'année prochaine, je pense que nous devrions simplement l'éloigner du rivage, ce qui lui donnera le temps de sécher. Cet automne, nous pourrons le transporter près de notre cabane, au cas où nous en aurions besoin. Qu'en dis-tu ?

— Je suis d'accord. Avez-vous vu la barque ?

Avant de répondre, Marguerite regarde autour d'elle. De prime abord, aucune trace de l'embarcation. Cette fois, elle sent une vague de colère l'envahir. Il faut absolument qu'elles la retrouvent, elles en ont besoin pour aller pêcher. Où peut-elle bien être passée ?

— Va voir à droite, dit-elle à Damienne, je vais à gauche.

Quand elle aperçoit la barque, cachée derrière un petit bosquet, la jeune femme s'écrie :

— Viens m'aider, je l'ai trouvée. Et la toile est juste à côté.

Dès que sa servante la rejoint, Marguerite lui dit :

— Nous avons eu de la chance. Elle aurait aussi bien pu prendre le large. Je pense qu'il vaudrait mieux que nous l'attachions à un arbre.

— Je vais chercher la corde.

En attendant Damienne, Marguerite en profite pour observer les canards de mer. Elle mettrait sa main au feu qu'ils ont au moins doublé en nombre. C'est alors qu'elle décide de partir à la chasse aux œufs. Elle marche prudemment sur les rochers. À chaque pas qu'elle fait dans leur direction, des dizaines de canards s'envolent au-dessus de sa tête. Une fois à la hauteur du premier nid, elle se penche, tasse les nombreuses plumes qui le recouvrent et voit trois œufs. Elle est si contente qu'elle se retient de crier pour ne pas réveiller son fils. Elle va enfin pouvoir déguster une omelette baveuse. Elle dépose délicatement les œufs dans sa poche et avance jusqu'au prochain nid. Cette fois, ce n'est pas trois mais bien quatre œufs qu'elle ramasse. Elle jubile. Elle se rend au prochain nid et répète le même scénario, jusqu'à ce qu'elle ait une bonne douzaine d'œufs dans ses poches. Elle est fière comme cela n'est pas possible. Il y avait si longtemps qu'elle attendait ce moment qu'il lui arrivait de penser qu'elle ne mangerait jamais son omelette.

Dès qu'elle aperçoit Damienne, elle sort un œuf de sa poche et le brandit au-dessus de sa tête avant de s'écrier :

— Que dirais-tu de manger une bonne omelette ce soir ?

À la voir aussi heureuse, la servante sourit en allant la rejoindre.

— Vous avez l'air d'une petite fille. Jamais je n'aurais cru qu'un jour quelques œufs de canard vous rendraient aussi enjouée.

— Réalises-tu que cela fait plus d'un an que je n'en ai pas mangé ?

— Eh bien ! pour un bout de temps, vous pourrez en déguster lors de chaque repas si le cœur vous en dit, mais ne me demandez pas de faire de même.

— Sais-tu de quelle façon nous pourrons les conserver ?

— Non, j'y réfléchis depuis un moment déjà et je n'ai pas d'idée. Nous pourrons les mettre sur la glace dès que les icebergs commenceront leur progression.

— Tu es certaine qu'on peut geler les œufs ? C'est la première fois que j'entends cela.

— On ne perd rien à l'essayer, qu'en dites-vous ?

— Tu as raison. Viens, allons attacher la barque avant qu'elle parte au vent.

— Et vos œufs ? Vous êtes certaine de vouloir les garder dans vos poches ?

— Oui, je ferai attention, c'est tout.

— Comme vous voulez.

Elles commencent par décider de l'endroit où elles vont l'attacher. Elles se placent ensuite à chaque bout de l'embarcation et la soulèvent difficilement pour la transporter. Alors qu'elle s'apprête à la déposer par terre, Marguerite l'approche un peu trop près d'elle, et c'est alors qu'elle entend un léger craquement venant de sa poche droite. Elle laisse tomber la barque sans avertir Damienne et se dépêche de tâter ses œufs à travers le tissu de son pantalon. Elle fait vite le décompte et grimace. À la voir, Damienne éclate de rire.

— Je vous l'avais dit ! s'écrie-t-elle.

— Ce n'est pas grave, se dépêche d'ajouter Marguerite. D'après mes calculs, il doit y en avoir seulement un de cassé, ou deux, dans le pire des cas.

— Croyez-moi, c'est bien assez. En tout cas, ce n'est pas moi qui vais laver votre pantalon cette fois. Il n'y a pas grand-chose qui me répugne, mais la texture d'un œuf cru, oui.

— N'en fais pas tout un plat, je le laverai. Après tout, ce n'est pas si terrible.

— Ça paraît que vous n'y avez jamais touché.

— Pour tout te dire, c'est la première fois que je mets des œufs de canard dans mes poches. C'était aussi la première fois que j'en faisais la cueillette. Et je n'ai pas eu encore la chance de toucher à des œufs cassés.

— Eh bien! tant mieux, ajoute Damienne en riant, vous serez comblée.

— J'ai la vague impression que tu te moques de moi.

— Moi? Jamais je n'oserais! Venez, on va porter vos œufs à la cabane avant que vous les cassiez tous. Aidez-moi à transporter la toile.

Quand elles arrivent à la cabane, elles constatent que l'eau s'est pratiquement toute retirée. Damienne sur les talons, Marguerite pénètre la première. Elle n'a pas fait deux pas qu'elle s'arrête net. Sa servante vient d'ailleurs près de lui rentrer dedans. La jeune femme entend de drôles de petits cris. Elle se tourne vers Damienne et lui fait signe d'écouter. Avant même que les femmes aient identifié les sons, de minuscules souris passent entre leurs pieds. En les voyant, Marguerite crie si fort qu'Adrien se réveille en sursaut. La seconde d'après, elle est imitée par Damienne. La cabane est infestée de petites souris qui cherchent soudainement un endroit pour élire domicile. Sans même s'en parler, Damienne court vite chercher la pelle, et Marguerite, le balai. Commence alors une chasse effrénée, que même les pleurs du petit garçon ne peuvent arrêter. Il n'est absolument pas question qu'elles dorment avec des souris.

# Chapitre 31

C'est la troisième fois en autant de repas que Marguerite mange une omelette. Damienne la regarde et sourit. Ce qui l'étonne, c'est que sa maîtresse mange encore avec autant d'appétit que lors de la première bouchée d'omelette engloutie la veille. Cette image restera d'ailleurs marquée à jamais dans la mémoire de la servante. La jeune femme a d'abord pris le soin de dresser la table comme lors des jours de fête. Elle s'est servi une tasse de vin. Elle est même allée cueillir des fleurs, qu'elle a mises devant ses ustensiles. Tenant fièrement son trésor dans ses mains, elle a déposé son assiette avec précaution à sa place, s'est assise et a remplit ses narines de cette odeur qu'elle espérait depuis si longtemps. Elle a ensuite porté sa fourchette jusqu'à ses lèvres, les a doucement entrouvertes et a déposé sur sa langue cette bouchée d'omelette tant attendue. Même sans crème et sans beurre, à lui seul ce mets aux œufs la rendait heureuse. C'est alors qu'elle a fermé les yeux et qu'elle a commencé à mastiquer délicatement, en prenant le temps de profiter de ce petit plaisir hors du commun. Bouchée après bouchée, elle a répété le même rituel. Impressionnée, Damienne l'a observée sans dire un mot. C'est seulement lorsque Marguerite lui a parlé que la servante a réalisé qu'elle avait complètement oublié de manger.

— J'ai une idée pour conserver les œufs en attendant que les icebergs commencent leur progression.

Sans même attendre que Damienne parle, elle poursuit :

— En fait, ce n'est pas une mais deux idées que j'ai. Nous pourrions les mettre dans la source. L'eau est si froide que je suis certaine que cela ferait l'affaire.

— L'idée est bonne, mais comment allez-vous les protéger des bêtes ?

— Attends un peu, je ne suis pas rendue là. Je suggère aussi d'aller les porter dans la grotte.

— On pourrait essayer vos deux suggestions si vous voulez, mais je suis loin d'être certaine que c'est bon pour les œufs d'être submergés pendant une si longue période. La coquille risque de ramollir. Quant à la grotte, elle est fraîche, mais peut-être pas suffisamment, sans compter que c'est tellement humide ! Je ne suis pas certaine que ce soient des conditions idéales pour conserver des œufs.

— Je suis d'avis qu'on en mette aux deux endroits. Nous ne perdons rien à essayer.

— Comme vous voulez, mais dans les deux cas il faut les déposer dans quelque chose.

— Réfléchissons ! lance Marguerite en se grattant le front.

Cela fait plus de cinq minutes que les deux femmes cherchent une solution à leur problème. Fidèle à son habitude, quand elle réfléchit, Marguerite se promène de long en large, alors que Damienne reste sur place. Chacune passe en revue tout ce qu'elles possèdent. Tout à coup, Damienne s'écrie :

— Je sais ce qu'on devrait faire.

— Vas-y, je t'écoute.

— À bien y réfléchir, je pense que la grotte serait le meilleur endroit. On n'a qu'à prendre l'un des barils dans lesquels on mettait l'eau de pluie avant.

— Mais comment allons-nous déposer nos œufs dedans sans les casser ? C'est profond, ces barils-là !

— Je sais, mais on n'a qu'à mettre nos œufs dans un panier qu'on attachera dans le haut du baril. Comme cela, on n'aura aucune difficulté à prendre nos œufs quand on les voudra.

— Attends ! Es-tu bien certaine que la grotte est assez froide ?

— Finalement, je crois que oui. Ce sera mieux que de les mettre sur la glace ; et puis, de toute façon, nous aurons de la glace seulement dans quelques semaines. Et en ce qui concerne la source, on n'a rien pour protéger nos œufs de l'eau ni des bêtes.

Marguerite réfléchit un petit moment avant d'ajouter :

— Mais le baril, il va falloir le transporter jusqu'à la grotte ! Tu n'y penses pas, il est lourd !

— Êtes-vous en train de me dire que vous refusez de faire le moindre effort pour manger des œufs durant tout l'été ?

— Tu ne comprends pas, se dépêche de dire Marguerite, la grotte n'est pas à côté. Comment allons-nous apporter le baril jusque-là ? Même vide, il ne sera pas moins encombrant !

— C'est simple, les endroits où on peut le rouler, on le roulera ; et pour le reste, vous prenez un bout, et moi l'autre. Lorsque le baril sera en place, on reviendra ici chercher les œufs et on retournera les placer dedans. Je voudrais bien qu'il se transporte jusque-là sans que je fasse d'efforts, mais je ne possède pas de pouvoirs magiques.

— Arrête de dire des bêtises ! s'exclame Marguerite. Je ne t'en demande pas tant ! C'est d'accord pour la grotte. Crois-tu que nous pourrions aller porter le baril aujourd'hui ?

— Si vous voulez, il ne fait pas trop chaud, on pourrait en profiter. On ira y déposer les œufs demain.

— Il faut d'abord que j'aille les chercher.

— Je vous donnerai un coup de main.

— Ce n'est pas la peine, tu n'en manges même pas.

— Ça ne m'empêche pas de vous aider.

— D'ailleurs, tu ne m'as jamais dit pourquoi tu ne mangeais pas d'œufs.

— Ah! C'est une vieille histoire. Lorsque j'étais jeune, je jouais avec les enfants de nos voisins, les de la Salle. Quand ils étaient petits, c'étaient de vrais petits diables.

— Je n'aurais pas dit cela à les voir aller, dit Marguerite.

— Ils jouaient constamment des tours. Dans le temps, aucun des trois frères n'avait une bonne réputation. Tout le monde les craignait; mais moi, c'étaient les seuls amis que j'avais et je dois dire que je m'entendais plutôt bien avec eux. Un jour, on s'est rendus sur le bord de la rivière pour pique-niquer. Une fois arrivés, on a sorti ce qu'on avait apporté pour manger, on avait l'habitude de tout partager. Avant, j'étais comme vous, j'étais folle des œufs. Mes préférés étaient ceux que l'on fait bouillir dans l'eau avec la coquille. Dès que j'ai vu que les garçons en avaient apporté, j'en ai tout de suite pris un. C'est là que j'aurais dû me méfier. Je vois encore leur sourire. Ils me surveillaient du coin de l'œil; aucun d'eux n'avait pris un œuf, ce qui ne leur ressemblait pas du tout. Tout comme moi, ils adoraient les œufs bouillis. J'ai craqué l'œuf, j'ai vite enlevé la coquille et j'ai mordu à pleines dents. Une seconde plus tard, je crachais sans pouvoir m'arrêter pendant que les trois garçons se tenaient les côtes tellement ils riaient. Ils avaient fait cuire des œufs pourris pour me jouer un tour. Je n'arrivais pas à m'enlever le mauvais goût que j'avais dans la bouche. Depuis ce jour, je n'ai plus jamais été capable de manger un seul œuf.

— Quelle histoire! En tout cas, avec des amis comme eux, tu n'avais pas besoin d'ennemis. Mais il faudra bien que tu passes par-dessus tout cela un jour ou l'autre.

— Pourquoi? Je vis très bien sans œufs, et je préfère vous les laisser.

— Belle excuse. Tu as vu le nombre de canards qu'il y a sur la grève? Même à deux, jamais nous ne pourrons manger tous les œufs qu'ils ont pondus. Demain, je vais t'en faire bouillir et ils ne seront pas pourris, tu as ma parole.

— Ce ne sera pas nécessaire, je vous l'ai dit, je vous les laisse. Mais vous savez, vous n'êtes pas obligée de ramasser tous les œufs, il faut qu'il en reste pour que les canards se reproduisent. Et on pourrait en faire rôtir aussi.

À ces mots, Marguerite sourit et ajoute :

— Je vais chercher Adrien et nous irons porter le baril dans la grotte.

— Pendant ce temps, je vais aller m'assurer que le baril est bien vide.

Elles ont bien essayé de rouler le baril, mais le chemin était trop accidenté ou encore trop étroit. Au bout du compte, elles ont dû le transporter quasiment jusqu'à la grotte ; elles avaient hâte d'arriver.

Une fois devant la grotte, elles ont eu des sueurs froides quand elles ont vu l'entrée. Elles étaient loin d'être sûres que le baril passerait. Damienne a allumé une chandelle et elle est vite allée la porter à l'intérieur. Elles ont ensuite soulevé le baril au-dessus de leurs épaules – c'est à cette hauteur que l'ouverture était la plus large – et elles ont réussi à le rentrer de justesse. S'il avait eu un doigt de plus sur la largeur, elles n'auraient pas réussi. Elles l'ont déposé au milieu de la grotte et ont pris le temps de reprendre leur souffle avant de sortir. Damienne a ramassé la chandelle et fermé la marche.

À l'extérieur, elles prennent une grande respiration. Vraiment, elles préfèrent toutes les deux l'air libre à celui de la grotte.

— Nous ne saurons jamais ce que Francis avait derrière la tête quand il nous a dit qu'il fallait absolument aller voir la grotte, dit Marguerite, mais pour ma part, jamais je ne viendrai dormir ici.

— Moi non plus, pas avec les chauves-souris, mais peut-être qu'il voulait simplement s'en servir pour conserver les provisions.

— Nous ne pouvons pas tout entreposer ici en raison de l'humidité. Pense à nos petits fruits séchés.

— Je ne suis pas tout à fait d'accord avec vous. Je crois que si l'on dépose nos provisions dans le baril, et que celui-ci est bien scellé, on ne devrait pas avoir de problème. On pourrait mettre un peu de poisson fumé avec les œufs.

— Nous ne risquons pas grand-chose à essayer. En retournant à la cabane, j'aimerais te montrer quelque chose.

— De quoi s'agit-il? demande Damienne, soudain très curieuse d'en savoir plus.

— Patiente un peu, lance Marguerite, tu n'es pas obligée de tout savoir tout de suite. Suis-moi, c'est près du marécage.

Une fois sur place, la jeune noble se penche et tire sur une plante. Elle la secoue pour enlever la terre qui la recouvre en partie et la remet à Damienne en lui disant:

— Je trouve que cela ressemble étrangement à de l'oignon. Qu'en penses-tu?

Damienne prend la plante dans ses mains et l'observe un instant.

— On dirait un poireau, dit-elle, mais cela n'en est pas un. C'est peut-être un oignon.

— Un oignon peut-il être aussi long et mince?

— Rien de mieux que d'y goûter pour le savoir. Le temps de l'essuyer et je me lance.

— Et si c'est vénéneux? demande Marguerite.

— Entre vous et moi, les chances que ce soit comestible sont bien plus grandes. Vous venez peut-être de faire une grande découverte. Croyez-vous vraiment que je vais me priver?

Damienne ne fait ni une ni deux et croque à pleines dents dans le bulbe blanc qui était en terre. Instantanément, un large sourire embellit son visage. Elle imagine déjà tous les plats dans lesquels elle pourrait ajouter ce merveilleux légume.

— Et alors? demande Marguerite d'un ton impatient. Vas-tu me dire ce que c'est?

— Vous aviez parfaitement raison! Je mettrais ma main au feu que c'est un oignon. Ce sera délicieux avec le poisson.

— Et le gibier, les moules…

— En avez-vous vu beaucoup?

— De ce côté du marécage, il y en a plein. Regarde, il y en a partout! Crois-tu que nous devrions ramasser ces plants tout de suite ou attendre plus tard?

— On pourrait faire un essai. On en prend plus que nécessaire pour le souper et on verra bien si ce légume résiste à la chaleur comme les bons vieux oignons français.

Au moment où elle se penche pour tirer quelques tiges, le petit Adrien commence à pleurer.

— Il est vraiment sage, cet enfant, dit Damienne, il se laisse promener toute la journée sans jamais pleurer, sauf quand il a faim.

— Mais là, je crois bien qu'il n'a pas seulement faim. Une odeur qui n'a rien à voir avec les roses vient jusqu'à mon nez, sans compter que je sens une chaleur tout à coup sur mon ventre.

— Oh! Oh! Je crois bien que c'est l'heure de le changer.

— Et de me changer aussi par la même occasion. Si tu veux bien, je vais te laisser ramasser les oignons pendant que je rentre tout de suite à la cabane m'occuper de mon petit trésor.

— Allez en paix, je vous rejoins dans quelques minutes.

Une fois seule, Damienne recueille une bonne douzaine de bulbes et les met de côté. Elle fait le tour du marécage pour évaluer la quantité dont elles pourront disposer. Elle constate vite qu'il y en a partout, ce qui est une bonne chose. En y regardant de plus près, elle découvre de longues tiges vertes au cœur du marécage, qui ressemblent étrangement à des plants d'avoine ou de riz sauvage. «Il faudrait que j'aille voir ça de plus près, pense-t-elle. On pourrait porter la barque jusqu'ici.» Elle met sa main au-dessus de ses yeux pour les cacher du soleil et tente ainsi de mieux explorer les lieux du regard. «Je suis bien trop loin» se dit-elle. Trop curieuse pour attendre, elle décide d'aller vérifier par elle-même. Elle enlève vite ses chaussures, roule le bas de son pantalon et met un premier pied dans le marécage. Elle est aussitôt entraînée et cale dans la boue jusqu'aux cuisses.

— Me voilà dans de beaux draps, dit-elle. Comment sortir d'ici toute seule? Chaque fois que je fais une nouvelle tentative, je m'enfonce un peu plus.

Marguerite a terminé d'allaiter Adrien depuis un bon moment quand elle commence à s'inquiéter de l'absence de Damienne. «Ce n'est pas dans ses habitudes de traîner comme cela, pense-t-elle. Je devrais aller voir ce qui lui arrive avant qu'il fasse noir.» Elle prend son fils et le serre contre elle. Le marécage est assez près pour qu'elle puisse l'amener en le gardant dans ses bras.

Une fois sur place, elle découvre d'abord la botte d'oignons soigneusement déposée par terre. Au moment où elle allait se plier pour la ramasser, elle entend une petite voix derrière elle:

— Vous pourriez m'aider, s'il vous plaît?

Surprise, elle se tourne et avance prudemment en direction de la voix. Quand elle voit sa servante dans la boue jusqu'à la taille, elle éclate de rire et lui dit:

— Tu parles d'une façon de ramasser des oignons ! Veux-tu bien me dire ce que tu fais au beau milieu du marécage ?

— J'ai vu des plantes un peu plus loin et je voulais savoir si c'était du riz ou de l'avoine.

— Et alors ?

— Aidez-moi à sortir d'ici au lieu de vous moquer de moi. Je ne sais pas si vous le savez, mais la boue, c'est froid.

— Mais il paraît que c'est excellent pour la peau ; enfin, c'est ce que les anciens disaient.

— Laissez faire les anciens et sortez-moi d'ici au plus vite.

— Je vais chercher une corde et je reviens.

— On n'aura pas besoin de corde. On devrait y arriver si vous me tendez vos mains.

— Mais j'ai le bébé.

— Déposez-le par terre une minute, propose Damienne d'une voix qui trahit son impatience de se retrouver sur la terre ferme.

Marguerite dépose délicatement son fils par terre et vole au secours de sa servante. Elle s'approche et lui tend les mains.

— Maintenant que je vous tiens, dit Damienne, reculez tranquillement afin que je retourne au bord.

Quelques secondes suffisent pour sortir Damienne de la boue. Elle est tellement sale qu'elle fait peur à voir. Aussi une légion de petites bestioles sont-elles collées à elle ; Marguerite a un haut-le-cœur en les voyant. Elle s'essuie vite les mains dans l'herbe et se dépêche de reprendre son bébé dans ses bras. À bonne distance de sa servante, elle lui dit en grimaçant :

— Tu es dégoûtante, il va falloir que tu passes par la source pour te nettoyer.

— J'avais remarqué, répond simplement Damienne. Je vous remercie de m'avoir sortie de là. Une chance que vous êtes venue.

— Il n'y a pas de quoi. Tu ne pourrais pas enlever quelques-unes des sangsues que tu as sur le corps ?

— Chaque chose en son temps. Pour le moment, je vais me dépêcher de me déshabiller et de me laver. Après j'enlèverai ces indésirables.

— Attends-moi à la source, je vais te chercher des vêtements propres. Il n'est pas question que tu rentres dans la cabane avec tous tes nouveaux amis.

— Comme vous voulez.

Ce soir-là, les deux femmes rient de ce qui est arrivé à Damienne. Demain, en allant porter les œufs à la grotte, elles apporteront la barque et se rendront au marécage afin de vérifier de quelles plantes il s'agit.

— Peu importe, dit Damienne, que ce soit de l'avoine ou du riz, ce sera parfait pour moi.

— Pour ma part, je préférerais que ce soit du riz. Je ne suis pas très friande d'avoine.

— Il faudra attendre à demain pour le savoir. Bon, vous m'excuserez mais je vais dormir.

— Ne rêve pas trop à la boue !

# Chapitre 32

— Mon pauvre petit garçon, tu t'es fait dévorer le cou par les moustiques. Je devrai t'enfiler des moufles si tu n'arrêtes pas de te gratter.

— Ils sont encore plus voraces que l'année dernière, ajoute Damienne. Je le plains, le pauvre enfant. Je suis vieille et, si je ne me retenais pas, je me gratterais jusqu'au sang.

— Regarde ici ! Il s'est tellement gratté que la plaie est infectée et je n'ai rien pour le soulager. Il est bien trop petit pour souffrir, ce n'est pas juste. Moi, jamais un moustique ne me pique.

— Vous en avez de la chance, c'est bien vrai. La seule chose qui me soulage un peu, ce sont des compresses d'eau salée. Je peux aller vous chercher un peu d'eau de mer, si vous voulez.

— Ce serait gentil, merci.

Marguerite prend son fils dans ses bras et lui tient les mains pour l'empêcher de se gratter. Mécontent, il chigne et tente de se libérer.

— Tu es mon prisonnier, lui dit-elle en le bécotant partout. Il n'est pas question que tu te sauves. Je te tiens !

\*\*\*

Au moment où elle arrive sur la grève, Damienne croit avoir une vision. Un grand canot d'écorce gît sur les roches. Prenant son courage à deux mains, elle s'en approche. Une fois à la hauteur de la croix qu'elles ont dressée à la mémoire de Francis, elle aperçoit une vieille femme à la peau foncée et au regard perçant qui l'observe. Elle sent la peur la gagner, mais elle la fixe à son tour. « Elle ne peut pas être bien méchante, elle nous a laissé des cadeaux à deux reprises » pense la servante. Au bout de quelques secondes qui lui ont semblé une éternité, la vieille Sauvagesse se dirige lentement vers Damienne, sans la quitter des yeux. Arrivée à sa hauteur, elle lui prend les mains et les serre dans les siennes. Touchée par son geste, la servante lui sourit. À la vue des innombrables piqûres de Damienne, la vieille femme passe doucement sa main sur le cou de celle-ci et lui fait signe de la suivre. Au bout de quelques pas seulement, elle se penche et ramasse une poignée de feuilles d'une plante verte qui pousse au ras du sol et les dépose dans la main de Damienne, à l'exception d'une seule. La Sauvagesse la met dans sa bouche, la mâche et, quand la feuille est réduite en bouillie, elle la recrache dans sa main et l'applique sur son propre bras. Elle fait ensuite signe à Damienne de faire de même, partout où elle a des piqûres. La servante hoche la tête pour confirmer qu'elle a bien compris. Elle range ensuite précieusement les feuilles dans sa poche.

La vieille Sauvagesse s'éloigne un instant. Elle va chercher un sac dans son canot et revient vers Damienne, qui lui fait signe de la suivre. Ensemble, elles prennent le chemin qui mène à la cabane. Avant même d'ouvrir la porte, la servante s'écrie :

— Marguerite, nous avons de la visite !

Surprise par ce qu'elle entend, la jeune femme se dit qu'elle a sûrement mal compris. À la blague, elle répond :

— Si c'est mon oncle, je ne suis pas là.

Comme la jeune femme finit sa phrase, la vieille Sauvagesse fait son entrée. En la voyant, Marguerite se fige. Habituellement si prompte à réagir, elle perd tous ses moyens. Au fond, elle ne croit pas ce qu'elle voit. « Comment pourrait-il y avoir une vraie Sauvagesse dans notre cabane ? » se demande-t-elle.

En la voyant ainsi, Damienne lui dit :

— Voyons, Marguerite, souriez ! Faites quelque chose, je vous en prie ! Ce n'est pas un mirage, c'est une vraie personne.

Approchez-vous, touchez-la, vous verrez bien. Elle est très gentille. Elle m'a déjà donné des feuilles pour soulager la démangeaison causée par les piqûres de moustiques.

Mais Marguerite ne réagit toujours pas. On dirait que quelqu'un l'a changée en statue de sel. Elle a entendu tout ce que sa servante a dit, mais on dirait qu'elle ne parvient pas à tout assimiler. Étonnée par l'attitude de sa maîtresse, Damienne s'approche d'elle et la pince pour la faire réagir.

— Aïe! Tu me fais mal! Arrête cela!

— Voulez-vous bien revenir sur terre? On a une visiteuse; vous pourriez au moins être polie.

C'est alors qu'un sourire se dessine lentement sur les lèvres de Marguerite. La vieille Sauvagesse s'approche d'elle, prend ses mains dans les siennes et la regarde intensément. La jeune femme a l'impression d'être totalement nue. C'est la première fois que quelqu'un la regarde de cette façon et pénètre ainsi jusqu'au fond de son âme. Pas un seul mot n'a encore été prononcé et elle a pourtant l'impression que cette vieille Sauvagesse la connaît mieux que quiconque.

La visiteuse laisse Marguerite et va jusqu'au berceau. Elle se penche pour mieux voir l'enfant. Quand elle remarque les nombreuses piqûres sur le cou et les bras, elle se tourne vers Damienne et lui tend la main. Celle-ci lui donne quelques feuilles qu'elle remet tout de suite à Marguerite. La jeune femme plisse les yeux, ne sachant quoi faire avec cela.

— Contentez-vous de la remercier pour le moment, lui dit Damienne, je vous expliquerai quoi faire avec ces feuilles plus tard. On pourrait au moins lui offrir le thé!

Marguerite lui fait un signe de la tête. Elle s'avance ensuite jusqu'à la table et invite la vieille Sauvagesse à s'asseoir. Puis elle lui dit, en se montrant du doigt:

— Marguerite.

La vieille Sauvagesse répète lentement le nom de la jeune femme. Puis, à son tour, elle dit en se pointant de l'index :

— Nita.

— C'est un bien joli nom, ajoute Marguerite après l'avoir répété.

Leur visiteuse regarde partout. Quand ses yeux se posent sur l'ours dessiné par Marguerite, elle se lève et l'indique du doigt en disant :

— Nita.

— Je ne suis pas certaine de comprendre, dit Marguerite à l'intention de Damienne, mais je crois qu'elle est en train de m'expliquer que « Nita » signifie « ours ».

— C'est possible, répond Damienne. Je ne sais rien au sujet des Sauvages.

— Moi non plus. Approche-toi pour qu'elle apprenne ton nom.

— J'arrive avec le thé.

Damienne verse le thé dans les tasses et en offre une à leur invitée, qui est revenue s'asseoir à la table. La servante regarde la Sauvagesse et lui dit en se montrant du doigt :

— Damienne.

La vieille Sauvagesse répète le prénom de la servante à quelques reprises et lui sourit. C'est alors que Marguerite indique son bébé du doigt et dit :

— Adrien.

De leurs trois prénoms, celui-ci semble le plus difficile à prononcer. Nita tente de le répéter sans y arriver, et finalement les trois femmes éclatent de rire. Elles boivent ensuite tranquillement leur thé en souriant. C'est la première fois que Marguerite et Damienne rencontrent quelqu'un qui ne parle pas la même langue qu'elles. C'est aussi la première fois qu'elles sont obligées d'utiliser une tout autre forme de langage pour communiquer.

La vieille Sauvagesse sort chercher son sac et le met sur ses genoux. Elle en sort trois petits pots en terre cuite et un plus grand. Elle les dépose tous sur la table. Les deux femmes ont bien hâte de savoir ce qu'ils contiennent. Comme si elle lisait dans leurs pensées, la vieille Sauvagesse ouvre le premier pot et leur fait signe de tremper un doigt dedans.

— On dirait de la gelée de pommes, s'écrie Marguerite.

— Vous avez raison! J'adore cela. Je me régale déjà à l'idée d'en mettre sur mes crêpes.

— Nous devrions lui en cuisiner.

— Attendez de savoir ce qu'il y a dans les autres pots, s'exclame Damienne, curieuse.

La servante ouvre le deuxième contenant. Cette fois, c'est un goût tout à fait nouveau qu'elles découvrent.

— C'est bon, dit Damienne, mais je n'ai aucune idée de ce que c'est. Ce n'est pas sucré et il y a plein de petits grains jaunes croquants dedans. J'en mangerais avec de la viande.

— Moi, cela me plaît bien.

Quand elles trempent leur doigt dans le troisième pot, elles se regardent et éclatent de rire. Ce goût-là, elles le reconnaîtraient parmi cent.

— J'adore cette petite crème dorée, s'écrie Damienne.

— Crois-moi, tu n'es pas la seule. Et cette fois, je te jure que tu ne la mangeras pas toute seule.

Il ne reste plus que le grand pot à ouvrir. La vieille Sauvagesse s'exécute, mais au lieu de leur faire tremper le doigt dedans, elle en verse un peu au fond de leur tasse et leur fait signe de boire. Dès que le liquide or et onctueux touche leurs lèvres, les deux femmes ont l'impression d'être transportées dans un autre monde. Elles boivent tranquillement leur thé pour faire durer le plaisir.

— On dirait la crème dorée, lance Damienne, mais liquide.

— C'est à la fois semblable et différent. Je crois bien que c'est ce que je préfère. Je n'ai qu'une envie, en boire à même le pot.

— Que je ne vous y prenne pas! ajoute Damienne en riant.

La vieille Sauvagesse les observe et sourit. Pas besoin de comprendre ce qu'elles disent pour savoir qu'elle leur a fait plaisir. Les deux femmes referment les pots et la remercient en inclinant la tête. On ne pouvait pas leur faire plus beau cadeau que ces petites douceurs.

Elles amènent ensuite leur invitée voir leur jardin. Quand elle aperçoit les plants bien vigoureux, la Sauvagesse sourit à pleines dents. Il faut dire qu'ils ont repris du poil de la bête depuis l'orage qui a failli les faire mourir. Elle s'approche, touche un plant et monte ses mains jusqu'au-dessus de sa tête. La maîtresse et la servante essaient de comprendre ce qu'elle cherche à leur dire.

— Je crois que j'ai enfin saisi, s'écrie Damienne. Elle nous montre la hauteur qu'atteindront ces plants.

Nita refait le même exercice pour chaque nouvelle variété. Les deux femmes ne savent pas plus ce qui est en train de pousser, mais au moins elles ont une bonne idée de la hauteur qu'atteindront leurs pousses.

Leur invitée s'attarde ensuite devant l'arbre du temps. Elle passe sa main sur les marques faites par le couteau. L'arbre est toujours en deux morceaux depuis l'orage, mais Damienne continue tout de même à graver une marque chaque matin. Si elles restent une année de plus sur l'île, elles devront prendre un autre arbre.

— Il serait grand temps de s'occuper de cet arbre, nous ne devrions pas le laisser comme ça, dit Marguerite.

— C'est vrai, répond Damienne, je vais m'en occuper demain.

— Mais j'y pense, s'écrie Marguerite, tu pourrais en profiter pour lui demander si elle a un produit pour soulager tes jambes.

— Et comment je lui explique cela ?

— Par des gestes ! Jusqu'à maintenant, cela a plutôt bien fonctionné.

C'est alors que Damienne tente d'expliquer à la vieille Sauvagesse qu'elle a mal aux jambes. Marguerite se retient de rire tellement elle trouve sa servante drôle. La vieille Sauvagesse regarde attentivement les deux femmes et essaie de comprendre de quoi il est question. Tout à coup, un éclair passe dans ses yeux. Elle vient de saisir ce que Damienne tente de lui expliquer. Sans aucun préavis, elle la prend par la main et l'emmène jusqu'à la grève. Elle ramasse des algues noires et lui montre qu'elle doit les appliquer sur ses jambes. La servante lui sourit pour la remercier. Damienne avait tout à portée de main pour se soulager des piqûres de moustiques et de son mal de jambes, mais elle ignorait que ces deux plantes pouvaient lui être utiles. « C'est trop bête ! » pense-t-elle.

La vieille Sauvagesse remonte ensuite dans son canot et retourne d'où elle vient. En voyant Damienne rentrer seule à la cabane, Marguerite lui dit :

— Elle reviendra. Chaque fois que nous aurons besoin d'elle, elle reviendra.

— Comment pouvez-vous en être aussi certaine ?

— Je le sais, c'est tout.

# Chapitre 33

— Tu aurais dû me voir sauter sur le dernier iceberg, s'écrie Marguerite d'une voix remplie de fierté en tirant d'une seule main la barque pleine de glace, comme si elle était vide. J'avais l'impression d'avoir des ailes.

— Mais je vous ai vue, répond Damienne en riant. Dois-je vous rappeler que j'étais ici avec votre petit Adrien ?

— D'où tu étais, tu n'as sûrement pas tout vu ! Quand je pense à toutes ces années perdues à avoir peur de ceci et de cela, ajoute-t-elle sur un tout autre ton, j'en ai la nausée. Je suis pathétique ! Si je n'avais pas été aussi casse-pieds, Francis serait probablement encore de ce monde. Tu ne peux pas savoir à quel point je me déteste parfois.

— Je vous arrête tout de suite ! Ce n'est pas votre faute s'il est mort, c'est comme cela, c'est tout. Il faudra vraiment que vous cessiez de croire que vous êtes responsable de sa mort. Je vous le répète, vous vous faites du mal inutilement.

— Je sais, mais c'est plus fort que moi. Et c'est encore pire quand je produis les mêmes actions que lui.

— Alors, puisque c'est comme cela, je suis prête à me passer de glace.

— Il n'en est pas question, se dépêche de dire Marguerite. Je ne t'embêterai plus avec mes histoires, c'est promis. Cette fois, c'était la dernière. J'aime aller chercher de la glace. Quand je saute sur un iceberg, je me sens bien, je me sens utile.

— Mais tout ce que vous faites est utile. Nourrir votre fils, le changer, le cajoler, l'endormir. Préparer les moules, transporter le bois, pêcher des crevettes. Tout ce que l'on fait a sa raison d'être et ce n'est pas nécessaire de faire toujours de grandes choses. Vous êtes bien dure avec vous.

— Je sais, mon père me l'a répété jusqu'à la veille de sa mort. Bon, assez parlé, il faut que nous transportions notre glace jusqu'à la cabane.

— Prenez votre fils, je m'en charge.

— Comme tu voudras, répond simplement Marguerite avec une pointe de déception dans la voix.

Elle serre le petit Adrien contre sa poitrine et va s'asseoir sur sa roche plate, face à la mer, et laisse libre cours à ses souvenirs. Elle n'était alors qu'une petite fille, et déjà son père la grondait parce qu'elle n'était jamais contente de ce qu'elle faisait.

— Regardez, père, ce n'est pas parfait. La patte de mon cheval est bien trop grosse !

— Moi, je la trouve très belle, Marguerite. C'est vrai qu'avec le temps tu les réussiras encore mieux, mais pour le moment tu as de quoi être fière.

— Non, père ! Je vais jeter mon dessin et en faire un plus beau, juste pour vous.

— Attends avant de le déchirer. J'ai une idée. Nous allons l'afficher sur le mur du couloir et nous ferons de même chaque fois que tu en feras un nouveau. De cette façon, tu pourras constater à quel point tu t'améliores.

— Mais je ne veux pas garder tous mes dessins ! Je veux conserver seulement ceux qui sont parfaits.

— Écoute-moi, avait-il ajouté doucement en s'abaissant pour être à la hauteur de sa fillette. Toute ta vie, même si tu dessines jour et nuit, jamais tu n'atteindras la perfection.

— Pourquoi ? avait demandé Marguerite, tout étonnée.

— Tout simplement parce qu'elle n'existe pas. Avec le temps, tu maîtriseras mieux ton art, mais pour l'instant tu dois apprendre à apprécier ce que tu fais.

— Je ne veux pas garder un dessin où mon cheval a une jambe plus grosse que les autres, avait-elle dit. Mon cheval Barbe ne mérite pas cela.

À ces mots, son père n'avait pu réprimer un sourire. Il voyait bien qu'il avait peu de chance de la faire changer d'idée, du moins ce jour-là.

— Dommage que tu n'acceptes pas de reconnaître tout ce que tu fais de bien, la vie serait tellement plus facile pour toi.

— Oui, mais voyons, père, dans la vraie vie, un cheval a quatre pattes pareilles.

— C'est ce que tu penses, mais si tu observes bien, tu verras que tout ce qui t'entoure n'est pas parfait, et pourtant, tout est superbe !

Ce jour-là, Marguerite avait fini par accepter que son père affiche son dessin sur le mur du couloir. Chaque fois qu'elle en créait un nouveau, il prenait le temps de le comparer au précédent, en insistant sur la qualité de son travail.

Marguerite sourit. Au moment où elle s'apprête à se lever de la roche plate pour rejoindre Damienne, son fils manifeste son mécontentement. Elle le regarde avec amour et lui donne de petits baisers sur le front, mais l'enfant n'entend pas à rire. Quand c'est l'heure de boire, il devient intraitable si elle ne le nourrit pas dans la seconde, ce qui la fait bien rire.

— Je ne sais vraiment pas de qui tu tiens toute cette impatience, lui dit-elle en le chatouillant sous les bras. Allez, souris un peu ! Tu le sais bien que je vais te donner à manger.

Mais plus elle le fait patienter, plus il pleure fort.

— Allez viens, mon petit trésor, nous serons plus confortables dans la cabane. Tu devras patienter encore une bonne minute, ajoute-t-elle en lui pinçant le menton.

Repu après le repas, Adrien dort maintenant à poings fermés. Marguerite le regarde en souriant.

— Je n'ai jamais vu quelqu'un d'aussi impatient, dit-elle à Damienne.

— Moi si, répond la vieille servante, et pour être franche, vous connaissez très bien cette personne.

— Tu te trompes, je ne suis pas aussi impatiente que lui…

— À tout le moins, vous êtes de la même famille, c'est certain. J'ai rangé la glace dans le coffre, ajoute Damienne, et j'en ai même eu assez pour en mettre au fond du baril dans la grotte.

— Tu as eu le temps de tout faire cela ?

— Oui, j'ai même désherbé le jardin.

— Tu es vraiment efficace. Que dirais-tu si nous allions à la chasse au phoque ?

— Maintenant ?

— Quand tu veux ! C'est à toi de décider puisque c'est toi qui chasse. Moi, je t'aiderai seulement lorsque la bête sera morte.

— Pas de problème, c'est là que le travail commence. On pourrait y aller après avoir mangé.

— Tu es certaine que cela nous laisse assez de temps pour dépecer notre prise avant la noirceur ?

— Je crois que oui. De toute façon, c'est seulement pour faire de l'huile. Ce n'est pas comme si on voulait conserver la chair de ces mammifères. L'important, c'est de mettre les restants à l'abri des bêtes jusqu'à demain. J'ai gardé quelques morceaux de glace, cela devrait faire l'affaire.

— Je vais cuisiner pendant que tu prépares ce dont nous avons besoin.

— Ce ne sera pas tellement long. J'ai besoin d'un fusil, d'un peu de poudre et de beaucoup de chance.

— Ne sois pas si modeste, tu ne rates jamais ta cible. Il y avait une bonne vingtaine de phoques qui se faisaient dorer au soleil ce matin. J'apporterai un panier pour transporter les morceaux de celui que nous tuerons, ce sera plus facile.

* * *

Son fils bien attaché devant elle, Marguerite suit Damienne de près. Elle ne veut rien manquer de cette première chasse au phoque. Ce n'est pas parce qu'elle tient à remplacer Damienne, mais comme on ne sait jamais ce que l'avenir nous réserve, il vaut mieux en savoir plus que moins.

Damienne reste à bonne distance de la douzaine de phoques, bien installés sur les roches, au bord de la mer. Elle prend le temps de les observer un à un. Certes, elle pourrait tirer sur le premier venu, mais elle doit tenir compte de certains éléments. Une fois le phoque mort, il ne faut pas qu'il tombe à l'eau. Elle doit aussi être capable de le dépecer sur place, sans risquer de tomber au moindre mouvement. Une fois sa proie choisie, elle se place en position de tir, et sitôt le coup parti, un seul phoque reste sur la grève, pendant que les autres retournent à l'eau à la vitesse de l'éclair. Marguerite est folle de joie.

— Tu es une championne ! s'écrie-t-elle.

— Ce n'était pas si compliqué.

— À mon tour de te faire la leçon. Lorsque quelqu'un nous fait un compliment, nous sommes censés le remercier, sans plus. Ton objectif était de le tuer et il est mort ; alors bravo, tu as réussi.

— Vous avez raison, je ne suis pas habituée à me faire complimenter. En fait, vous êtes la seule qui me faites des compliments.

— Alors aussi bien t'habituer parce que, tant que nous serons sur l'île, je serai la seule à t'en faire.

— Merci, Marguerite ! Venez, on va voir notre phoque de plus près.

Debout devant leur prise, les deux femmes en font le tour en se demandant comment elles devraient s'y prendre pour la dépecer. Il faut dire qu'elles n'ont aucune expérience en la matière. Couteau à la main, Damienne trace une ligne sur toute la longueur de l'animal, et une autre dans l'autre sens.

— En coupant des carrés de grosseur raisonnable, dit celle-ci, on devrait être capables de les mettre dans notre panier.

— Je suis prête à effectuer le premier voyage, ajoute Marguerite. Crois-tu que le phoque est lourd ?

— Impossible pour moi de dire son poids, mais il est sûrement très pesant. Regardez, je n'arrive même pas à le faire bouger d'un poil en le poussant avec mon pied. Je ne comprends pas comment une bête aussi massive peut nager avec autant d'agilité.

— Ce n'est pas le seul mystère de la nature.

— Vous avez bien raison. Bon, à l'attaque.

Damienne plante la lame de son couteau dans la chair du phoque. Celle-ci rentre comme dans du beurre. Elle trace un premier carré et, sans hésiter, met une main de chaque côté pour le retirer. Au moment où elle tente de le soulever, elle se rend compte que c'est beaucoup plus lourd qu'elle le croyait. Elle se tourne vers Marguerite et lui dit :

— Il va falloir que je tranche des morceaux plus petits ; vous n'avez même pas idée à quel point c'est lourd. Il vaut mieux vous préparer, vous devrez faire de nombreux voyages. Déposez votre panier par terre, je vais quand même essayer de placer ce premier morceau dedans. Reculez un peu, sinon vous vous ferez éclabousser de sang.

Marguerite s'éloigne un peu. Non seulement elle ne veut pas que Damienne la salisse, mais elle ne tient surtout pas à perdre connaissance. Elle détourne le regard. Quand elle voit sa servante forcer comme un bœuf pour soulever le premier morceau, elle n'est plus certaine d'avoir envie de le transporter.

— Laisse-moi essayer de le soulever, lui propose-t-elle.

Elle prend une grande respiration avant de soulever le panier, tout en gardant une certaine distance pour ne pas blesser son bébé.

— C'est bien ce que je croyais, dit Damienne en la voyant forcer à son tour. Attendez, je vais couper ce morceau en deux. Il faudrait que vous apportiez un autre panier en revenant. Comme cela, je pourrais en remplir un pendant que vous allez vider l'autre.

— Ne t'emballe pas trop, je risque d'être beaucoup moins vite que toi avec le couteau.

— Je sais tout cela, ne vous inquiétez pas. Quand j'aurai fini de dépecer la bête, je vous aiderai.

Le soleil vient de se coucher lorsque les deux femmes rapportent les derniers morceaux de phoque. Marguerite a tenu le coup. Elles n'ont qu'une idée en tête : se reposer un peu avant de dormir. Elles sont crevées. Au moment où Marguerite s'assoit, son fils la réclame. Après avoir soupiré un bon coup, elle le change et lui donne à boire. Damienne prend ensuite le bébé. Elle le fait sauter sur ses genoux, ce qui semble lui plaire puisqu'il sourit.

— Demain, dit Damienne après avoir déposé Adrien dans son berceau, on essaiera de tirer de l'huile.

— Je suis certaine que nous réussirons. Tu vas m'excuser, mais je suis tellement fatiguée que je dors debout. Je vais me coucher.

— Vous pouvez souffler la chandelle. Bonne nuit, Marguerite !

Damienne reste un moment dans le noir. Elle sirote son thé et pense à tout ce qu'elles ont fait pour la première fois depuis leur arrivée sur l'île. Aujourd'hui, elles ont chassé le phoque. Elle ne l'a pas dit à Marguerite, mais elle est très heureuse de ne pas être obligée d'en manger. Elle a eu beau se laver les mains encore et encore, elle sent toujours l'odeur de la bête sur ses doigts. Quand elle regarde ses mains, c'est le sang du mammifère qu'elle voit dessus. Elle pense ensuite à son père. Il serait sûrement très fier d'elle. C'est grâce à lui si elle en sait autant. Sans lui, elle serait très malhabile. Si son père était là, à côté d'elle, il lui dirait probablement qu'il l'envie. Chaque jour, elle apprend de nouvelles choses, et son père aimait apprendre. Il ne cessait de lui répéter que chaque personne pouvait repousser ses limites, et que, si elle voulait, elle serait capable de grandes choses. Elle sourit et dit tout bas :

— Merci, papa, pour tout ce que tu m'as montré.

Elle avale ensuite sa dernière gorgée de thé, se lève et va se coucher sans même se déshabiller.

# Chapitre 34

Bien assise sur la mousse, son petit garçon collé contre sa poitrine, Marguerite ramasse les derniers bleuets de la saison. En fait, il serait plus juste de dire qu'elle mange les derniers bleuets à même les talles. Tant qu'elle n'y goûte pas, elle peut en cueillir autant qu'il y en a; mais lorsqu'elle en met un dans sa bouche, elle est incapable d'arrêter d'en manger. Elle aime cette petite baie plus que toutes les autres. Elle est toute ronde, douce comme de la soie, bien juteuse et juste assez sucrée. Même séché, ce fruit ne perd pas de saveur, contrairement aux autres. Elle et Damienne en ont d'ailleurs fait sécher une grande quantité au plus fort de la récolte.

Adrien grandit vite. Il est de plus en plus souvent éveillé et, la plupart du temps, il gazouille quand sa mère le porte ainsi. Quand il n'en peut plus de regarder partout, il fait une petite sieste. Elle ne peut pas comparer son bébé à d'autres, puisque c'est le seul qu'elle connaisse et qu'elle ait vu d'aussi près de toute sa vie, mais elle le trouve bien sage. Elle ignorait totalement ce qui l'attendait avant qu'il vienne au monde, mais pour être franche, elle croyait que ce serait bien plus exigeant que ce qu'elle vit présentement. Damienne lui dit souvent qu'elle a un bon bébé. La dernière fois qu'elle l'a entendu lui dire cela, elle a plissé les yeux et lui a répondu : «Voyons donc, cela n'a pas de sens. Un bébé est un bébé. Il n'est ni bon ni mauvais.» C'est alors que Damienne lui a expliqué que certains dorment très peu, par exemple, alors que d'autres sont toujours malades ou très grincheux. Et Marguerite a ajouté : «Entre toi et moi, il fallait bien qu'il y ait au moins quelque chose de facile dans ma vie…»

Marguerite arrête un peu de manger. Elle regarde son panier, et quand elle voit qu'elle n'a pas encore couvert le fond, elle se dit qu'il est grand temps qu'elle se mette au travail. Comme son fils vient de s'endormir, elle redouble d'ardeur et fredonne une vieille chanson que lui chantait sa mère quand elle était petite. Damienne arrive sur ces entrefaites. Elle reste un petit moment en retrait et écoute sa maîtresse chanter. Chaque fois qu'elle l'entend, elle se sent transportée dans un autre monde, un monde où tout est plus facile. Bien sûr, cela ne dure que le temps d'une chanson, soit trop peu à son goût.

Avant que Marguerite en entame une nouvelle, elle fait un peu de bruit pour ne pas la faire sursauter.

— Comment va la cueillette ? lui demande-t-elle.

— Pas très vite, lui répond la jeune femme d'un air un peu gêné.

La servante se penche au-dessus du panier de Marguerite. Elle connaît suffisamment sa maîtresse pour savoir ce qui s'est passé.

— Vous ne changerez donc jamais, s'exclame-t-elle en éclatant de rire. Trois bleuets pour vous, un pour le panier.

— Je ne veux pas te corriger, mais aujourd'hui, je dois bien admettre que ma moyenne est passablement inférieure à cela. Je sais, cela n'a pas de sens, mais je les aime tellement, ces fruits, que je ne peux me retenir d'en manger.

— Je vois bien cela. Le pire, c'est que vous mangez comme une ogresse et vous ne prenez jamais de poids, alors que moi j'engraisse juste à regarder la nourriture.

— Mais moi, je t'aime telle que tu es, ne l'oublie jamais. As-tu trouvé des nids d'abeilles ?

— J'en ai trouvé deux. Ils ne sont pas très loin d'ici.

— J'aimerais bien aller les voir en pleine nature. Tu peux me les montrer ?

— Je ne suis pas certaine que ce soit la chose à faire avec votre bébé.

— Pourquoi ? Tu as vu le nombre de piqûres qu'il a eues cet été et il s'en est bien tiré. Non, je ne vois pas de problème. Je resterai à une bonne distance, ne t'inquiète pas.

— Comme vous voulez, finit par dire Damienne. On peut y aller tout de suite et, à notre retour, je vous aiderai à remplir votre panier.

— Quelle bonne idée !

Damienne prend les devants. Quand elles arrivent près de l'endroit où la servante a vu l'un des deux nids d'abeilles, elle se retient de crier. Un grand ours s'apprête à mettre sa grosse patte dessus. Tout se passe très vite. Damienne étire le bras pour aviser Marguerite de ne pas faire de bruit, épaule son fusil, vise et tire. Le coup à peine parti, l'ours s'affaisse par terre et Adrien se met à pleurer.

— Et puis ? demande Marguerite tout en essayant de consoler son fils en se dandinant sur une jambe puis sur l'autre. Tu l'as eu ?

— Si je ne l'avais pas eu, j'aime autant vous dire qu'on serait déjà en train de prendre nos jambes à notre cou.

— J'aime mieux ne pas y penser ! Qu'est-ce qu'il faisait debout devant le nid ?

— C'est simple, il venait en manger le miel. C'est connu, les ours adorent le sucre. Encore heureux qu'il n'ait pas apporté le nid.

— En tout cas, ce n'est pas moi qui le lui aurait enlevé. Je me sens en sécurité quand sa peau me tient au chaud, mais je n'ai pas envie d'en rencontrer un quand je suis toute seule.

— On a de quoi être fières, on a notre troisième peau d'ours. On a dû patienter plusieurs mois, mais on l'a.

— Oui, mais entre toi et moi, elle arrive un peu trop tard. Elle était pour Francis.

— Eh bien ! la bonne nouvelle, c'est qu'Adrien en aura une. Dans peu de temps, lui aussi dormira sur une paillasse comme nous.

Marguerite ne relève pas le commentaire de Damienne. Elle a promis de vivre le moment présent, et c'est l'occasion parfaite de montrer à sa servante qu'elle est capable de le faire.

Les deux femmes s'approchent de l'ours et, par la même occasion, du nid. De nombreuses abeilles leur tournent autour. Alors qu'Adrien venait à peine de se remettre du coup de feu, voilà qu'une abeille lui enfonce son dard en pleine gorge, ce qui déclenche presque instantanément un flot de cris qui ne cessent d'augmenter en intensité. Damienne essaie d'analyser la cause de ces cris. Sur le moment, elle ne trouve rien.

— C'est la première fois qu'il pleure aussi fort, déclare Marguerite. Je vais le libérer et regarder de plus près ce qui ne va pas.

— On devrait d'abord s'éloigner un peu du nid avant. Je vais vous aider.

Maintenant dans les bras de sa mère, l'enfant pleure de plus belle. Les deux femmes inspectent le bébé, mais ne découvrent rien d'anormal. Il ne pleure plus, il hurle, et Marguerite est convaincue qu'il a du mal à respirer, même qu'il commence à râler. Elle est désemparée. Elle ignore quoi faire pour le soulager.

— Écoute ! dit Marguerite. On dirait qu'il respire de plus en plus difficilement. Dis-moi que je rêve !

La servante s'approche et confirme les craintes de sa maîtresse.

— Vous avez raison, il râle. C'est vraiment curieux. Il y a à peine une minute, il dormait à poings fermés et, tout d'un coup, il s'est mis à pleurer, puis à hurler, et là il râle de plus en plus fort. Je ne comprends pas. À moins qu'il se soit fait piquer par une abeille.

— Mais nous ne voyons rien.

— Attendez, il faut qu'on réfléchisse. Il est forcément arrivé quelque chose. Tournez-le, on n'a pas vérifié sous son menton.

En lui relevant la tête avec un doigt, Damienne voit tout de suite la source du mal.

— Regardez, il s'est fait piquer juste en dessous du menton et c'est enflé.

Marguerite observe à son tour.

— Je dois avoir des visions, car j'ai l'impression que cela enfle à vue d'œil. Qu'est-ce que nous pouvons faire ?

— Ma pauvre Marguerite, il n'y a pas grand-chose à faire, sauf espérer que tout rentre dans l'ordre au plus vite. Il vaudrait mieux qu'on retourne à la cabane, je reviendrai m'occuper de l'ours plus tard.

Une fois à l'intérieur de l'habitation, Marguerite dépose son fils sur sa paillasse et l'examine de nouveau. Sa gorge a encore enflé et il a de plus en plus de mal à respirer. La jeune mère est désespérée. Elle ne s'est jamais sentie aussi démunie de toute sa vie. De grosses larmes inondent son visage pendant qu'elle tente de consoler son petit.

— J'aurais dû t'écouter et ne pas y aller, dit-elle entre deux sanglots.

— Ce n'est pas votre faute, je vous interdis de penser cela. Il aurait très bien pu se faire piquer n'importe où, même dans la cabane. Et vous ne pouviez pas savoir qu'il réagirait aussi fortement à une petite piqûre d'abeille.

— Mais regarde, sa gorge est encore plus enflée. Crois-tu que nous pourrions mettre les feuilles que la vieille Sauvagesse t'a données pour les piqûres de moustiques ?

— Cela ne peut pas faire de mal, je vais en chercher tout de suite. En attendant, vous pourriez lui appliquer une compresse sur la gorge.

— Jure-moi qu'il va aller mieux, lance Marguerite en tirant le bras de sa servante, jure-le-moi, je t'en prie.

Damienne se garde bien de répondre et sort vite de la cabane ; elle se dirige vers la grève le plus vite qu'elle peut. Elle ne doit pas laisser Marguerite toute seule en ce moment. Elle cherche les petites feuilles vertes, celles-là même que Nita lui a montrées, mais dans son énervement elle n'arrive pas à en trouver, comme si, soudainement, elles avaient toutes disparu. Elle regarde partout et finit par en repérer quelques-unes. Elle les prend sans aucune précaution, en met deux ou trois dans sa bouche et commence tout de suite à les mâcher, tout en retournant à la demeure. À bout de souffle, elle ouvre la porte, retire les feuilles bien mâchées de sa bouche et, au moment où elle s'apprête à appliquer ce remède sur la gorge d'Adrien, elle aperçoit Marguerite, assise par terre, en pleine crise de larmes.

— Ce n'est plus la peine, parvient-elle à dire entre deux sanglots, il est mort.

— Qu'est-ce que vous me racontez là ? demande Damienne, certaine d'avoir mal compris.

— Il est mort ! Mon petit garçon est mort !

— Vous devez sûrement vous tromper. C'est impossible qu'il soit décédé. Il s'est juste fait piquer par une abeille, voyons donc. Il a dû s'endormir.

— Pendant que tu cherchais les feuilles, sa gorge a continué à enfler et il respirait de plus en plus difficilement. Il a arrêté de râler. Je l'ai pris dans mes bras, je l'ai serré contre moi, et j'ai compris qu'il avait cessé de respirer. Il est mort. Je l'ai secoué, encore et encore, mais cela n'a rien fait du tout. Je venais juste de le remettre dans son berceau quand tu es rentrée. Le mauvais sort s'acharne sur moi. J'ai perdu Francis et mon fils. Je n'en peux plus, Damienne, c'est trop dur.

— Ma pauvre Marguerite, dit-elle en la prenant dans ses bras, je ne sais pas quoi vous dire, sauf que c'est terrible ce qui vient d'arriver. Tout cela à cause d'une seule petite piqûre d'abeille, ce n'est pas juste. C'est moi qui aurais dû mourir, pas lui ! Il avait toute la vie devant lui, alors que moi je suis vieille et pleine de petits bobos. Ma pauvre Marguerite, vous n'aviez vraiment pas besoin de cela en plus.

— Je veux que nous l'enterrions là où nous avons planté une croix pour Francis.

— Tout de suite ?

— Oui, le plus vite sera le mieux. Je ne peux plus supporter de le voir sans vie. Et nous brûlerons son berceau aussi. Et tous ses vêtements.

— Voulez-vous que je m'en charge ?

— Non, j'y vais avec toi. Va chercher la pelle, je vais prendre mon fils une dernière fois dans mes bras.

Le cœur en miettes et le visage inondé de larmes, Marguerite ramasse tous les effets d'Adrien. Un à un, elle les dépose dans le berceau de l'enfant. Elle enveloppe ensuite son bébé dans une peau et le serre très fort contre elle. Elle pleure tellement que sa vue est brouillée. Aujourd'hui, quelque chose s'est brisé en elle, quelque chose de précieux qui ne pourra jamais être réparé. Au milieu de sa poitrine, elle sent un grand vide, comme celui qu'a laissé Francis en se noyant. Au fond d'elle-même, elle n'a qu'une seule envie : aller rejoindre ses deux hommes le plus rapidement.

Dès que Damienne revient, elle montre le berceau à Marguerite d'un signe de tête, le soulève et le transporte courageusement jusqu'à la grève. Jamais un 15 septembre n'aura été aussi triste, à tout le moins pour les deux femmes. Alors qu'elles tentaient de mettre un brin de douceur dans leur vie en cherchant un peu de miel, voilà qu'un des leurs s'éteint.

Comme si la nature comprenait à quel point elles sont tristes, un grand vent s'est levé il y a quelques minutes et la température a chuté de plusieurs degrés. Le bébé enterré, Damienne va chercher deux bouts de bois qu'elle cloue ensemble en signe de croix. Agenouillée devant la tombe de son fils, Marguerite pleure en silence. Le dos courbé, la tête penchée en avant, elle essaie de trouver une bonne raison, une seule bonne raison de vivre, maintenant qu'elle a perdu les deux hommes de sa vie, à quelques mois seulement d'intervalle.

Damienne l'observe à distance. Elle le voit bien, cette fois-ci, c'est trop d'émotions pour la jeune femme. Même si elle est forte, elle aura du mal à surmonter cette épreuve. Damienne fera tout pour aider sa jeune maîtresse, mais cette fois elle sait que la partie n'est pas gagnée d'avance. Elle s'approche de Marguerite et lui demande doucement, en lui mettant la main sur l'épaule :

— Vous êtes certaine de vouloir brûler le berceau et tout ce qu'il y a dedans ?

— Oui. As-tu apporté ce qu'il faut ?

— J'ai tout ce dont j'ai besoin, mais je trouve qu'il vente fort pour allumer un feu sur la grève.

— Laisse, je vais m'en charger. J'irai m'installer sur une roche, juste à côté de l'eau. Il faut que ce soit fait aujourd'hui.

— Si c'est vraiment ce que vous souhaitez, il n'y a pas de problème, je m'en occupe tout de suite.

Damienne s'installe le plus près possible de l'eau. Elle dépose le berceau entre deux roches et y met le feu. Le bois brûle en quelques minutes seulement, alors que le reste fume. En voyant cela, Damienne se dit que cela risque d'être long, trop long compte tenu des circonstances. Elle éteint le feu, même si les vêtements d'Adrien, ses couches et ses couvertures sont presque indemnes, et se dépêche de tout cacher sous une roche. Une fois qu'elle aura ramené Marguerite à la cabane, elle reviendra enterrer tout cela, ce sera beaucoup plus simple ainsi.

Elle s'essuie les mains sur son tablier et va trouver la jeune maman en deuil, toujours agenouillée au même endroit.

— Venez, cela ne donne rien de rester ici. Je vais vous préparer un thé.

— Je préfère rester encore un peu.

— Je ne peux pas vous laisser toute seule, je vous tiens compagnie alors.

— Ce n'est pas nécessaire, je ne ferai pas de bêtise, c'est promis.

— Je vais quand même rester avec vous, je vous dois au moins cela. C'est moi qui vous ai parlé des nids d'abeilles.

— Arrête, Damienne, sinon nous n'en sortirons jamais. Tu n'es pas responsable de ce qui vient d'arriver. C'est comme cela et c'est tout. Ni toi ni moi n'y pouvons rien. Retourne à la cabane, je te rejoins dans quelques minutes.

C'est bien à contrecœur que Damienne laisse Marguerite seule sur la grève ; de toute façon, elle ne pourra pas la suivre partout. Elle entre dans la demeure, prend son couteau et sort dépecer son ours. Il faut absolument qu'elle fasse quelque chose avant de devenir folle. Exceptionnellement, cette fois, elle ne gardera que la peau. Les loups pourront se régaler à sa santé ! Ce soir, elle a quelque chose de bien plus important à faire.

# Chapitre 35

Voilà déjà deux semaines qu'Adrien a quitté ce monde, par une belle journée de septembre, une journée qui s'annonçait comme les autres, mais qui a malheureusement tourné au drame. Depuis ce jour, Marguerite n'a pratiquement rien avalé ni rien dit. Elle passe son temps assise sur la roche plate quand il fait beau. Par jour de pluie, elle reste allongée sur sa paillasse à fixer le plafond. Damienne a essayé de la sortir de sa torpeur à plusieurs reprises, mais sans succès. Pour tout dire, elle n'a même pas réussi à lui tirer un seul petit sourire. Elle le voit bien, sa maîtresse souffre au plus haut point, mais son fils ne reviendra pas, pas plus que son père.

La bonne servante ne sait plus quoi faire. Elle prie à longueur de journée pour que Marguerite sorte de sa léthargie et reprenne enfin sa vie en mains. Elle prie aussi pour que sa maîtresse reprenne du collier et participe aux tâches. Damienne ne peut pas préparer la venue de l'hiver seule. Tous les jours, la vieille servante se répète qu'elle n'y arrivera jamais, même si elle se lève aux aurores et qu'elle se couche bien après le soleil. Il y a encore du bois à transporter, du poisson à fumer, des noisettes à ramasser, des nids d'abeilles à aller chercher, du miel à extraire, des peaux à tanner, de la viande à sécher. Et des tas d'autres choses à faire. Elle travaille tellement fort qu'elle n'a même pas le temps de penser qu'elle a mal aux jambes. Elle met le pied à terre dès qu'elle ouvre un œil et commence sa journée sans attendre. Entre ses différents travaux, elle veille sur Marguerite à distance et persiste à lui offrir à manger et à boire. « Il va pourtant falloir qu'elle change d'attitude rapidement, pense la vieille servante. Je n'ai pas envie de la mettre en terre avec les deux autres. »

Bien installée sur sa roche plate, les genoux remontés sous le menton, Marguerite regarde la mer sans la voir. Elle est là sans être là. Elle est ailleurs, mais elle serait incapable de dire où. Depuis la mort de son fils, elle ne trouve plus de sens à sa vie. Elle revoit sans cesse la scène, du moment où il s'est fait piquer jusqu'à sa mise en terre. Elle refuse qu'il soit décédé. La vie n'avait pas le droit de lui prendre aussi son fils. C'est trop injuste. Comment la mort peut-elle venir chercher un petit enfant de cet âge, alors qu'il n'a encore rien fait, si ce n'est embellir la vie de sa mère ? Comment ?

Le regard voilé par les larmes, elle ne voit pas que quelqu'un s'approche d'elle à pas feutrés. C'est seulement lorsqu'elle sent une main chaude sur son épaule qu'elle s'essuie les yeux et tourne la tête. Elle plonge alors son regard dans celui de Nita, la vieille Sauvagesse. Comprenant qu'il se passe quelque chose de grave, celle-ci prend la jeune femme dans ses bras et lui flatte doucement le dos. Les deux femmes restent ainsi pendant un long moment.

Quand elle parvient à arrêter de pleurer, Marguerite relève la tête et pointe la petite croix du doigt. La vieille Sauvagesse comprend vite ce qui s'est passé. Elle prend les mains de la jeune femme dans les siennes et les serre très fort. Ensuite, elle se lève et invite Marguerite à l'imiter. Elle l'amène jusqu'au canot et lui fait signe de monter. Sans réfléchir, la jeune femme s'installe dans l'embarcation et attend. Nita embarque à son tour, saisit ses rames et fait glisser le canot sur l'eau sans faire une seule éclaboussure. C'est la première fois que Marguerite s'éloigne autant de l'île depuis que les matelots de son oncle l'y ont déposée. Elle est bien allée fouler le roc des petites îles environnantes avec Francis, mais sans plus. Les deux femmes sont maintenant loin de l'île mais Marguerite n'est pas inquiète. Elle ignore où elles vont, mais cela n'a aucune importance, puisque de toute façon elle n'arrive plus à vivre sur cette île qui n'a de cesse de la faire souffrir un peu plus chaque jour. Elle y a vécu trop d'épreuves.

Après un bon moment, Nita bifurque vers la droite. En regardant bien, Marguerite aperçoit une pointe de terre au loin. Arrivées à destination, les deux femmes descendent du canot. Nita prend la main de Marguerite et l'amène de l'autre côté d'un petit bosquet. Quand la jeune femme voit le grand nombre de bâtons tous décorés différemment et plantés les uns à côté des autres, elle comprend vite que de nombreuses personnes ont été enterrées ici. Nita lâche la main de Marguerite et touche plusieurs stèles en tentant de lui expliquer de qui il s'agit. Marguerite ne comprend pas exactement ce que son amie lui explique, mais elle saisit rapidement qu'il est question de personnes que Nita aimait. La vieille Sauvagesse la regarde et lui sourit. Dans un effort suprême, la jeune femme parvient à lui rendre son sourire. Son cœur est en mille morceaux et certains ne se recolleront jamais, mais au moins elle est vivante, et tout comme Nita, elle doit continuer à vivre dans le monde des vivants et laisser les morts là où ils sont. Elle ne les aimera pas moins pour cela, et elle ne les oubliera jamais, mais en attendant elle doit vivre. « Je n'ai pas le droit d'abandonner Damienne comme je l'ai fait » pense-t-elle.

Sur le chemin du retour, Marguerite se surprend à observer le monde autour d'elle. Les oiseaux s'en iront très bientôt pour ne revenir qu'au printemps. La glace s'étendra bientôt d'une rive à l'autre. Les lièvres se couvriront de blanc pour se fondre dans la neige. Pendant ce temps, elle et Damienne panseront leurs plaies dans leur cabane, à côté d'un bon feu de bois, jusqu'à ce que le printemps vienne les surprendre.

Lorsque Nita et Marguerite reviennent sur l'île, Damienne ne se maîtrise plus. Elle est très inquiète. Elle a cherché sa maîtresse partout, sans la trouver. Elle a pensé au pire. Peut-être s'est-elle noyée ! Peut-être qu'un ours l'a attaquée et l'a traînée dans la forêt ! Peut-être... Dès qu'elle aperçoit le canot avec Marguerite à son bord, elle commence à mieux respirer. Les deux voyageuses n'ont pas encore mis le pied à terre que Damienne est déjà à côté d'elles. Elle voudrait parler, mais elle ne sait pas quoi dire. D'ailleurs, depuis deux semaines, rien de ce qu'elle a dit ou fait n'a porté ses fruits. En voyant sa servante dans cet état, Marguerite comprend vite la situation :

— Je te demande pardon, Damienne, dit-elle en lui sautant au cou, je n'avais pas le droit de t'abandonner.

— J'ai eu si peur, gémit-elle, j'ai pensé que vous étiez morte vous aussi.

— Nita m'a amenée voir leur cimetière, mais je te raconterai tout cela plus tard. Pour le moment, j'aimerais manger quelque chose.

— Avec grand plaisir, venez.

Les trois femmes se dirigent vers la cabane. Damienne dépose une grande assiette de poisson fumé sur la table et prépare du thé. Marguerite se gave, prenant à peine le temps de mâcher, ce qui fait sourire la servante. On dirait que d'un seul coup Marguerite revient à la vie, et cela, au plus grand bonheur de Damienne. Un peu en retrait, Nita assiste à cette nouvelle naissance et elle est très contente.

— Tu sais ce que je mangerais maintenant ? demande Marguerite.

— Non, je l'ignore, mais allez-y, je vous écoute.

— Je mangerais des bleuets séchés avec du miel.

— Vous pouvez manger des bleuets séchés, mais pour le miel, il faudra attendre la prochaine récolte.

— Et c'est pour quand ?

— Pour cet après-midi, si vous voulez, mais je ne suis pas certaine que ce soit une bonne idée.

— Je vais t'aider à récolter le miel. Ensuite, nous ferons des chandelles.

— Vous êtes sûre d'être capable de manipuler un nid d'abeilles après ce qui est arrivé ? Et même deux ?

— Aussi bien le faire aujourd'hui. Tu sais comme moi que, même si je le voulais, je ne pourrais pas éliminer toutes les abeilles de la terre. Et de toute façon, même si nous avions su qu'Adrien réagirait à ce point aux abeilles, nous n'aurions pas pu le protéger de leurs piqûres toute sa vie. En attendant le miel, je vais manger une bonne poignée de bleuets.

— Je vais les chercher.

— Reste assise, je suis capable de me servir. Montre plutôt à Nita les légumes que nous avons récoltés grâce aux graines qu'elle nous a données.

Damienne se lève et fait signe à leur amie de la suivre. Une fois dehors, elle ouvre une grande boîte de bois et lui montre de gros navets, quantité d'oignons et de choux bien dodus. Nita sourit. Marguerite les rejoint et l'emmène ensuite près du jardin, où courent encore les fils qui attachent d'énormes courges orangées les unes aux autres. En toute franchise, les deux femmes trouvent ces plants très beaux, mais elles ne savent pas du tout quoi en faire. La vieille Sauvagesse se met à parler dans sa langue, mais Damienne ne comprend rien. Elle hausse les épaules en retournant les mains, paumes vers le haut. Nita se met donc à gesticuler. Elle prend l'un des légumes, le détache de son plant et l'apporte dans la cabane. Après l'avoir déposé sur la table, elle saisit un couteau et le coupe en deux. Elle enlève les graines et les met de côté. Elle retire la pelure et coupe la chair en petits cubes, qu'elle dépose dans une marmite. Elle ajoute de l'eau et met le tout sur le feu. Pendant que cela chauffe, elle sort de la cabane et revient avec un navet, des oignons et un chou. D'une main habile et sûre, elle hache finement le chou et les oignons et coupe le navet en petits morceaux, après avoir enlevé la pelure. Elle sort de nouveau et revient avec une poignée d'herbes qu'elle dépose aussi dans la marmite. Les deux femmes la regardent faire et sourient. Depuis qu'elles sont sur l'île, c'est la première fois qu'une autre femme leur fait à manger. Même si elles ne savent pas trop ce que leur amie est en train de cuisiner, elles suivent de près toutes les opérations. Au bout d'un moment, Damienne va chercher un petit pot d'herbes salées qu'elle tend à Nita. Celle-ci en met un peu sur le bout de son doigt et y goûte. La seconde d'après, elle passe sa langue sur ses lèvres. En la voyant faire, Damienne se dit qu'elle lui en offrira un pot. La Sauvagesse en ajoute une bonne cuillère au mélange de légumes.

Satisfaite, Nita se frotte les mains, s'assoit et sourit à ses amies. Le potage commence à embaumer la pièce, ce qui n'échappe pas à Marguerite.

— Cela sent déjà très bon et j'ai bien envie d'en manger.

— C'est un peu comme la soupe aux légumes qu'on faisait à Pontpoint, dit Damienne. Vous avez raison de dire que cela sent bon. J'y pense, j'ai oublié de lui montrer l'épi.

Damienne va chercher un grand épi totalement recouvert de petits grains jaunes. Quand elle le montre à Nita, celle-ci le prend dans ses mains et fait mine de le gruger. Les deux femmes éclatent de rire. C'est exactement ce qu'elles ont fait quand les épis ont été mûrs. Elles se sont régalées chaque fois qu'elles en ont mangé, autant cru que cuit. Jamais elles n'avaient goûté un légume aussi bon; c'est à la fois sucré et crémeux, et cela a un petit goût de beurre. Elles n'ont conservé qu'un seul épi, pour pouvoir en planter le printemps prochain. Elles ont d'ailleurs fait de même avec tous les plants. Déguster des légumes leur a fait le plus grand bien, à la fois au cœur et au corps.

Le temps que le mets soit cuit, elles s'amusent à nommer les objets en français et Nita fait de même dans sa langue. Elles rient de plus en plus fort. Pour la plupart des mots, il n'y a vraiment aucune ressemblance. Elles ont toutes les trois beaucoup de mal à prononcer les mots dans l'autre langue.

Au bout d'un moment, Nita se lève et admire les dessins de Marguerite. Sans crier gare, elle sort de la cabane et revient quelques minutes plus tard avec des fleurs sauvages dans les mains. Elle les dépose sur la table et prend un dessin. Elle le pose à plat, à côté des fleurs, et fais signe à Marguerite de l'observer. La vieille Sauvagesse frotte son doigt sur le cœur de la fleur et vient déposer délicatement la couleur sur une partie du dessin. La jeune femme ne manque pas un seul geste. Elle pourra enfin dessiner en couleur. Nita lui tend une fleur. Marguerite reproduit l'action et se dépêche de regarder le résultat.

— Merci, Nita ! s'écrie-t-elle. Grâce à vous, mes dessins seront vraiment plus beaux.

— Vous devriez faire son portrait, propose Damienne.

— C'est une bonne idée. Je lui donnerai lors de sa prochaine visite.

La vieille Sauvagesse remplit ensuite trois bols de soupe à ras bord, laquelle sent vraiment très bon. Pendant que Nita boit d'abord le jus, Damienne et Marguerite goûtent à chacun des légumes. Le mélange est très savoureux. Elles se régalent.

— Nous devons maintenant trouver une façon de conserver le reste, lance tout à coup Marguerite.

— Ne vous en faites pas, nous avons encore quelques morceaux de glace.

— Tu es sérieuse ? Mais comment as-tu fait pour les conserver aussi longtemps ?

— C'est simple, j'ai utilisé la même méthode qu'en France, sauf qu'au lieu de les rouler dans des copeaux de bois, j'ai pris de la mousse. Il y en a partout.

— Il n'y a vraiment que toi pour penser à tout cela.

Leur soupe terminée, Nita prend congé. Elle tient précieusement son petit pot d'herbes salées dans ses mains. Elle salue ses amies et emprunte le petit sentier qui débouche sur la grève. Les deux femmes l'accompagnent. Debout sur les roches, elles lui envoient la main jusqu'à ce qu'elles ne la voient plus. Cette simple petite visite leur a fait le plus grand bien.

— Je suis si contente que vous alliez mieux, ne peut s'empêcher de dire Damienne. Jamais je ne remercierai assez Nita de vous avoir ramenée la vie.

— J'aurais bien voulu le faire avant, mais j'en étais incapable. J'avais l'impression d'être tombée dans un trou si profond que je n'arrivais plus à remonter à la surface, et ce n'est pas faute d'avoir essayé, crois-moi.

— Je n'ai jamais eu d'enfant, mais je peux comprendre que cela ne soit pas facile d'en perdre un, surtout de manière aussi bête.

— Mais la vie continue, c'est ce que je dois retenir de cette terrible leçon.

— Vous n'oubliez pas une petite chose ?

Marguerite a beau chercher, elle ne voit pas à quoi Damienne fait allusion.

— Un jour, vous retournerez en France.

À ces mots, la jeune femme hoche la tête. Chaque matin, elle se voit monter à bord d'un grand navire qui la ramènera enfin chez elle, avec Damienne.

— Oui, après avoir rencontré le roi pour récupérer mes biens, je réserverai ma deuxième visite à mon oncle. J'imagine déjà l'air qu'il aura quand je serai devant lui. Il croira d'abord qu'il a une vision, mais cela ne durera pas. Je lui dirai tout ce que j'ai sur le cœur depuis le jour où il nous a abandonnées sur cette île et je terminerai en lui annonçant que je reprends possession de tous mes biens.

— J'aimerais bien être là pour voir sa réaction.

— Mais tu seras là, je n'ai pas l'intention de t'abandonner ici.

— J'espère bien. Bon, si on s'occupait des nids d'abeilles ? Au moins d'un.

— Il est encore tôt dans la journée, nous devrions avoir le temps de vider les deux. Allons-y ! Je meurs d'envie de manger du miel.

# Chapitre 36

— Aïe ! Je me suis encore piquée, s'écrie Marguerite.

— Pourquoi ne portez-vous pas des moufles ? demande Damienne. C'est la seule façon d'y arriver sans trop souffrir.

— J'en ai, mais malgré tout, de temps en temps, les branches me piquent la peau. Si tu n'aimais pas autant les noisettes…

— Vous n'êtes pas obligée de m'aider, je peux très bien les ramasser toute seule.

— C'est pour t'agacer un peu. Tu sais bien que j'aime les noisettes autant que toi. La seule différence, c'est que, contrairement à toi, je me raisonne.

— Même si je les fais griller dans un peu de miel et que je vous les sers chaudes ?

— Là, si tu me prends par les sentiments, je ne garantis plus rien. En fait, je pense que c'est impossible d'aimer les noisettes autant que toi. Ne crains rien, nous ne partirons pas d'ici tant que nous ne les aurons pas toutes ramassées.

— Et les écureuils ? De quoi vont-ils vivre cet hiver ?

— À ta place, je ne m'inquiéterais pas trop pour eux. Je suis certaine qu'ils ont déjà fait des réserves. Peux-tu me rappeler quelle est la prochaine étape ?

— On laissera d'abord les enveloppes pourrir, ce qui prendra quelques semaines. Après on les dégagera de celles-ci.

— Et ensuite ?

— On les mangera, s'écrie Damienne, le sourire aux lèvres.

— Dommage que nous n'ayons pas d'arbre comme celui-là chez nous.

— Pour retourner à Pontpoint, je suis bien prête à me passer de noisettes.

— Tu en es bien certaine ?

— Absolument ! Même les gros crustacés n'arriveront pas à me retenir ici.

— Pareil pour moi, quoique je dois avouer qu'ils vont me manquer. Au fait, comme mon oncle a sûrement déjà repris la route, il faudrait que nous indiquions au prochain navire qui passera près que nous sommes ici.

— Je vous trouve bien optimiste tout d'un coup. Avez-vous une idée en tête pour signifier notre présence ?

— Pas pour le moment, mais j'y réfléchis sérieusement. Si ce sont des Basques, il y a fort à parier qu'ils voudront utiliser leurs abris temporaires. J'imagine qu'en ne les voyant pas ils chercheront dans les alentours. Comme nous sommes installées très près du rivage, ils devraient nous trouver.

— Et si c'est un autre navire ?

— C'est là que les choses se compliquent un peu. Nous ne pouvons pas faire un feu sur la grève chaque soir, nous n'aurons jamais assez de bois pour nous chauffer.

— On pourrait utiliser de l'huile.

— L'idée est bonne, mais il nous faudra d'abord estimer nos besoins pour ne pas en manquer.

— Oui, mais nous n'aurons pas à signifier notre présence tous les jours. Dès que la glace s'installera, les chances qu'un navire passe seront pour ainsi dire inexistantes. Celui qui oserait s'aventurer risque de rester coincé en cours de route.

— Je n'avais pas pensé à cela, mais tu as raison. Si on fait un calcul rapide, il y a de la glace à partir du mois de décembre, et ce n'est pas navigable avant le mois de mai.

— C'est facile à compter, on vient d'économiser six mois. Si on tue un autre phoque au printemps, on ne risquera pas de manquer d'huile.

— D'accord! Il nous reste à trouver comment nous allons procéder.

— Bon, j'ai complètement vidé les noisetiers qui m'entourent. Je peux vous donner un coup de main si vous voulez.

— Viens! Tu m'as bien dit que c'était la seule talle sur l'île?

— À ma connaissance, oui; mais il y a des chances qu'il y en ait ailleurs.

— Je crois bien que nous avons pris notre part, nous avons rempli six paniers. Tu devrais en avoir suffisamment pour passer l'hiver.

— Cela ira si vous me surveillez de près.

— Je n'ai pas très envie de te surveiller. Tu es assez vieille pour savoir ce que je fais.

— Pour être assez vieille, il n'y a pas à redire, je le suis. Est-ce qu'il vous arrive de trouver que la vie passe trop vite?

— Oui et non. Ne le prends pas mal, mais quand nous étions à Pontpoint, il m'arrivait souvent de trouver le temps long. Il est vrai que je n'avais pas beaucoup de raisons de me lever le matin, sinon pour me promener à cheval, recevoir des amis, lire, broder… J'avais l'impression de vivre pour rien. Puis il y a eu le voyage en mer. C'est lorsque j'ai commencé à donner un coup de main aux femmes qu'il y a eu un déclic. J'étais contente de me lever, même si je n'avais jamais fait quelque chose d'aussi difficile de toute ma vie. Le temps s'écoulait bien. Mais pour être franche, le seul moment où le temps me paraissait trop court, c'était quand j'étais avec Francis. Avec lui, il n'y avait plus de jour ni de nuit, plus de chaud ni de froid. Avec lui, je n'avais qu'une seule envie : profiter de chaque seconde au maximum.

— Vous étiez tellement beaux à voir.

— Mais tu vois, depuis qu'il n'est plus là, jamais je ne me suis sentie ainsi de nouveau.

— Même pas avec Adrien ?

— Te dire que c'était pareil serait te mentir. J'aimais mon petit garçon de tout mon cœur, et chaque fois que je le regardais, je revoyais son père. Malgré cela, je ne parvenais pas à retrouver l'état de bien-être dans lequel j'étais quand Francis vivait. Chaque instant passé avec mon mari était un cadeau du ciel. Je l'aimais, il m'aimait, et le reste n'avait pas d'importance.

— Vous avez de la chance d'avoir connu un amour comme le vôtre.

— Je sais, mais n'oublie jamais qu'il m'a quittée au moment où j'avais le plus besoin de lui.

— Il faut bien l'admettre, que ce soit ici ou ailleurs, la vie n'est pas toujours facile, et vous en êtes un exemple parfait.

— Ne va pas croire que je veuille me plaindre. Je n'ai qu'à penser aux femmes qui étaient avec nous sur le navire et, sans savoir quel genre de vie elles mènent au Nouveau Monde, je crois que notre vie ici est plus facile que la leur. Nous sommes prisonnières sur une île, et cela, personne ne peut le nier, mais nous sommes libres dans notre prison. Je les imagine obéissant au doigt et à l'œil à mon oncle, chaque fois qu'une nouvelle envie lui passe par la tête. Non, à tout prendre, je préfère de loin être ici plutôt qu'être avec elles, bien qu'elles me manquent.

— À moi aussi, elles me manquent ; on a bien ri avec elles. Vous souvenez-vous de la fois où vous avez pris une bouteille d'alcool dans la réserve de votre oncle ?

— Comment pourrais-je oublier cela ? Les femmes avaient toutes pris froid pendant la messe qui s'étirait. La pluie était si froide qu'elles claquaient des dents. Tu sais, ce jour-là, j'ai vraiment eu l'impression que le curé prenait un malin plaisir à les regarder se faire mouiller, alors qu'il était bien à l'abri avec mon oncle et les nobles. Crois-moi, porter la soutane ne garantit aucunement qu'on aime ses semblables. Il m'est arrivé plus d'une fois sur le navire de me dire qu'il n'y avait pas de justice. Ceux qui en faisaient le moins bénéficiaient des meilleures conditions à bord, alors que ceux qui travaillaient sans relâche avaient droit à très peu et souffraient énormément.

— C'est la même chose à terre vous savez.

— Oui, mais maintenant je ne pourrai plus faire comme si je ne le savais pas. D'ailleurs, je sais déjà que je ne pourrai plus mener la même vie qu'avant à mon retour en France.

— Que voulez-vous dire ?

— Ce que je sais, c'est que je ferai ce qu'il faut pour me rendre utile.

— Vous pourriez ouvrir une école.

— C'est une bonne idée. Je pourrais utiliser la cuisine d'été pour donner la classe, puisque de toute façon nous n'y allons plus depuis plusieurs années.

— Vous êtes bien consciente que vous vous exposerez aux critiques ?

— Je suis prête à courir le risque. Après tout ce que nous avons vécu depuis notre départ de Pontpoint, je doute fort que les racontars viennent m'affecter. Il y a une chose qui m'inquiète, par contre.

— Laquelle ?

— Si mon oncle parvient à retourner en France, il va sûrement se dépêcher d'aller chez moi prendre possession de mes biens.

— Il dira probablement que vous êtes morte en mer ou quelque chose comme cela.

— Là-dessus, je lui fais pleinement confiance. Tout ce que j'espère, c'est qu'il ne vendra rien avant mon retour. Ce sera beaucoup plus facile pour moi de récupérer mes biens s'il ne les a pas tous dilapidés.

— Il y a quand même quelqu'un qui s'occupe de vos affaires pendant votre absence.

— Oui, mais ce n'est pas cela qui impressionnera mon oncle. Tu le connais autant que moi, s'il n'obtient pas ce qu'il veut, il va tout simplement utiliser la force. Avec un fusil sur la tempe, personne ne résiste très longtemps.

— Bon, on a tout pris les noisettes. Que diriez-vous si on allait pêcher un peu ?

— Nous pourrions faire cuire le poisson avec des oignons.

— Et quelques morceaux de navet.

— Chaque fois que je mords dans une bouchée de légumes, je pense à Nita. Je ne la remercierai jamais assez de nous avoir donné un pot de graines. Depuis que nous avons des légumes, on dirait que tout ce que nous mangeons a meilleur goût.

— Je suis bien d'accord avec vous. On y va ?

— Je te suis.

Les deux femmes marchent en silence, chacune perdue dans ses pensées. Marguerite songe à Nita. Elle trouve dommage qu'elles ne parlent pas la même langue. Elles finissent par se comprendre à force de faire des signes, mais elle aimerait tellement en savoir plus sur le peuple de cette femme, sa vie, sa famille, ses coutumes. Elle aimerait lui parler d'elle, de sa vie en France. Nita semble plus âgée que Damienne. À cause de la peau de la Sauvagesse aussi plissée que celle d'une vieille pomme, Marguerite croit qu'elle approche la soixantaine. Pourtant, à voir avec quelle aisance elle se déplace sur la terre autant que sur l'eau, il devient impossible de lui donner un âge. Marguerite aime beaucoup cette femme. Avec elle, elle se sent en sécurité. Elle sait qu'elle peut compter sur elle, et cela lui fait beaucoup de bien. Chose curieuse, on dirait qu'elle arrive toujours au bon moment.

De son côté, Damienne pense au sieur de Roberval et aux propos que tenait Marguerite à son égard il y a quelques minutes. Elle n'est pas certaine que sa vie est mieux sur l'île que celle du reste de l'équipage, même en tenant compte de son oncle. Ici, elles sont laissées à elle-même. Elles ne peuvent compter sur personne d'autre qu'elles, et c'est très difficile par moments. La vieille servante essaie de faire son possible, mais la plupart du temps ce n'est pas encore assez. Il y a des moments où, malgré sa bonne volonté, son corps ne suit plus. D'ailleurs, depuis leur arrivée sur l'île, Damienne a remarqué qu'elle avait vieilli. Elle fait de son mieux pour le cacher à Marguerite, mais il y a des jours où elle est fatiguée, avant même de commencer sa journée. Les semaines qui ont suivi la mort d'Adrien lui ont demandé beaucoup d'efforts.

Dès qu'elles arrivent à la cabane, elles déposent leurs paniers de noisettes, prennent ce qu'il faut pour pêcher et se dirigent vers la grève. Elles ne devraient pas être obligées d'utiliser la barque. Le poisson est plus petit qu'au large, mais pour aujourd'hui ces prises feront l'affaire.

Sans se consulter, les deux femmes s'installent sur les roches et lancent leur ligne à l'eau. Moins d'une minute plus tard, Marguerite sort un premier poisson.

— J'en ai un ! s'écrie-t-elle. À toi maintenant.

— Je veux bien, mais cela ne se commande pas.

— Mais si, il y a des poissons plus qu'il n'en faut. Demandez et vous recevrez. N'est-ce pas ce qui est écrit dans la Bible ?

— Voulez-vous bien me dire ce que la Bible a à voir avec la pêche ? Ce ne sont que des mots. D'ailleurs, si c'était vrai, on serait retournés d'où on vient depuis très longtemps.

— Arrête de t'emporter de la sorte et met ta ligne à l'eau. Ce n'est sûrement pas en la gardant sur terre que tu vas prendre un poisson.

— Oui, oui, je la lance. Je vous gage que j'en aurai un plus gros.

— Vas-y, impressionne-moi. Je ne te l'ai pas dit, mais j'ai une faim de loup.

— Puisque nous sommes deux dans la même situation, il vaudrait mieux que vous remettiez votre ligne à l'eau. On ne sait jamais, le poisson a peut-être décidé de me bouder aujourd'hui.

— Tu as bien dit que tu en voulais un gros ? Tes désirs sont mes ordres. Regarde-moi bien aller.

Moins de deux minutes plus tard, Marguerite sort un nouveau poisson qu'elle met sous le nez de Damienne en disant :

— Aimerais-tu en avoir un autre ?

— Non, ça va aller. À la condition que vous mangiez le petit, et moi, le gros.

— Attends, je vais en pêcher un autre, au cas où.

Alors que Damienne n'a même pas eu une touche sur sa ligne, Marguerite sort un troisième poisson en claquant des doigts. Elle est folle de joie. C'est la première fois qu'elle remporte la partie à la pêche.

— Je sens que le poisson sera très bon, dit-elle en souriant.

— Cela vous dirait de regarder les étoiles ce soir? On pourrait faire un feu aussi.

— Je suis partante, mais seulement si tu t'occupes de faire cuire le poisson et que je me charge des légumes.

— Allons-y avant que vous vidiez la mer.

# Chapitre 37

— C'est la première fois que je perce une paire de chaussures, s'exclame fièrement Marguerite.

— Et c'est le seul endroit où nous ne pouvons pas les remplacer ! répond ironiquement Damienne.

— Ne t'en fais pas, nous trouverons bien une solution, nous en trouvons toujours.

— Mais là, c'est différent. Est-ce que les deux souliers sont percés ?

— Non, juste le pied droit. Regarde, ce n'est pas un gros trou. À mon avis, je pourrai passer l'hiver sans problème.

— Oui, mais après l'hiver, il y a le printemps, l'été et…

— Arrête ! On dirait que tu t'es levée du mauvais pied. Tu n'as pas l'habitude d'être aussi impatiente ; et puis, tu t'en fais pour rien. Je vais mettre des couvre-chaussures, comme l'année dernière. Mais dis-moi, est-ce qu'il y a quelque chose qui ne va pas ?

La bonne servante hausse les épaules. Elle ne sait pas quoi répondre à Marguerite. Si elle lui disait le fond de sa pensée, elle risquerait de la décourager et elle ne se le pardonnerait pas. Sa jeune maîtresse a déjà eu plus que son lot de misère. Pour tout dire, Damienne n'a pas envie d'affronter un autre hiver. Elle n'a plus envie d'être sur cette île. Tout ce qu'elle souhaite, c'est retourner à Pontpoint, dans le confort de leur grande maison. Avec le froid qui s'installe, il y a de fortes chances qu'elles ne retournent pas en France avant l'été prochain, et c'est à la condition qu'un navire passe devant leur île au printemps. Damienne ne rêvait pas de ce voyage, et plus le temps passe, plus c'est difficile. Même si elle cite les plus belles phrases de son père pour encourager Marguerite, la servante a du mal à garder le moral. La simple pensée de devoir s'enfermer pour de longs mois la fait frémir. Elle sait d'avance qu'elle aura encore plus mal aux jambes. Elle sait aussi qu'elle ne pourra pas aller chercher des algues pour se soulager ; elles seront toutes ensevelies sous la neige. Elle a l'air forte à première vue – et une partie d'elle l'est – mais plus l'hiver approche, plus elle a de la difficulté à rester de bonne humeur.

— C'est juste que mes jambes me font vraiment souffrir aujourd'hui, parvient-elle à balbutier.

— Et moi qui allais te demander de mettre de l'ordre dans tes affaires, ajoute Marguerite pour s'amuser, je pense que ce n'est pas le bon moment.

— Je vais faire mon possible pour tout ranger aujourd'hui, répond Damienne d'un ton neutre.

— Souris un peu, c'était juste pour te taquiner, tu as la mort dans l'âme. Le ménage peut très bien attendre demain !

Damienne esquisse un sourire forcé. Le cœur n'y est pas du tout. Elle a l'impression d'avoir l'estomac noué. Elle se sent si moche qu'il aurait peut-être mieux valu qu'elle ne se réveille pas ce matin.

Pour sa part, Marguerite croit que sa servante a également droit à son jour de déprime. Elle décide donc de la laisser tranquille.

— Je te promets de te laisser te reposer dès que nous aurons jeté un œil sur la liste des choses qu'il nous reste à faire avant l'hiver.

Damienne fouille dans sa mémoire. Plus vite elle répondra, plus vite elle pourra s'étendre sur sa paillasse et dormir. Elle lance donc :

— Il reste du bois à corder. Il faudrait tendre les collets et charrier de l'eau, puisque le baril est pratiquement vide. Je suis vraiment désolée de vous laisser tout faire seule, mais je ne...

Marguerite ne la laisse pas compléter sa phrase. Elle voit bien que sa servante n'est pas au meilleur de sa forme. Damienne est si mal en point que la jeune femme a l'impression d'être en face d'une tout autre personne.

— C'est inutile d'en ajouter. Je serais bien mal placée de me plaindre, puisque tu as fait les tâches toute seule plus d'une fois. Et je me sens invincible aujourd'hui. Repose-toi, je vais même aller te chercher des algues pour soulager ton mal de jambes. As-tu pensé à en ramasser pour cet hiver ?

— Oui, parvient à répondre Damienne, mais je ne sais pas comment les conserver.

— Laisse-moi y réfléchir. Bon, je pars et je reviens plus tard.

Une fois seule, Damienne pense à la chance qu'elle a de faire partie de la vie de Marguerite. Il y a bien des maîtresses qui n'accepteraient pas que leur servante soit malade, ne serait-ce qu'une toute petite journée dans l'année. Damienne s'est toujours considérée comme quelqu'un de bien et d'important. Tout comme leur fille, les parents de Marguerite étaient des nobles d'exception. Son père, qui était de nature plutôt réservée, et même froid aux dires de plusieurs, ne lui a jamais fait sentir qu'elle était inférieure. Pour lui, tout humain méritait d'être traité avec respect. Quant à sa mère, c'était la bonté même. Tout le monde l'aimait. Même lorsqu'elle était malade, c'est-à-dire la grande majorité de sa vie, jamais elle n'a crié après quelqu'un ni même haussé le ton. Elle était très sensible et s'en rendait compte quand quelque chose n'allait pas.

En ouvrant la porte, Marguerite sent une bourrasque de vent froid pénétrer ses vêtements. Même si octobre est habituellement associé à l'automne, sur l'île, c'est ce mois qui annonce l'hiver. Elle se dépêche de refermer derrière elle et remonte son col le plus haut qu'elle peut. Elle imagine sans peine qu'il fera encore plus froid sur la grève. Elle ne peut pas dire qu'elle soit amateur de l'hiver, ce serait mentir, mais elle doit quand même admettre qu'elle aime respirer cet air pur, propre à cette saison. Elle aime aussi lorsque tout est couvert de blanc, même les petits lièvres. La nature prend alors des allures de conte de fées. La lumière devient si scintillante qu'elle fait mal aux yeux. Même en pleine noirceur, sans aucune lune, il fait clair comme le jour. Marguerite met ses mains dans ses poches et rentre son cou dans ses épaules. Il fait vraiment froid, encore plus que lorsque la neige commence à tomber. À Pontpoint, cette période de l'année n'est pas idéale non plus. Le temps est frais, même s'il ne descend pas en bas du point de congélation, et l'air est humide. Il vous transit en moins de deux. À tout prendre, Marguerite préfère le temps qu'il fait sur l'île. Au cours de la dernière année, il n'y a pas eu plus de cinq jours d'inconfort en raison de l'humidité. En France, on ne compte plus depuis longtemps les jours où l'air est tellement humide que certaines personnes, qui connaissent des problèmes respiratoires, vont jusqu'à en mourir.

Elle ne s'était pas trompée, on dirait que la force du vent est décuplée sur la grève. Les vagues viennent fouetter les roches avant de mourir la seconde d'après. L'eau a pris sa couleur des jours de deuil. Elle est si sombre qu'on dirait que quelqu'un l'a peinturée. «Ça sent l'hiver à plein nez, songe Marguerite. Il vaut mieux que j'apporte vite les algues à Damienne et que je me mette au travail, parce qu'avec tout ce qu'il reste à faire j'en ai au moins pour trois jours.» Elle arrache une bonne douzaine d'algues noires et les tient solidement dans sa main pour ne pas que le vent les lui enlève. Avant de retourner à la cabane, elle prend le temps d'évaluer la quantité qu'il reste, puisqu'elle a l'intention de revenir en chercher le lendemain. Elle s'engage ensuite sur le petit sentier.

Elle ouvre doucement la porte, au cas où Damienne dormirait, et s'avance jusqu'à la paillasse de celle-ci. Effectivement, sa servante dort à poings fermés, même qu'elle ronfle, ce qui fait sourire Marguerite. « Et dire qu'elle ne me croie pas quand je lui dis qu'elle ronfle ! pense-t-elle. Dommage qu'elle ne puisse pas s'entendre ! Elle serait gênée. » Marguerite dépose les algues bien en vue sur la table, ajoute une épaisseur de vêtement et sort exécuter ses tâches. Aujourd'hui, elle se sent légère comme une plume. On dirait que quelqu'un a allumé une petite étincelle d'espoir en elle. Fidèle à son habitude, à son réveil, elle s'est imaginée montant à bord d'un grand navire en partance pour la France. Depuis qu'elle fait cet exercice, c'est la première fois qu'elle y croit autant. Elle ne sait pas quand ni à bord de quel navire elle fera le trajet, mais elle sait hors de tout doute qu'elle retournera dans son pays natal, et cela la rend heureuse. Elle se garde bien d'en parler à Damienne, elle n'a aucune envie que celle-ci éteigne sa flamme. D'ailleurs, sa servante l'inquiète ces temps-ci. C'est vrai qu'elle a pris de l'âge, mais il n'y a pas que cela ; Marguerite a l'impression qu'elle n'est plus aussi en forme ni aussi motivée qu'avant. Même si elle ne se plaint pas, elle a quelque chose de changé ; mais la jeune femme n'arrive pas à mettre le doigt dessus. « Je vais la surveiller de près, se dit-elle. J'y suis si attachée que je donnerais ma vie pour elle. Je ne peux pas imaginer ma vie sans elle, ne serait-ce qu'une seule seconde. »

Marguerite se met tout de suite au travail. Elle décide de commencer par aller tendre les collets. Elle prend tout ce qu'il lui faut, même un fusil et de la poudre, et à quelques pas de la cabane elle se penche pour poser le premier. À l'instant où elle termine sa tâche, un petit tamia s'approche d'elle. À sa vue, elle arrête de travailler et prend le temps de lui parler :

— Salut, toi ! Je ne savais pas que tu habitais ici. C'est la première fois que je te vois. Comment t'appelles-tu ?

Bien assis sur ses pattes arrière, le petit animal la regarde sans être le moindrement effrayé. Marguerite met la main dans sa poche et sort une noisette qu'elle lui lance. Elle en traîne toujours une poignée, au cas où elle aurait une petite fringale. Le temps d'un éclair, le petit rongeur se penche, prend son butin dans sa gueule et disparaît dans la nature. Marguerite se lève et se rend à l'endroit où elle tendra le prochain collet. Elle ne peut s'empêcher de penser à Francis. L'année dernière, elle les avait posés avec lui. Il avait pris la peine de lui montrer comment faire.

— Tu es toujours aussi patient ? lui avait-elle demandé.

— Disons que je le suis la plupart du temps.

— Qu'est-ce qui peut te rendre impatient ?

— Ma mère.

— Ta mère ? Mais je croyais que vous vous adoriez.

— C'est vrai, mais n'oublie pas que je suis son petit dernier. Il y a des jours où je pense qu'elle a oublié que j'ai vieilli, que je suis devenu un homme. Quand elle me traite comme un enfant et qu'elle veut tout décider pour moi, je perds patience et je lui dis parfois des choses que je regrette par la suite.

— J'ai de la difficulté à imaginer que tu puisses être méchant.

— Pourtant, c'est la vérité ; quand elle ne me lâche pas, je n'en peux plus et j'oublie que c'est ma mère. Je suis loin d'être parfait, tu sais.

— Pour moi, tu l'es presque, et c'est tout ce qui compte.

Au moment où elle allait se relever, le petit tamia se plante devant elle et attend.

— Tiens, te revoilà. Si tu veux devenir mon ami, alors il vaut mieux que je te donne un nom. Je vais t'appeler Petit Roux, comme le chien que j'avais quand j'étais enfant. Et moi, je m'appelle Marguerite. Qu'est-ce que tu as fait de ta noisette ? Je gagerais que tu es allé la cacher dans ta réserve. Je peux bien t'en donner une autre, mais ne le dis à personne.

La deuxième noisette à peine lancée, Petit Roux disparaît, comme la première fois. Marguerite le trouve bien drôle. Elle se souvient que Francis lui avait dit que, même s'ils sont jolis, les écureuils et les tamias ne sont rien d'autre que de vulgaires petits rongeurs, de la même famille que les rats et les souris ; mais cela n'empêche pas la jeune femme de les trouver beaux. Et puis, lui donner quelques noisettes, ce n'est pas si grave.

— Tu sais, Marguerite, lui disait Francis, il n'y a pas que de bonnes personnes sur la terre. Ton oncle, par exemple, à première vue, il paraît bien.

— Oui, c'est ce que je me disais moi aussi avant de me retrouver sur le navire avec lui. Chaque fois qu'il venait me voir, à Pontpoint, il portait un masque, celui de l'oncle aimant qui vient prendre soin de sa pauvre nièce orpheline. Et moi, comme la pire des idiotes, je l'ai cru, à un point tel que j'ai considéré son rêve de découvrir le Nouveau Monde comme étant aussi le mien.

— Oui, on peut dire qu'il a bien planifié son coup ; mais si cela peut te consoler, dis-toi que tu avais affaire à un maître. Tu sais, la bonté des gens n'a rien à voir avec la classe sociale.

— Il est quand même facile de voir qu'il y a plus de bonnes personnes parmi vous que parmi les nobles. D'où je viens, on dirait que les gens ont tous été façonnés à partir du même moule. Ils se croient au-dessus des autres et méprisent ceux qui ne font pas partie de leur monde. Depuis que je suis toute petite, jamais je n'ai pu accepter cela. Chez moi, tout le monde a droit au même traitement, seules les fonctions changent.

— Je te l'ai déjà dit, tu es vraiment une personne d'exception. Tous les matins, quand j'ouvre les yeux à côté de toi, je remercie le ciel de t'avoir mise sur ma route.

— Eh bien ! Nous sommes deux à faire la même chose, lui avait-elle répondu joyeusement. Je n'ose même pas imaginer ma vie aux côtés d'un noble ennuyeux.

— Mais riche.

— À mon tour de te dire que la richesse n'est pas tout. Peux-tu seulement imaginer passer ta vie avec un coffre rempli d'or ? En tout cas, pas moi. J'ai besoin de sentir que je suis importante pour l'homme avec qui je partage ma vie. J'ai besoin d'avoir hâte de le retrouver chaque fois qu'on se quitte pour un moment. J'ai besoin de voir du désir dans ses yeux.

Elle s'en souvient comme si c'était hier. Francis s'était approché d'elle, l'avait prise dans ses bras et ils s'étaient aimés comme jamais ils ne l'avaient encore fait. C'était là, juste à côté du troisième collet qu'elle s'apprête à tendre. Elle ferme les yeux un moment. C'est comme si son mari était là. À mesure qu'elle se remémore ce moment, une grande chaleur envahit tout son corps. Elle n'a aucun effort à fournir pour ressentir le plaisir qu'elle avait éprouvé. Debout, un collet dans la main droite, elle est incapable de bouger, jusqu'à ce qu'elle entende un bruit près d'elle. Elle ouvre les yeux en même temps qu'elle met une main sur son fusil. Quand elle voit le petit tamia qui la regarde, elle baisse sa garde et sourit.

— Et moi qui croyais me retrouver face à face avec une bête féroce, je me suis bien trompée. Alors, que veux-tu cette fois ? Une autre noisette peut-être ?

Le petit animal attend patiemment, sans bouger. Seuls ses yeux confirment qu'il n'est pas fait de pierres. Deux petites billes presque noires fixent Marguerite. Une fois de plus, elle met la main dans sa poche et en sort une noisette. Cette fois, elle s'accroupit et, la tenant entre ses doigts, la montre au petit mammifère rayé. Il fait un pas en avant, puis s'arrête. Marguerite s'approche un peu et étire davantage son bras.

— Allez, n'aie pas peur, viens la chercher si tu la veux.

Il fait un autre pas en direction de l'objet convoité. Marguerite ne bouge pas. Puis, sans qu'elle ait le temps de voir ce qui se passe, elle se retrouve sans noisette entre les doigts. Quand elle réalise qu'elle est de nouveau seule, elle éclate de rire et dit tout fort :

— Cette fois, je me suis vraiment fait avoir.

Elle se relève et avance jusqu'au prochain endroit où elle doit poser un collet. Son nouvel ami la suit religieusement, ce qui l'amuse beaucoup.

Sur le chemin du retour, elle s'arrête à la source. Elle aime cet endroit. Le bruit de l'eau qui coule lui a toujours plu. À Pontpoint, il y a une source tout près de la maison. Elle s'y arrêtait pour faire boire son cheval avant de le ramener à l'écurie. Pendant qu'il s'abreuvait, elle s'assoyait sur une roche et se laissait porter par le bruit enchanteur de l'eau.

Depuis la mort de ses deux hommes, elle vient ici chaque fois qu'elle a besoin d'être seule. À la source ou sur la roche plate, sur la grève. Ils lui manquent tellement ! Du plus loin qu'elle se rappelle, les abords des cours d'eau ont toujours été des endroits parfaits pour faire le plein, panser ses plaies, retrouver une raison de vivre. Elle met ses mains dans l'eau. Elle est tellement froide qu'elles rougissent instantanément, ce qui lui enlève toute envie d'en prendre une gorgée. Elle retourne ensuite à la cabane.

Avant de corder le bois, elle veut prendre des nouvelles de Damienne. Elle en profitera pour avaler une bouchée. Elle n'a pas besoin d'ouvrir la porte pour savoir que sa servante dort toujours : elle l'entend ronfler. « Elle avait vraiment besoin de se reposer » pense Marguerite qui ouvre doucement la porte. Elle rentre chercher un couvert et des ustensiles, ainsi qu'une tasse qu'elle remplit d'eau chaude, et ressort. Elle ouvre le coffre, prend une bonne portion de poisson fumé et va s'asseoir sur une bûche pour avaler son repas. Alors qu'elle attaque sa première bouchée, le petit tamia fait son apparition. En le voyant, elle sourit et se dépêche de lui lancer une noisette. Une fois de plus, il disparaît après s'être emparé de son butin.

# Chapitre 38

— Je veux que vous me fassiez une promesse, dit Damienne.

— Tout ce que tu veux, pourvu que j'aie ce qu'il faut ici, répond joyeusement Marguerite.

— Je veux que vous me promettiez de retourner en France un jour.

— Je veux bien, mais tu conviendras avec moi qu'il y a un os. Je ne peux pas ordonner à un navire de passer par ici demain.

— Je suis sérieuse, ajoute Damienne, vous devez me promettre de tout faire pour retourner chez nous.

— J'ai l'impression que quelque chose m'échappe et je n'aime pas tellement cela. Veux-tu bien me dire pourquoi tu tiens absolument à ce que je te promette aujourd'hui de tout faire pour retourner en France, alors qu'il neige à plein ciel et qu'avant l'été nous ne risquons pas de voir passer un seul navire ?

— On n'est pas obligé de tout comprendre dans la vie. Promettez-moi simplement de tout tenter pour y retourner et je vous laisserai tranquille.

— Mais bien sûr que je vais faire mon possible pour retourner en France. Je tiens autant que toi à finir mes jours à Pontpoint et, par-dessus tout, je veux voir la face de mon oncle adoré quand il verra que je suis toujours vivante. Je veux aussi faire la connaissance des parents de Francis. Je te propose un marché : si je te le promets, je veux que tu en fasses autant.

À ces mots, Damienne pâlit. Elle aurait tellement aimé que la discussion se termine autrement. Pour une fois, Marguerite aurait simplement pu se plier à sa demande. Au lieu de cela, il a fallu que la jeune femme exhorte Damienne à en faire autant. Depuis la journée qu'elle a passée au lit, le mois dernier, la vieille femme n'a pas retrouvé la forme. Elle se sent fatiguée, même après une bonne nuit de sommeil. Heureusement que c'est l'hiver et qu'elles ont moins de tâches à exécuter. Ne pouvant pas faire attendre sa maîtresse plus longtemps, Damienne lui affirme :

— Vous savez bien que moi aussi je ferai tout pour retourner en France.

— Alors c'est réglé. Nous retournerons un jour chez nous, mais ensemble.

— Si Dieu le veut, ne peut s'empêcher d'ajouter Damienne.

— Ne mêle pas Dieu à nos promesses, je t'en prie. Jusqu'à maintenant, les seules personnes sur qui nous avons pu compter depuis que nous sommes ici, c'est nous-mêmes.

— Ne soyez pas aussi dure à l'égard du Tout-Puissant ! Je suis certaine qu'il fait ce qu'il peut, mais on n'est certainement pas les seules à avoir besoin de lui.

— À voir le temps qu'il prend pour nous sortir d'ici, je veux bien croire qu'il est débordé. Rassure-toi, je vais quand même continuer à prier. Bon, assez parlé de cela, j'ai pensé que nous pourrions nous faire plaisir ce soir.

— C'est-à-dire ?

— Que dirais-tu si nous mangions le riz sauvage que nous avons récolté ?

— Mais on avait prévu le garder pour Noël !

— Oui, mais pourquoi attendre ? Il y a quelqu'un que je connais bien qui m'a dit que nous devions profiter du moment présent, alors c'est ce que j'essaie de faire.

À ces mots, Damienne esquisse un sourire. Elle doit bien avouer que ses belles paroles ont une certaine influence sur sa jeune maîtresse, ce qui lui fait plaisir.

— Du riz sauvage ce soir ? Je trouve que c'est une excellente idée. Si vous voulez, je pourrais aller chercher un lièvre.

— Mais il neige bien trop pour sortir, fait remarquer Marguerite.

— Je pensais le prendre dans le coffre en bois, et demain j'irai faire la tournée des collets, si vous n'y voyez pas d'inconvénient, bien entendu.

— C'est parfait. Disons que ce soir nous fêterons mon anniversaire.

— En avance ou en retard ?

— Un peu des deux, six mois nous séparent de juin, devant comme derrière.

— D'accord. Je choisis de célébrer votre anniversaire à l'avance.

— Et moi, en retard, pour tous les anniversaires que j'ai fêtés sans ma mère, parce qu'elle était trop malade.

Sans s'attarder plus longtemps sur le sujet, Marguerite ajoute tout de suite :

— On pourrait faire cuire le lièvre avec un peu de castor.

— Ça me convient tout à fait.

— Je nous trouve très efficaces aujourd'hui. En quelques minutes seulement, nous avons réglé deux questions existentielles. Maintenant, je vais te montrer quelque chose.

Marguerite va jusqu'à sa paillasse. Elle prend une feuille de papier à l'endroit où dormait Francis et la dépose sur la table. Dès que Damienne voit le dessin, elle s'exlame :

— Il est vraiment très beau! Je suis certaine qu'il plaira à Nita. Les couleurs le rendent encore plus vrai.

— J'ai hâte de le lui donner.

— Tant que la glace ne sera pas prise jusqu'au continent, on ne peut pas espérer sa visite. Parlant de Nita, je me demandais si vous aimeriez aller voir son village.

— Oui et non. Oui, parce que j'aimerais voir où elle vit et connaître les siens. Non, parce que je préfère demeurer ici, au cas où un navire passerait.

— Mais en plein hiver, vous ne courez aucun risque de manquer un bateau.

— Es-tu en train de me dire que cela ne te dérangerait pas de rester toute seule ici? Il n'en est pas question! Si j'y vais, tu devras m'accompagner.

— Avez-vous oublié à quel point je déteste l'eau?

— Non, mais dans moins d'un mois ce ne sera plus que de la glace, tu ne cours aucun danger d'avoir mal au cœur. Et puis, quand elle est venue, l'hiver dernier, c'était avec un traîneau et des chiens.

— Vous avez raison. Je veux bien vous accompagner si vous y tenez, mais je veux m'assurer qu'on va revenir ici.

— Ah, mais mon intention n'est pas de déménager dans son village. Je veux y aller par curiosité, mais nous sommes probablement en train de nous faire de fausses joies. Qu'est-ce qui nous fait croire qu'elle voudra nous amener chez elle? Peut-être même qu'elle vit seule sur une île, comme nous.

— Si vous voulez mon avis, elle est trop bien organisée pour vivre seule. D'ailleurs, ne vous a-t-elle pas emmenée voir le cimetière de son village?

— Et si elle était la seule survivante ? En tout cas, en attendant qu'elle nous rende visite, je t'informe que j'ai pris ma dernière feuille de papier pour faire son dessin. Je devrai lui en parler, elle doit bien avoir une solution de rechange.

— Avez-vous pensé utiliser le verso de chacune de vos feuilles ?

— Quelle bonne idée ! Je n'y avais pas réfléchi. J'ai aussi fait des dessins d'Adrien. Aimerais-tu les voir ?

— Bien sûr.

Marguerite se lève, va chercher une petite pile de feuilles et la lui remet. Dès qu'elle voit le premier croquis, Damienne sent les larmes lui monter aux yeux. Les dessins sont tellement bien faits qu'on dirait presque que l'enfant est réel.

— Quand les avez-vous faits ?

— Dans la semaine qui a suivi la visite de Nita. Je me suis dépêchée d'immortaliser son visage avant de l'oublier. Tu m'excuseras, mais j'étais incapable de te les montrer avant.

— Ils sont magnifiques. Il m'arrive encore de me demander pourquoi Dieu est venu le chercher, alors qu'il venait à peine de commencer sa vie. C'est tellement injuste !

— Il y a des choses que je préfère ne pas chercher à comprendre ; la mort de mon mari et celle de mon fils en font partie. Je m'efforce de garder un bon souvenir d'eux, et mes dessins m'aident à le faire. Pour le reste, comme je ne peux rien changer à ce qui est arrivé, je fais mon possible pour garder la tête hors de l'eau.

— Vous ai-je déjà dit à quel point je vous admirais ?

— Ne perds pas ton temps à m'admirer, ma pauvre Damienne, je suis loin d'être parfaite. Chaque matin, quand j'ouvre les yeux, je me dis que je dois faire ma journée. Tu vois bien, j'ai encore du chemin à parcourir avant de m'en sortir totalement. D'ailleurs, j'ignore si je réussirai un jour.

— Sincèrement, je ne sais pas si on guérit de la perte des gens qu'on aime. Moi, il n'y a pas une seule journée où je ne pense pas à mes parents.

— Et moi aux miens ; mais comme tu me l'as déjà dit, tant que nous sommes vivants, nous devons vivre avec les vivants et non avec les morts.

— Vous êtes une très bonne élève. Vous souviendrez-vous de tout cela encore longtemps ?

— Toute ma vie, même si je dois me le répéter dix fois par jour.

— C'est aussi pour cela que je vous admire : pour votre détermination.

— Contrairement à toi, tu vois, il m'arrive de me dire que si j'étais moins déterminée nous ne serions pas prisonnières sur cette île. J'aurais pris le temps d'envisager les conséquences de mon choix et nous serions certainement restées à Pontpoint.

— Et vous auriez épousé l'un de vos valeureux prétendants.

— Tout, mais pas cela. Sérieusement, tu me vois mariée à l'un des nobles qui me courtisaient ? Moi pas !

— C'était pour rire. Mon petit doigt me dit que vous seriez restée vieille fille, jusqu'à ce que vous trouviez la perle rare.

— Mais je l'ai trouvée ! Cette perle s'appelait Francis. Comme toutes les perles rares, je me la suis fait voler, alors que je commençais à y prendre goût.

— Au moins, vous l'aviez trouvée. Bon, si vous êtes d'accord, on pourrait faire un peu de couture.

— Je n'en ai pas très envie. Tu sais ce que je ferais ?

— Non. Dites toujours !

— Eh bien ! Je me servirais un thé bien chaud et je mettrais mon châle sur mes épaules.

— Après l'avoir raccommodé.

— Je choisirais un bon livre dans la bibliothèque et je lirais jusqu'à ce que mes yeux ne puissent plus voir.

— Et vous en oublieriez même de manger, je sais. À part la bibliothèque, on a tout ce qu'il faut. Il reste du thé pour au moins deux tasses et l'eau est déjà chaude.

— Oui, mais l'ennui, c'est que j'ai lu les quelques livres que nous avons au moins cinq fois chacun. Si je les lis une autre fois, je pourrai te les réciter.

— Ce n'est pas bête comme idée, parce que moi j'ai à peine eu le temps de les lire deux fois chacun.

— Es-tu en train de me dire que je me permets de me reposer plus que toi ? Parce que si c'est le cas… ajoute Marguerite en riant.

— Jamais je n'oserais ! Tout ce que je voulais dire, c'est que vous lisez beaucoup plus vite que moi.

— Si, comme moi, tu avais lu chaque fois que tu t'ennuyais, je t'assure que tu lirais plus vite.

— C'est bizarre, j'ai toujours cru que vous étiez une petite fille heureuse.

— Disons que je l'étais à moitié seulement. J'adorais ma mère, mais je ne pouvais pas aller la voir. À l'inverse, je n'osais pas trop m'éloigner d'elle, au cas où elle se serait trouvée plus mal. Je voulais absolument être dans la maison le jour où elle mourrait.

— Pourquoi ?

— Je ne sais pas vraiment. Dans ma tête d'enfant, je me disais que si je n'étais pas là, père pourrait me faire croire n'importe quoi.

— Jamais il n'aurait osé faire cela.

— Tu as probablement raison, mais petite je le craignais autant que je l'aimais. Chaque fois qu'il montait le ton pour s'adresser à moi, j'étais morte de peur et j'en avais pour des heures à m'en remettre.

— Pourtant, il n'a jamais levé la main sur vous.

— Et je n'ai jamais eu peur qu'il me frappe non plus; c'est juste qu'il m'impressionnait. Jour après jour, dans ma petite tête d'enfant, je cherchais des moyens pour voir ma mère plus souvent. Chaque matin, c'était mon objectif. Comme tu le sais, il m'est arrivé de réussir, mais chaque fois j'ai eu droit à des remontrances de la part de mon père.

— Vous étiez tellement drôle! Je vous vois encore avec vos cheveux boudinés vous faufilant dans la chambre de votre mère pendant que votre père recevait un visiteur. Vous étiez vite comme l'éclair. Vous ne ratiez pas une occasion de passer un moment avec elle.

— J'adorais me coller contre elle. Je me glissais doucement dans son lit et je lui tenais la main. Je faisais très attention de ne pas la réveiller et, à l'exception d'une fois ou deux, j'y suis arrivée. C'est seulement lorsque mon père s'apercevait de ma présence dans la chambre de ma mère que celle-ci ouvrait les yeux en entendant mon père me gronder. Elle me prenait par le cou, déposait un baiser sur mon front et me souriait. Et moi je retournais dans ma chambre, la mine basse, je sautais sur le premier livre qui me tombait sous la main et je lisais jusqu'à ce que tu viennes me chercher pour manger. Lire m'empêchait d'être triste.

— Et maintenant, vous lisez toujours pour la même raison?

— Non, je lis pour garder le contact avec la vie, celle que j'espère de tout mon cœur reprendre le plus rapidement possible.

# Chapitre 39

— Ma pauvre Damienne, dit Marguerite, tu m'as l'air vraiment mal en point ce matin.

— Je dois couver un rhume. J'ai mal partout et je gèle. J'ai beau mettre toutes les peaux qu'on possède sur moi, je n'arrive pas à me réchauffer.

— Je vois bien cela, tu grelottes. Tu dois faire de la fièvre. Je vais te préparer quelque chose à boire.

— Merci, mais je n'ai pas soif. Je vais essayer de dormir.

— Il faut que tu boives un peu. Depuis hier, tu n'as rien avalé du tout.

— Je suis désolée, j'ai gâché votre jour de Noël.

— Tu vas arrêter cela tout de suite ! Tu n'as rien gâché du tout, nous avions déjà mangé notre riz sauvage et nous nous étions donné nos cadeaux la veille.

— Nous n'avions du riz que pour un repas ; c'est dommage, parce qu'il était vraiment très bon.

— Un pur délice. Ne pense plus à tout cela, repose-toi. Je sais à quel point tu n'aimes pas être malade.

— Oui, je déteste souffrir autant que vous, mais là, même si vous me demandiez de lever le petit doigt, je n'y arriverais pas. Je me sens comme un bout de bois mort. J'ai même du mal à réfléchir.

— Crois-tu que tu pourrais rester seule un peu ? J'irais faire la tournée des collets avant que la prochaine neige les enterre.

— Allez-y en paix, je vous promets de ne pas bouger de ma paillasse.

— Comment trouves-tu la force de faire de l'humour ?

— Il vaut mieux en rire ; sinon aussi bien mourir sur-le-champ.

— Je t'interdis de parler comme cela. N'oublie pas ta promesse : tu retournes en France avec moi. Bon, le temps de m'habiller et j'y vais. Plus vite je partirai, plus vite je serai de retour pour m'occuper de toi.

Dès qu'elle entend fermer la porte, Damienne se tourne sur le côté. Elle se sent si fatiguée que ce simple petit mouvement lui a demandé tout ce qui lui restait d'énergie. Elle ne se reconnaît plus. Elle, habituellement si vivante et si volontaire ! Depuis quelques jours, elle a l'impression d'avoir quatre-vingts ans. Toute action lui pèse. Et ce matin, c'est pire encore. Elle a le corps en feu, alors que les dents lui claquent dans la bouche. C'est la sensation la plus désagréable qu'il lui ait été donné d'éprouver.

Elle peut compter sur les doigts d'une seule main le nombre de fois où elle a été malade dans toute sa vie. Comme elle se plaît souvent à le dire, rien ne colle sur elle. Elle a beau côtoyer des gens qui ont le rhume ou quelque maladie que ce soit, elle n'attrape rien. Elle doit avoir hérité de la santé de fer de sa mère. Elle ne l'a jamais vue malade.

Elle ignore de quoi elle souffre, mais elle a l'impression que c'est grave. Il lui semble que son corps est en train de l'abandonner. Oui, mais sans corps, que deviendra-t-elle ? On dirait que tout en elle est en train de baisser les bras, comme si la machine était sur le point d'arrêter de fonctionner parce qu'elle est trop usée. Ce qui la fatigue le plus, c'est de ne pas connaître la nature de son mal. Elle déteste être dans la brume. Elle n'a pas peur de la mort, pourvu qu'elle vienne vite. Elle ne pourrait pas supporter d'être un poids pour Marguerite. D'ailleurs, elle s'inquiète pour sa jeune maîtresse. Comment s'en sortira-t-elle ?

« Pourvu qu'elle ne se laisse pas mourir » pense Damienne. Au moins une chose rassure la vieille servante : elles ont réussi à se préparer pour l'hiver. C'est vrai que la mer leur a facilité la vie en rejetant autant de bois sur la grève. Elles en ont tellement que même si l'hiver était plus rude que l'an dernier elles n'en manqueraient pas. Mais il y aura bien d'autres hivers et… Soudain, Damienne sombre dans un sommeil profond.

*　*　*

Même si elle a mis ses vêtements les plus chauds, Marguerite frissonne. Ce matin, le froid est mordant. La neige craque sous ses pas, ce qui la fait sourire. Elle adore ce bruit si particulier. Chaque fois qu'elle libère un lièvre d'un collet, elle doit enlever ses mitaines. Après trois fois, elle ne sent plus ses doigts. Elle a beau frotter ses mains ensemble, rien n'y fait. Elle sait ce qui l'attend à son retour dans la cabane. Elle va souffrir le martyre quand ses doigts se mettront à dégeler, et cela, c'est sans compter ses pieds, qu'elle finira par ne plus sentir d'ici une minute ou deux. C'est la chose qu'elle déteste le plus de l'hiver. Il lui arrive même d'en pleurer tellement la douleur la prend au cœur. Pourtant, elle porte les mêmes moufles que Damienne, et les mêmes chaussures aussi, avec un petit trou en plus, il faut bien le dire. Quand la servante retire ses moufles, ses mains sont chaudes, alors que celles de Marguerite sont rouges. C'est à n'y rien comprendre. Le corps est une drôle de machine. Chez l'une, le froid provoque une réaction donnée, alors que chez l'autre, il en entraîne une tout autre.

Marguerite admire le paysage. Les épinettes noires plient l'échine sous le poids de la neige. Les animaux brillent par leur absence. Tout n'est que blancheur. Il règne autour d'elle un tel silence qu'on dirait que quelqu'un a figé tout ce qui est apparent. Pas d'oiseaux. Pas de nuage non plus. Pas de bruits de vagues. Seulement un silence lourd comme la mort. Le fusil sur une épaule et son sac sur l'autre, la jeune femme poursuit sa tournée des collets. Elle a déjà fait plus de la moitié de sa ronde et elle a ramassé autant de lièvres gelés que le nombre de collets qu'elle a visités. « À bien y penser, il y a tellement de lièvres ici qu'on aurait dû l'appeler l'île aux Lièvres, se dit-elle. Mais j'aime mieux le nom que nous avons choisi. Il est encore plus représentatif. »

Sur le chemin du retour, Marguerite avance d'un bon pas, jusqu'à ce qu'elle arrive face à face avec un élan. Il est encore plus imposant que celui que Damienne et Francis ont tué. Son panache est si gros qu'il prend tout l'espace entre les arbres. Surprise par cette apparition, la jeune femme réfléchit vite à ce qu'elle doit faire. Tirer dessus ou se faire toute petite, le temps que l'animal passe son chemin ? Elle ne le sait pas. Elle n'a pas réfléchi assez rapidement : l'animal a déguerpi à toute vitesse. Elle n'aperçoit plus que son panache au loin et elle se dit que c'est mieux ainsi. Dans l'état où est Damienne, c'était peine perdue. Jamais elle n'aurait pu dépecer cette proie et en transporter les morceaux toute seule. Elle est quand même un peu déçue lorsqu'elle se remémore le goût si fin de la viande de cette bête. « Ce n'est que partie remise » se dit-elle. La présence de cet animal sur l'île confirme à la jeune femme que la glace est bien solide, jusqu'au continent. Elle n'aura qu'à suivre les traces de la bête dans la neige le jour où elle voudra en manger.

Quand elle entre dans la cabane, elle est assaillie par la chaleur qui y règne. Elle se dépêche de déposer son sac, qui commençait sérieusement à lui faire mal à l'épaule. Elle range son fusil, enlève ses moufles et tous les vêtements d'hiver qu'elle porte, et va voir Damienne. Celle-ci dort. Même si elle risque de la réveiller, Marguerite veut voir si sa servante est encore fiévreuse ; elle pose une main sur le front de son amie. La malade réagit instantanément, ce qui fait sursauter la jeune femme.

— Voulez-vous bien enlever votre main ? s'écrie Damienne. Vous me gelez !

— Ma pauvre Damienne, tu es aussi brûlante que le feu. Il faut absolument faire baisser cette fièvre. Je t'avertis tout de suite, tu ne m'aimeras pas beaucoup, mais il faut enlever tes couvertures.

— J'attendais justement que vous soyez de retour pour vous demander de me prêter les vôtres. Je vous en prie, ne me les enlevez pas, je vais geler tout rond.

— C'est justement le but. Ma mère me disait que c'est le seul moyen pour venir à bout de la fièvre. Allez, un peu de courage, c'est pour ton bien.

Sans plus d'avertissement, Marguerite retire toutes les peaux étendues sur le corps de sa servante et les dépose sur le dossier d'une chaise, soit assez loin pour que la malade ne puisse pas les reprendre. La pauvre, elle fait pitié à voir tellement elle grelotte.

— Vous pourriez m'en laisser au moins une.

— Aucune. Dès que mes doigts seront dégelés, ce qui ne devrait pas tarder, je vais te préparer quelque chose de chaud à boire.

— Il ne reste plus de thé.

— Je sais, mais je cuisinerai un petit bouillon avec les têtes de lièvres.

— Vous savez que je déteste les têtes de lièvres.

— Je ne te demande pas de les manger, juste d'en boire le bouillon. Ne fais pas ta capricieuse, c'est moi le docteur aujourd'hui. Aïe ! J'ai tellement mal quand mes doigts dégèlent que je hurlerais. Ce n'est pas juste. Dès que je mets le nez dehors, je ne les sens plus, jusqu'à ce que je retourne à l'intérieur. On dirait qu'il y a des milliers de petites aiguilles plantées dans mes mains et dans mes pieds.

— Approchez-vous du feu !

— C'est pire. Je vais tenter de souffrir en silence, je te le promets. Quand j'aurai plus chaud, je m'occuperai des lièvres.

Ah oui ! Je suis arrivée face à face avec un élan comme celui-là que nous avons tué l'hiver dernier.

— L'avez-vous tiré ?

— Non, le temps que je réfléchisse à ce que je devais faire, il avait décampé. Je me suis dit après coup que nous aurions été bien mal prises avec un tel gibier sur les bras. Avec toi au lit et moi qui ne sais pas trop comment dépecer un animal, nous aurions vraiment eu un problème.

— Vous avez bien fait, murmure Damienne. Je vous en prie, donnez-moi une seule couverture.

— N'essaie pas de m'amadouer, je ne céderai pas. C'est pour ton bien.

— Arrêtez de dire cela, je gèle tellement…

— Eh bien ! continue à geler, tu es sur la bonne voie.

Marguerite dépèce les lièvres. Elle met ensuite les têtes à bouillir. Elle ajoute quelques morceaux de navets et un oignon. Quelques minutes plus tard, une bonne odeur embaume la cabane. Même Damienne se prend à trouver que cela sent bon, alors qu'elle ne pense aucunement à manger.

— En attendant que le bouillon soit prêt, dit Marguerite, je peux te faire un brin de lecture si tu veux.

— Vous êtes sérieuse ?

— On ne peut plus sérieuse. Je n'ai pas envie de raccommoder mon châle, pas plus que de recoudre mes moufles. Alors, pendant que le bouillon mijote, j'ai tout mon temps pour m'occuper de toi.

— Donnez-moi une couverture, je vous en supplie.

— Je te le répète, je ne céderai pas là-dessus. Plus tu éviteras de te cacher sous de nombreuses couvertures, plus la fièvre s'en ira rapidement. Tu devrais parler un peu à ton corps.

— Même si je le voulais, je ne saurais pas quoi lui dire. Je me sens tellement faible que j'ai l'impression d'habiter une coquille vide. Pour être franche, à part un petit coin de mon cerveau qui fonctionne encore, je ne vaux pas cher la tonne en ce moment. Puisque je n'ai pas d'autre choix, je vous écoute. Est-ce que je peux au moins choisir le livre ?

— Bien sûr !

— Alors lisez-moi quelques pages de celui où il y a le beau prince.

— C'est un bon choix.

Marguerite va chercher le livre en question, prend une chaise au passage et s'asseoit près de la paillasse de Damienne.

« Il était une fois une belle jeune fille qui habitait un grand château avec son père. Sa mère était morte le jour de sa naissance… »

Elle n'a pas lu trois pages que Damienne s'est endormie. Le sourire aux lèvres, Marguerite ferme son livre et met sa main sur le front de sa servante. Elle est toujours aussi fiévreuse, ce qui n'est pas sans inquiéter la jeune femme. Elle se lève, range son livre et vérifie le bouillon. Elle attendra que Damienne se réveille pour lui en donner. Parfois, le sommeil est le meilleur remède à toute maladie.

Marguerite aime tellement sa servante que lorsqu'elle pense qu'un jour elle ne fera plus partie de sa vie, elle a le cafard. Elle sait bien que Damienne n'est pas éternelle ; personne ne l'est. Mais elle refuse même de penser qu'un jour cette femme qu'elle aime tant ne sera plus de ce monde. De toute façon, elle ne pourrait pas vivre sans elle ; à tout le moins, pas tant qu'elles seront sur l'île. Sans sa fidèle servante, elle aurait l'impression de ne plus exister. D'ailleurs, comment pourrait-elle survivre seule ? Il y a tellement de choses qu'elle ne connaît pas ! Comment pourrait-elle se charger de tous les travaux ? Même à deux, cette année, elles ont dû trimer dur pour y arriver. Et puis, on ne peut pas vivre seul sur une île ! L'humain a besoin de compagnie, de côtoyer ses semblables quand il le souhaite. « Il vaut mieux que j'arrête de m'en faire pense Marguerite. Ce n'est qu'un mauvais rhume. Je suis certaine que demain elle ira beaucoup mieux. »

Marguerite passe le reste de la soirée à lire. De temps en temps, elle s'approche de Damienne et lui touche le front. Chaque fois, elle revient à sa place un peu plus déçue. La fièvre ne baisse pas, même qu'on dirait qu'elle a augmenté depuis la dernière fois. Il fait nuit depuis un bon moment déjà quand Marguerite se décide à aller se coucher. Elle a attendu le plus longtemps possible dans l'espoir que Damienne se réveille ; elle lui aurait donné une tasse de bouillon, mais bientôt, elle n'en peut plus. Elle est si fatiguée qu'elle s'endort sur son livre depuis quelques pages. Elle se couche sur sa paillasse et sombre dans le sommeil après avoir pensé qu'elle doit tendre l'oreille au cas où Damienne aurait besoin d'elle pendant la nuit.

*** 

Quand Marguerite ouvre enfin les yeux, le soleil est levé depuis quelques heures. Elle ne sait pas quel temps il fait dehors, mais le vent siffle si fort qu'elle l'entend clairement dans la cabane, ce qui n'annonce pas une journée chaude. Elle se félicite d'être allée faire la tournée des collets. Cela lui permettra de se la couler douce aujourd'hui. Dans le pire des cas, elle n'aura qu'à mettre le nez dehors quelques secondes, le temps de prendre un morceau de viande dans le coffre de bois, lequel est placé juste devant la porte. Elle se frotte les yeux et se décide enfin à sortir de sous ses couvertures. Elle se rend vite compte qu'il est grand temps de mettre quelques bûches dans le feu avant qu'il s'éteigne complètement, ce qu'elle fait tout de suite après avoir sauté du lit. Elle met son châle sur ses épaules et va voir Damienne. La servante semble dormir à poings fermés. Elle lui passe une main dans les cheveux. Elle la pose ensuite sur le front et se retient de crier de joie. « La fièvre est enfin tombée. » Mais Marguerite trouve que le front de sa servante est même un peu froid. Elle passe sa main sur le visage de Damienne. Il est glacial. Son cou aussi. Le sang de la jeune femme commence à se figer dans ses veines. « Non, ce n'est pas possible » se dit-elle. Prise de panique, elle secoue sa servante qui ne réagit pas. Elle sent la panique monter en elle à une vitesse fulgurante. Elle prend une grande respiration, tient Damienne par les épaules et l'assoit sur sa paillasse. C'est alors qu'elle constate que la vieille femme est aussi raide qu'un bout de bois. Une partie d'elle-même comprend ce qui se passe, alors que l'autre refuse d'admettre la vérité. Marguerite recouche Damienne et colle son oreille contre la poitrine de la servante. Rien. Elle réalise enfin que sa compagne est bel et bien morte. La jeune femme tombe à genoux et dépose sa tête sur le ventre de sa servante. Incapable d'émettre un seul son, elle pleure en silence.

La terre vient de se dérober une fois de plus sous les pieds de Marguerite. Elle se sent aspirée dans un tourbillon où seule la mort pourra la libérer de toute la souffrance qu'elle ressent en ce moment et pour les années à venir. Dieu n'avait pas le droit de venir chercher Damienne aussi. Elle était tout ce que Marguerite avait au monde.

Pendant l'heure qui suit, elle reste au chevet de sa servante sans bouger. Son esprit vagabonde dans des mondes jusque-là inconnus. Elle n'arrive plus à distinguer le vrai du faux. Elle sait que Damienne est morte, mais elle n'a pas la force de l'accepter. Elle a tantôt l'impression de flotter sur un nuage, tantôt de marcher sur l'eau, tantôt de courir pieds nus dans la neige. Ce coup du destin lui est fatal. Elle a perdu pied et n'arrive pas à se remettre debout. Elle a l'impression d'avoir la poitrine oppressée. Elle est là sans y être. Elle n'est nulle part. Elle est ailleurs.

Elle pourrait se laisser mourir aux côtés de Damienne. Quand le feu sera éteint, ce sera une question d'heures pour qu'elle s'endorme enfin, de ce sommeil dont elle ne reviendra pas. Elle n'en peut plus de souffrir. La vie lui a pris tout ce qu'elle avait de plus précieux. Voilà maintenant qu'elle est laissée à elle-même. Cette fois, c'en est trop, elle ne peut pas accepter cette nouvelle souffrance. Elle a l'impression d'avoir le corps couvert de plaies ouvertes qui refusent de guérir. Pourtant, ce n'est pas faute d'avoir essayé de se raccrocher à la vie.

Prise d'une folie soudaine, Marguerite se lève, dépose un baiser sur le front de Damienne et se dirige vers la porte. Sans même prendre le temps de s'habiller, elle sort en courant et emprunte le sentier qui mène à la grotte. Elle cale dans la neige jusqu'aux genoux, mais elle ne sent rien, ni le froid ni la fatigue. Tout ce qu'elle veut, c'est se coucher sur le roc glacé et attendre que la mort vienne la chercher. Une fois devant l'entrée, elle la dégage de ses mains nues et se fraie un chemin jusqu'à l'intérieur. Dès qu'elle est entrée, elle se laisse tomber par terre et se roule en boule. Ici, elle n'aura pas à attendre longtemps. Le froid et l'humidité feront leur œuvre en peu de temps. Sans une pensée pour qui que ce soit, elle attend la mort.

# Chapitre 40

Pendant que Marguerite sombre de plus en plus dans un état second, sur la grève arrive un grand traîneau tiré par des chiens énergiques. À son bord, Nita dirige sa meute d'une main de maître. Il y a trop longtemps qu'elle n'est pas venue voir ses deux amies. Elle avait très hâte que la glace soit assez solide pour leur faire une petite surprise. À cette période de l'année, elle est certaine de les trouver dans la cabane, ou à proximité. Comme le temps est particulièrement froid aujourd'hui, elle décide de s'y rendre avec son traîneau et ses bêtes, puisqu'il y a suffisamment de neige au sol. De cette façon, elle pourra garder un œil sur ses chiens et même les faire entrer si elle décide de s'attarder un jour ou deux, si ses amies veulent bien d'elle. En parcourant le court trajet qui la conduit à la cabane, elle se répète le prénom de ses deux amies. Dommage qu'elles ne puissent pas communiquer aisément.

En voyant la porte de la cabane grande ouverte, elle a tout de suite un mauvais pressentiment. Elle saute vite à terre et se précipite à l'intérieur. Le feu est mort depuis un moment et Damienne est couchée sur sa paillasse. Elle semble dormir. Il fait aussi froid à l'intérieur que dehors, ce qui n'est pas normal. Quelque chose de grave est arrivé. Et Marguerite, où peut-elle bien être par ce froid? Nita avance à pas feutrés jusqu'à Damienne et, dès qu'elle la touche, elle constate le décès. Elle lui fera ses adieux plus tard. Pour le moment, le temps presse. Elle prend une peau d'ours et la dépose sur le corps de la défunte, avant d'aller à la recherche de Marguerite. Une fois dehors, elle regarde autour d'elle. C'est alors qu'elle voit des traces dans la neige. Elle sait tout de suite qu'elle doit se dépêcher. Quand il fait aussi froid, la mort guette tous ceux qui traînent dehors. Elle monte dans son traîneau et ordonne à ses chiens d'avancer. Elle devrait trouver son amie en suivant les traces au sol.

Arrivée devant la grotte, Nita se fraie un chemin pour entrer. Ses yeux s'habituent à la noirceur ; elle est transie par le froid qui règne entre ces pierres. C'est alors qu'elle distingue quelque chose couché par terre, à quelques pas de l'endroit où elle est. Elle avance et s'accroupit pour vérifier s'il s'agit bien de son amie. Quand elle touche les cheveux de la jeune femme, elle n'a plus aucun doute. Pourquoi Marguerite gît-elle dans cette grotte ? Il faut qu'elle la sorte vite d'ici. Elle espère qu'il n'est pas trop tard. Le froid est sournois, il endort ses victimes en un rien de temps. Elle dit à Marguerite, dans sa langue : « Marguerite ! Marguerite ! Viens avec moi, je vais te ramener à la cabane. »

Mais ses paroles se perdent dans le froid de cette grotte inhospitalière. Pour que Marguerite soit venue jusqu'ici, il fallait que sa douleur soit insupportable. Nita la comprend. Voilà que la pauvre femme se retrouve seule sur cette île, loin de sa vie et de tout ce qu'elle connaît. Peu de femmes auraient survécu aussi longtemps à toutes ses épreuves. « Marguerite ! répète Nita sur un ton autoritaire. Réveille-toi ! Ce n'est pas le moment de quitter ce monde pour toi, pas encore. »

La jeune femme entend la voix de la Sauvagesse, mais de tellement loin qu'elle croit rêver. Et puis, de toute façon, elle ne sent plus rien, ni le froid, ni l'humidité, ni la douleur. Elle dort de plus en plus profondément, et c'est bien ainsi. Au point où elle en est, c'est ce qui peut lui arriver de mieux.

Voyant qu'elle ne réussira pas à réveiller Marguerite tant qu'elle ne la sortira pas de la grotte, Nita la prend dans ses bras et se dirige vers la sortie. Le passage est étroit, trop étroit pour deux personnes. La vieille Sauvagesse dépose son précieux paquet par terre et, avec la force du désespoir, enlève la neige pour agrandir l'ouverture. Elle reprend vite Marguerite dans ses bras et sort enfin de cet endroit maléfique. Au moment où elle la dépose dans le traîneau, Nita réalise que la jeune femme n'a rien sur le dos pour se protéger du froid, seulement un pantalon en étoffe trop fine et un châle jeté par-dessus une chemise de la même épaisseur. Il n'en faut pas plus pour qu'elle comprenne pourquoi Marguerite est allée dans la grotte. Nita espère de tout son cœur être arrivée à temps pour la sauver. Et dire qu'elle ne devait venir que demain.

Une fois son amie couchée dans le traîneau, elle dépose des peaux de castor sur elle et s'installe à l'avant. La seconde d'après, à sa demande pressante, les chiens foncent en direction de la cabane. Sitôt arrivée, elle prend Marguerite dans ses bras et l'emmène à l'intérieur. On ne peut pas dire que la température est plus agréable ici que dans la grotte. Nita dépose doucement la jeune femme sur sa paillasse et l'enveloppe de toutes les peaux qui traînent sur le dossier d'une chaise. Pour le moment, c'est le mieux qu'elle puisse faire. Elle sort chercher du bois et ferme la porte derrière elle. Elle ranime ensuite le feu et retourne auprès de Marguerite. Elle met son oreille sur la poitrine de son amie et sourit. La jeune noble a une chance de s'en sortir. La vie coule encore en elle. La seconde d'après, Nita s'active à lui frictionner les bras avec énergie. Pendant ce temps, elle lui parle d'un ton rempli d'amour. On dirait une musique. «Marguerite, ma petite princesse, il faut revenir parmi les vivants. Ce n'est pas le moment de partir. Il est trop tôt, ta vie vient à peine de commencer. Je sais que tu as perdu tous ceux que tu aimais, mais ta place est ici, avec les vivants. Un jour, tu retourneras chez toi, dans ton pays. Un jour, un grand navire passera par ici et t'emmènera chez toi. »

Plus le feu crépite, plus Nita frictionne Marguerite avec ardeur. Elle aime cette jeune femme comme si c'était sa propre fille, depuis l'instant où elle l'a aperçue sur la grève. Marguerite est à la fois si fragile et si forte, comme peu de gens le sont. Elle sait peu de choses sur cette femme ressemblant à un ange, mais ce qu'elle voit lui suffit amplement pour l'aimer.

Une fois les bras de son amie bien réchauffés, Nita s'attaque à ses jambes. Sans relâche, elle fait le même mouvement du bas vers le haut.

« Il fallait que tu sois désespérée pour aller te coucher dans la grotte. Ma pauvre petite, je vais tout faire pour t'aider à t'en sortir. Dès que tu iras un peu mieux, je t'emmènerai dans mon village et je te garderai avec moi jusqu'à ce que tu reprennes des forces. Je vais soigner ton âme, ma belle enfant, et ton cœur aussi. »

Nita se penche au-dessus de la tête de Marguerite et dépose un baiser sur son front, tout en lui caressant les cheveux.

« Si j'avais eu une fille, j'aurais voulu qu'elle te ressemble. Yepa, ma petite princesse de l'hiver, reviens dans le monde des vivants. Je suis là ! Je t'attends. »

La vieille Sauvagesse continue de frictionner les jambes de Marguerite. Elle commence à sentir la chaleur revenir dans le corps de l'endeuillée.

« Yepa, réveille-toi. C'est ici qu'est ta place, pas dans les champs dorés, pas encore. Tu dois choisir de revenir dans ce monde pour le moment. Je t'aiderai à panser tes plaies. Je ne pourrai pas redonner vie à tous ceux que tu as perdus, mais je te redonnerai la force de vivre. Yepa, ma petite princesse de l'hiver, ne t'en va pas maintenant. »

Alors que Nita passe de nouveau une main dans les cheveux de Marguerite, elle voit deux grosses larmes apparaître au coin des yeux de celle-ci. Elle sourit à pleines dents. La partie n'est pas encore gagnée, mais la petite a décidé de revenir dans le monde des vivants. La vieille Sauvagesse lui caresse la joue d'une main, alors que de l'autre elle lui prend une main et la serre très fort.

— Nita, c'est bien toi ? demande Marguerite d'une voix remplie de tristesse. Pourquoi es-tu venue me sauver ? Je voulais mourir et aller retrouver Francis, Adrien et Damienne. Ils m'ont tous abandonnée et, sans eux, je ne survivrai pas. Pourquoi m'as-tu sortie de la grotte ? Je commençais à peine à m'engourdir. Tu aurais dû me laisser là. J'ai tellement froid.

Nita ne comprend pas les mots qu'elle entend, mais elle en saisit très bien le sens. De toute sa vie, elle n'a jamais vu une personne souffrir autant. Elle continue de caresser doucement les cheveux de son amie en lui souriant.

« Quand le soleil sera à son plus haut, je t'emmènerai dans mon village. Je ramasserai quelques-unes de tes affaires, et dès que tu seras complètement réchauffée, nous partirons.

Plus le temps passe, plus le corps de Marguerite se réchauffe. Elle claque maintenant des dents tellement elle est gelée. Nita lui sert une tasse de bouillon bien chaud. Jamais Marguerite n'a tant souffert du froid. Dire qu'elle osait se plaindre quand ses mains et ses pieds dégelaient.

Marguerite se laisse faire sans offrir de résistance. À quoi bon ? Nita l'a sauvée et elle ne la laissera pas rejoindre les siens. La mort de Damienne l'a anéantie. Sa servante, c'était tout ce qu'il lui restait dans la vie. Marguerite savait que Damienne avait toutes les chances de mourir avant elle, mais elle n'avait pas le droit de l'abandonner ici. Comment pourra-t-elle survivre maintenant qu'elle est seule ?

« Pauvre Damienne ! songe Marguerite. Elle n'allait pas bien ces derniers temps et, pourtant, elle faisait tout pour que cela ne paraisse pas. Elle vaquait à ses occupations comme à l'habitude. Et moi, je n'ai même pas levé le petit doigt pour la soulager un peu. Je ne suis pas fière de moi. Pourquoi les gens proches de nous sont-ils souvent ceux dont nous nous préoccupons le moins ? Pourquoi je n'ai pas vu qu'elle n'allait pas bien ? Elle, elle veillait toujours sur moi. » Plus elle pense à sa servante, plus les larmes coulent sur ses joues. Quand elle se rappelle qu'elle est là, morte, sur sa paillasse, un grand frisson la parcourt de la tête aux pieds. Il va falloir qu'elle dispose du corps de la vieille femme d'une façon ou d'une autre, mais comment ?

Le soleil atteint maintenant son zénith. Nita dépose les affaires de Marguerite dans le traîneau et aide la jeune femme à s'habiller chaudement. Même si elle ignore totalement ce qui arrivera, Marguerite se laisse faire sans dire un mot. Son corps s'est enfin réchauffé et la présence de son amie lui fait le plus grand bien. Elle se laisse guider par elle. Une fois installée dans le traîneau, elle jette un coup d'œil à la cabane et ferme ensuite les yeux. Un jour, elle reviendra y vivre, jusqu'à ce qu'un navire passe par là et la ramène en France. Pour le moment, elle a besoin de s'éloigner de tous ses malheurs. Elle a besoin de se reposer, de voir autre chose. C'est donc en toute confiance qu'elle se laisse entraîner sur la glace ; Nita l'emmène dans un endroit qu'elle ne connaît pas encore.

Une fois sur la glace, Nita autorise ses chiens à s'élancer. Le traîneau glisse si vite que Marguerite à l'impression de voler. La jeune femme ouvre les yeux de temps en temps, mais tout ce qu'elle voit, c'est du blanc à perte de vue avec seulement quelques petites touches noires. Le paysage semble figé dans la glace pour l'éternité. Comme son cœur. Comme son âme. Comme tout ce qui est encore vivant en elle. La seconde d'après, Marguerite referme les yeux et se laisse porter par les chiens, au milieu de nulle part. Elle se dit qu'elle aura tout le temps de découvrir ce nouvel endroit où l'emmène Nita.

Le froid est mordant. On dirait qu'il croque le peu de chair que laissent entrevoir les multiples couches de peaux qui tiennent Marguerite au chaud. Elle est gelée jusqu'aux os. Encore plus que lorsqu'elle était dans la grotte. Elle ignore combien de temps durera le voyage jusqu'au village de Nita. De toute façon, que pourrait-elle y changer, même si elle le savait ? Alors qu'une partie d'elle-même a accepté de survivre, l'autre aurait préféré rester aux côtés de Damienne. Qui s'occupera d'elle ? Qui se chargera de mettre son corps en terre ? Mais comment aurait-elle pu l'enterrer ? Le sol est gelé. De toute évidence, il faudra attendre la venue du printemps. Mais jusque-là, que devra-t-elle faire du corps ? Elle n'en sait rien. Sitôt que la chaleur se fera sentir, elle ne pourra pas garder le corps dans la cabane. Et les bêtes ? Comment pourra-t-elle les garder à l'écart ? À moins qu'elle demande à Nita de faire le nécessaire. La Sauvagesse pourrait emmener le corps sur la glace, assez loin pour que Marguerite ne le voie pas et, au printemps, il disparaîtrait au fond de l'eau, tout comme Francis.

Elles mettent au moins une heure avant d'arriver au village de Nita, laquelle ordonne à ses chiens de ralentir leur cadence immédiatement. Marguerite ouvre de nouveau les yeux et regarde autour d'elle. Elles s'engagent sur un petit sentier bordé de grands sapins. Ici, la nature a été beaucoup plus généreuse. Même si tout est enseveli sous la neige, les arbres sont beaucoup plus hauts que ceux de l'île. Au bout de quelques minutes seulement, elles débouchent sur une grande clairière où il y a plusieurs maisons construites en longueur. Malgré le froid persistant, dès qu'elles s'arrêtent devant l'habitation de Nita, plusieurs personnes viennent les accueillir. Marguerite est émue de voir autant de gens en même temps. Il y a si longtemps que cela ne lui est pas arrivé. Tous s'approchent d'elle et lui sourient. Elle prend une grande respiration et leur rend la pareille. Elle est partagée entre plusieurs sentiments. Le plaisir d'être enfin au village de Nita. Le remords d'avoir abandonné Damienne sur l'île. La déception d'être encore de ce monde. Elle regarde ces gens sans vraiment les voir. La tête lui tourne et, alors qu'elle se lève pour descendre du traîneau, elle est prise d'un malaise et s'effondre. Nita fait signe à l'un des hommes du groupe, qui l'emporte à l'intérieur et la dépose sur un tapis de mousse recouvert d'une peau d'ours. Nita s'agenouille près de la jeune femme et lui passe sous le nez une mixture d'herbes qui la ramène vite à elle.

« Yepa, il faut te reposer pour reprendre des forces. Je te prépare une assiette et, après, je te donnerai quelque chose qui te fera dormir longtemps. Cela t'aidera à apaiser ta souffrance. »

Marguerite la regarde, un faible sourire se dessine sur ses lèvres. Elle ignore ce qui lui arrive. Normalement, elle perd connaissance uniquement quand elle voit une grande quantité de sang. Nita la laisse un moment et revient avec une montagne de morceaux de poisson fumé. Quand Marguerite les voit, c'est plus fort qu'elle, elle choisit le plus gros et le porte à sa bouche.

Dès la première bouchée, elle est conquise. C'est le meilleur poisson fumé qu'il lui ait été donné de goûter. Certes, Francis, Damienne et elle en faisaient du bon, mais il n'était pas aussi savoureux que celui de Nita. «Il faudra que je lui demande de me donner sa recette» pense-t-elle entre deux bouchées.

Nita la regarde manger; la jeune femme est sur la bonne voie. Tant qu'une personne se nourrit, il y a de l'espoir pour qu'elle s'en sorte. La Sauvagesse lui sert ensuite une tranche de pain de maïs beurrée de crème dorée. Là, c'est l'extase. Du pain... il y a près de deux ans qu'elle n'en a pas tenu dans ses mains. Manger l'empêche de penser. Elle mord à pleines dents dans son pain et s'en lèche les babines. Quand elle finit son repas, elle se sent tout à coup fatiguée et montre à Nita par des gestes qu'elle aimerait se reposer. Son amie lui fait signe d'attendre. Elle lui sert une pleine tasse d'un liquide chaud auquel elle ajoute quelques feuilles séchées. Avant d'avoir tout bu, Marguerite met la tasse de côté et se couche sur la paillasse de mousse. La seconde d'après, elle sombre dans un sommeil profond et réparateur. Cette fois, aucun cauchemar ne vient troubler son repos. Aucun coup de feu. Aucune bête féroce. Aucune croix qui marque la mort. Elle dort du sommeil du juste.

«Dors, ma belle enfant, lui dit Nita en la couvrant d'une peau d'ours. Plus tu dormiras, plus vite tu prendras du mieux.»

Avant de s'éloigner de sa protégée, Nita lui caresse les cheveux et dépose un baiser sur son front. «Heureusement, je suis arrivée à temps, pense-t-elle. Ce soir, je remercierai les grands esprits de m'avoir guidée jusqu'à toi.»

# Chapitre 41

Quand Marguerite se réveille, elle sursaute en voyant autant de paires d'yeux qui la fixent. Hauts comme trois pommes, plusieurs enfants la dévisagent. Ils sont si près qu'elle pourrait les toucher. Elle leur sourit et leur dit d'une voix douce :

— Bonjour, comment vous appelez-vous ? Moi, je m'appelle Marguerite.

Évidemment, aucun d'eux ne comprend ce qu'elle raconte. Ils continuent de la dévisager sans parler. À distance, Nita les observe. Elle décide de ne pas intervenir tout de suite. « Cela lui fera du bien » pense-t-elle. D'un côté, elle ne se trompe pas. Toutes ces petites frimousses procurent un peu de joie à la jeune femme. D'un autre côté, leur seule vue vient cruellement lui rappeler qu'elle a perdu son fils. Elle l'imagine à cet âge, et une boule d'émotion lui serre l'estomac. Elle ne saura jamais à qui Adrien aurait ressemblé à cet âge ni même plus vieux. Aurait-il été grand ? Ou peut-être petit ? Aurait-il eu les cheveux frisés ou droits ? Aurait-il été mince ou bien enrobé ? Et ses yeux ? Auraient-ils conservé la même couleur ? Tout ce qu'elle peut faire, c'est imaginer différentes choses, en sachant que jamais personne ne pourra lui confirmer qu'elle est dans l'erreur ou qu'elle a vu juste. Elle tente de ne pas pleurer. Ces beaux petits enfants n'ont pas à côtoyer sa peine. Elle s'assoit, leur tend les bras, et avant même qu'elle réalise ce qu'elle est en train de faire, une belle petite fille aux yeux aussi noirs qu'une nuit sans lune et sans étoiles s'avance et lui saute au cou. Surprise, Marguerite tombe presque à la renverse, ce qui la fait rire. La fillette est vite imitée par les autres enfants. En moins de quelques secondes, ils sont tous assis près de Marguerite ou sur ses genoux. Ils sont si près qu'elle peut à peine bouger. Mal à l'aise et heureuse à la fois, elle entonne une chanson douce que lui chantait sa mère quand elle avait leur âge. Pour marquer le rythme, elle se berce un peu, entraînant les enfants à faire de même. Ils l'écoutent religieusement, Nita aussi. La vieille Sauvagesse est fière de Marguerite. « Elle va s'en sortir ; ce ne sera pas facile, mais elle y arrivera » pense-t-elle.

La chanson de Marguerite à peine terminée, l'un des enfants commence à chanter à son tour. Il est aussitôt accompagné par les autres. C'est touchant de les entendre. Marguerite les écoute attentivement et sourit. Avant qu'ils en entament une autre, Nita s'approche et leur demande de retourner à leurs jeux. Ils saluent leur nouvelle amie et filent au fond de la maison longue en courant. La vieille Sauvagesse fait signe à son amie de la suivre. Une fois près de la porte, Nita prend son manteau et tend le sien à Marguerite.

Dehors, il fait aussi froid que le jour où Damienne est décédée ; d'ailleurs, son corps doit être complètement gelé à l'heure qu'il est. Marguerite veut oublier la mort de Damienne le plus vite possible. Ces quelques heures ont, à elles seules, gâché sa vie pour des années à venir. Elle a le cœur en miettes, mais elle ne veut pas laisser libre cours à sa peine, car elle a peur de ne pas s'en remettre. Francis, Adrien et maintenant Damienne. Si Nita n'était pas venue, elle serait déjà allée retrouver les siens depuis plusieurs heures. Elle ne lui en veut pas de l'avoir sauvée, mais elle ne sait pas encore si elle veut vivre. Il vaut mieux qu'elle laisse passer le temps. Moins elle pensera à tout ce qui est arrivé, mieux elle se portera. Elle ne veut pas nécessairement oublier sa peine, mais pour l'instant elle a trop mal. Elle se dit qu'au moins Dieu ne peut plus rien lui enlever, puisqu'elle n'a plus rien, sinon sa vie ; mais à quoi bon vivre sans ceux qu'elle aimait ? Voilà les émotions qu'elle ressent en ce moment.

*** 

Nita entraîne Marguerite à l'arrière de sa maison. Même si la distance à parcourir n'est pas très grande, le froid pique le corps entier de la jeune femme. Elle grelotte. Sa vieille amie prend les devants et ouvre la porte de la maison devant elles. Elle guide Marguerite jusqu'au fond de la pièce unique. Ici règne une bonne chaleur, et des odeurs de viande viennent lui taquiner les narines. « Je mangerais bien un petit quelque chose » pense-t-elle.

Devant elles se tient un grand homme d'une beauté rare. À leur approche, il s'est levé. Il les domine pratiquement de deux têtes. Il a tellement de prestance que Marguerite se sent rougir de la tête aux pieds. Elle a une bouffée de chaleur, alors que quelques petites gouttes d'eau perlent sur son front, ce qui la rend encore plus mal à l'aise. C'est alors que se produit ce qu'elle n'aurait jamais osé espérer, même dans ses rêves les plus fous. Le bel homme au teint cuivré, aux dents d'une blancheur rare et aux cheveux plus noirs que la suie la regarde et lui dit, dans un français approximatif mais compréhensible :

— Bonjour, Marguerite ; je m'appelle Mito. Moi homme courageux.

La jeune femme est sans mot tellement elle est contente d'entendre quelqu'un parler sa langue. L'homme lui sourit.

— Bonjour, Mito, parvient-elle à balbutier d'une toute petite voix remplie d'émotion.

— Bienvenue dans notre village.

Elle est aussi impressionnée que la première fois qu'elle a rencontré l'évêque de sa région. Elle s'en souvient comme si c'était hier. Elle avait l'air d'une vraie demeurée devant ce grand homme vêtu de vêtements sombres on ne peut plus sévères.

« Mais Marguerite, lui avait dit son père, dis quelque chose, dis au moins bonjour à notre évêque ! Qu'est-ce qu'il t'arrive ? Quelqu'un a-t-il mangé ta langue ? »

Elle, d'habitude si polie, fixait leur invité avec de grands yeux, comme s'il venait de sortir d'une boîte à surprise. Son père lui avait même brassé discrètement le bras pour qu'elle sorte de sa torpeur, mais sans succès. Il était de plus en plus mal à l'aise. Pour une fois qu'il avait la chance de recevoir l'évêque, voilà que sa chère fille se murait dans un silence dont il n'arrivait pas à la sortir.

— Ne vous en faites pas, lui avait dit l'évêque, c'est chaque fois pareil avec les enfants. J'ignore pourquoi, mais on dirait que je les impressionne ; pourtant je les adore.

La voix douce de cet homme avait réduit à néant les peurs de la fillette. La seconde d'après, elle lui avait dit d'un ton joyeux :

— Bonjour, monsieur ! Je m'appelle Marguerite. Aimeriez-vous que je vous montre mes dessins ?

L'évêque avait éclaté de rire.

— Ce serait un honneur pour moi, ma petite Marguerite. Va les chercher.

Pendant que sa fille était partie, le père en avait profité pour dire à l'évêque :

— Je suis désolé, je ne sais vraiment pas ce qui lui est arrivé. Je vous prie de l'excuser.

— Je ne veux pas de vos excuses, c'est une enfant. Et avec eux, il n'y a jamais de zone grise. Ou ils se sentent en confiance et se laissent aller totalement, ou ils ont peur et ne s'ouvrent pas du tout. Elle est charmante, votre Marguerite. Je suis certain que nous allons très bien nous entendre.

Il avait vu juste. À compter de ce jour, il avait multiplié ses visites au domaine et, chaque fois, il accordait du temps à Marguerite. Il était même devenu un ami de la famille. Certes, depuis la mort de son père, Marguerite voyait moins souvent l'évêque, mais il lui rendait tout de même visite au moins deux fois par année, ce qui faisait toujours grand plaisir à la jeune femme. «Quand je retournerai en France, j'irai le voir» pense-t-elle.

— Nita s'occupera de toi, mais je peux t'aider à dire les choses.

— Merci! lui répond Marguerite en souriant. J'ai quelques demandes à vous faire, si vous me le permettez, bien sûr.

— Je t'écoute.

— D'abord, j'aimerais savoir où vous avez appris à parler ma langue.

— J'ai guidé plusieurs hommes sur notre territoire lorsqu'ils venaient chasser la baleine. Je sais aussi quelques mots de basque.

— Je voudrais remercier Nita pour tout ce qu'elle a fait pour moi.

Mito se tourne vers Nita et lui traduit les paroles de Marguerite. La vieille Sauvagesse regarde sa protégée et lui sourit.

— J'aimerais apprendre à fumer le poisson, poursuit Marguerite.

— Pas de problème. Il faut d'abord aller pêcher.

— J'aimerais apprendre à tresser des paniers.

— Nita te montrera.

— J'aimerais aussi apprendre à faire du pain et des petits pots en terre cuite.

— C'est noté.

— Dernière chose, je ne veux pas être un poids pour vous, je tiens à faire ma part.

L'homme parle à Nita. Il lui traduit les propos de Marguerite. Un sourire sur les lèvres, la vieille femme hoche la tête. Elle ne pouvait espérer mieux. Yepa a choisi la lumière. Elle va tout faire pour occuper son esprit et son corps au cours des jours à venir ; elle aura toutes les nuits pour panser ses plaies.

— Va avec Nita, ajoute l'homme, elle te montrera comment faire du pain de maïs.

Les deux femmes saluent l'homme et retournent dans la maison de Nita. Marguerite se sent transportée par une vague de bonheur. Savoir que quelqu'un, ici, parle la même langue qu'elle la rassure. En échange, elle se promet bien d'apprendre à son tour quelques mots du langage de ceux qui l'ont prise sous leur aile.

De retour à l'intérieur, sa vieille amie lui offre à manger, ce qu'elle accepte avec empressement. Elle ne comprend pas ce qui lui arrive. À la mort de Francis et d'Adrien, elle est restée prostrée pendant des jours, incapable de sortir de sa torpeur. Et là, pas plus tard qu'hier, elle a perdu sa fidèle servante, et la voici maintenant en train de manger tranquillement. Elle a même l'impression d'être heureuse. Peut-être croit-elle avoir retrouvé quelque chose qui ressemble à sa vie d'avant, même si ces gens sont différents d'elle. Peut-être que c'est parce que Nita l'a sauvée. Peut-être même que la Sauvagesse lui a fait boire une potion magique qui diminue l'intensité de sa douleur. Pourquoi chercher à comprendre, alors qu'en réalité le simple fait d'être entourée de gens lui fait du bien ? Savoir qu'elle peut compter sur quelqu'un, à n'importe quelle heure du jour, met un baume sur la souffrance qu'a causée le départ de Damienne. Ici ou ailleurs, elle ressentira toujours une sorte de vide, mais pour l'instant, elle a une envie irrésistible de s'abandonner à ce moment de douceur dont elle a tant besoin.

Dès que Marguerite a avalé sa dernière bouchée, Nita l'amène au centre de la maison. Derrière un paravent fait de branchage se trouvent un vase rempli d'eau et un bout de peau fine. Sa vieille amie lui indique par des gestes de se laver. Marguerite commence par vérifier la température de l'eau. Elle est chaude. Elle s'asperge ensuite le visage. Une fois, deux fois… Elle se retrouve alors au jour de ses cinq ans. Elle était aussi excitée qu'une puce. Elle ne tenait pas en place. Ses parents avaient invité plusieurs personnes du village à célébrer son anniversaire. Elle adorait les fêtes, tout comme celle d'aujourd'hui d'ailleurs.

— Marguerite, venez vous laver ! s'était écrié Damienne.

— Mais je suis propre, je me suis lavée il y a deux jours.

— Quand on reçoit des invités, on prend la peine de faire sa toilette ; vous n'y échapperez pas. Venez ! N'attendez pas que je vous attrape.

Mais Marguerite n'avait pas du tout l'intention de se laver. Elle était bien trop pressée de jouer avec les enfants qui lui rendraient visite. Elle courait partout dans la maison pour se sauver de Damienne. À bout de souffle, la servante s'était arrêtée tout d'un coup et lui avait dit, assez fort pour qu'elle comprenne, peu importe l'endroit où elle était cachée :

— C'est comme vous voulez, Marguerite. Si vous ne vous lavez pas, il n'y aura pas de fête pour vous. Vous écouterez les autres enfants s'amuser pendant que vous resterez toute seule dans votre chambre.

— Non, ce n'est pas juste, s'était-elle écriée. Tu n'as pas le droit de faire cela.

— Dois-je vous rappeler que j'ai tous les droits ? Vous êtes sous ma responsabilité et je fais seulement mon travail. Vous pouvez aller en parler à votre père ou à votre mère, si vous voulez.

Marguerite savait très bien qu'elle n'aurait pas gain de cause si elle allait déranger ses parents pour cela. Déjà qu'ils avaient consenti à ce que Damienne organise une grande fête pour ses cinq ans, elle n'avait pas d'autre choix que de lui obéir. Elle est sortie de sa cachette à contrecœur et a filé se laver sans dire un mot.

Le soir, quand Damienne l'avait mise au lit, celle-ci n'avait pas manqué de dire à sa maîtresse :

— Vous voyez tout ce que vous auriez manqué si vous n'aviez pas voulu vous laver ?

— Merci, Damienne, avait déclaré la fillette en mettant les bras autour du cou de sa servante. Je t'aime aussi gros que mon cheval et toute la prairie dans laquelle il court.

— Moi aussi je vous aime, ma belle Marguerite, faites de beaux rêves.

Une fois rafraîchie, la jeune femme rejoint Nita. Les deux amies s'activent une bonne partie de la journée à faire du pain. Marguerite est comme une enfant. Ce n'est pas qu'elle aime cuisiner, mais depuis qu'elle a quitté Pontpoint le pain lui manque énormément. Elle en a bien mangé sur le navire, mais il n'était en aucun point comparable à celui auquel elle était habituée. Par contre, elle doit bien avouer que le pain de maïs lui plaît beaucoup. Elle commence par observer Nita. Elle se concentre afin de tout retenir et d'être en mesure de reproduire ses gestes. Elle y met tout son cœur. Son amie la surveille du coin de l'œil et sourit. Quand la première fournée commence à embaumer la maison, elle voudrait qu'il soit déjà cuit pour vite y goûter. Comme si elle lisait dans ses pensées, aussitôt que le pain est prêt, Nita lui en offre un gros morceau sur un bout d'écorce de bouleau. En touchant ce qui tient lieu d'assiette, Marguerite a une idée. Cette écorce est si lisse qu'elle pourrait s'en servir comme papier. Par des gestes, elle tente de faire comprendre à Nita qu'elle aimerait en avoir un plus grand pour dessiner. Quand son amie devine la requête, elle lui fait signe de la suivre et lui montre une grosse pile de morceaux d'écorce de bouleau, bien rangés sous une peau de castor. La jeune femme en prend un dans ses mains et sort un morceau de pierre noire de sa poche. Elle court s'asseoir près de l'une des femmes et commence à en faire le portrait.

Cette belle Sauvagesse la regarde sans trop comprendre ce qui se passe. La seconde d'après, elle hausse les épaules et poursuit son travail de couture sans se préoccuper de Marguerite, qui s'applique à faire chacune des lignes qui caractérisent le contour du visage de son modèle. Dans toute sa vie, elle n'a pas vu souvent une aussi belle femme. Son dessin terminé, elle le tend à la belle Sauvagesse en lui souriant. Celle-ci voit bien le visage d'une femme sur l'écorce de bouleau et lui trouve une certaine ressemblance avec le reflet qu'elle voit dans la rivière quand elle va s'y laver l'été, mais elle ne saisit pas bien qu'il s'agit d'elle-même. Restée en retrait jusque-là, Nita s'approche et lui explique que son amie lui offre un cadeau. À son tour, la belle Sauvagesse sourit à la jeune femme. Marguerite est très fière de son dessin. Il n'est pas parfait, comme se plairait à dire son père, mais il est plus beau que le précédent, et moins que le prochain.

Soudainement épuisée, Marguerite va s'étendre et dort jusqu'à ce que Nita vienne la réveiller pour le souper.

Le soir, tout le monde se rassemble dans une maison, autour d'un feu. Marguerite ne comprend pratiquement rien de ce qui se dit ; pour être honnête, elle pense reconnaître un mot ou deux au passage, tout au plus, mais elle aime les entendre parler entre eux. Un peu plus tard dans la soirée, quelques-uns se mettent à danser. Ces quelques pas de danse lui rappellent son premier bal. Elle venait d'avoir seize ans. Elle descendait le grand escalier au bras de son père. Un sourire radieux illuminait son visage. Elle rêvait de cette soirée depuis tellement longtemps ! Elle portait une robe longue au tissu soyeux couleur vin, ce qui mettait en valeur la blancheur de sa peau. Pour l'occasion, Damienne lui avait remonté les cheveux en chignon. Son père avait réuni tous les nobles de la région. Bien sûr, tous étaient accompagnés de leurs enfants en âge de venir à un bal. Les musiciens faisaient résonner leurs instruments. Jamais l'escalier ne lui avait paru aussi long. Il faut dire que tous les regards étaient posés sur elle, et plusieurs étaient insistants. Elle était, aux dires de son père, la plus belle de toutes les femmes présentes.

Une fois au bas de l'escalier, son père l'avait entraînée sur la piste de danse et l'avait fait tourner jusqu'à ce qu'elle n'en puisse plus. Elle avait ensuite dansé avec plusieurs des jeunes hommes présents et s'était beaucoup amusée. Le soir même, son père avait reçu deux demandes en mariage pour elle. Heureusement, il les avait refusées. Quand Marguerite s'était confiée à Damienne, celle-ci lui avait dit qu'elle avait beaucoup de chance d'avoir un père comme le sien.

— Vous savez, la plupart des pères auraient sauté sur l'occasion de marier leur fille.

— Père m'a dit qu'il me donnera en mariage uniquement le jour où je lui dirai que mon cœur bat pour quelqu'un.

— C'est ce que je vous disais, vous avez de la chance. Bien des filles de votre âge savent déjà qu'elles passeront leur vie aux côtés d'un homme qu'elles n'aiment pas et, parfois même, qu'elles détestent.

— Père m'a dit qu'il me souhaitait un mariage comme le sien. Il m'a aussi dit qu'il avait aimé ma mère dès qu'il avait posé son regard sur elle.

— Je vous souhaite la même chose, Marguerite. Vous ne méritez pas de souffrir.

Une invitation à entrer dans la danse la sort de ses pensées. Elle jette un regard rapide à Nita. Celle-ci lui fait un signe de tête. Marguerite se lève et essaie de suivre la cadence. Quand elle se couche, ce soir-là, elle a le cœur rempli de petits bonheurs et chacun d'entre eux vient peupler ses rêves.

# Chapitre 42

Plus les jours passent, plus Marguerite reprend du poil de la bête. Nita a eu raison de l'emmener dans son village. La jeune femme est maintenant capable d'avoir une petite pensée pour Damienne sans avoir envie d'aller la retrouver là où elle est. Elle commence même à anticiper le retour sur l'île. Hier, elle en a fait part à l'homme qui parle sa langue, mais il lui a dit, après avoir discuté avec Nita, qu'il n'était pas encore temps pour elle de partir. Il a ajouté que Nita voulait d'abord lui confectionner de nouveaux vêtements, ce qui lui a fait plaisir. Il est vrai que les siens laissent drôlement à désirer. Ils sont usés, mal assortis, et pas ce qu'il y a de plus chaud non plus. À bien y penser, ces gens ont probablement raison de vouloir la garder encore un peu avec eux. Que pourra-t-elle bien faire, seule sur son île, à attendre qu'un navire passe la chercher ? Elle sait qu'aucun ne viendra avant la belle saison « Il faudra que j'y retourne avant que la glace fonde, pense-t-elle. Ici, aucun navire ne verra ma présence. »

Fidèles à leur habitude, comme tous les matins, les petits enfants sont venus écouter la chanson de Marguerite et lui en chanter une. C'est l'un des moments de la journée qu'elle préfère. Ils ne se contentent plus de l'écouter chanter maintenant : ils chantent avec elle, et elle avec eux. À la fin, ils éclatent de rire et disparaissent ensuite pour la journée. Elle connaît le nom de chacun d'entre eux et Mito lui a expliqué leur signification. Elle a fait leur dessin et l'a remis à leur mère. Mito lui a aussi dit ce que « Yepa » voulait dire. Cela l'a beaucoup touchée. De retour à la maison longue de Nita, Marguerite a pris sa vieille amie dans ses bras et l'a embrassée sur les deux joues en répétant le nom qu'elle lui avait donné. La vieille Sauvagesse a caressé les joues de la jeune femme en lui souriant.

Depuis son arrivée au village, Marguerite a mangé la même chose chaque jour pour déjeuner : un morceau de pain de maïs recouvert de crème dorée. Mito lui a dit qu'il s'agit de beurre d'érable. C'est fait avec le sirop que Nita leur a déjà apporté, du sirop d'érable. Mais, Marguerite n'est pas certaine d'avoir bien compris la suite. Au printemps, ils récoltent la sève de l'érable et la font bouillir jusqu'à ce qu'elle devienne du sirop. Nita lui a montré de quel arbre il s'agit. Pour faire le beurre, ils font bouillir le sirop encore plus longtemps. Hier, Nita lui a fait goûter à de la tire d'érable. Elle a pris un peu de sirop et elle l'a mis à bouillir, jusqu'à ce qu'il épaississe. Elle l'a ensuite déposé sur de la neige. C'était tout simplement délicieux. Les enfants se sont régalés autant qu'elle. Ils en ont tous mangé, jusqu'à ce qu'ils aient mal au cœur. Marguerite se demande encore comment la sève d'un arbre peut avoir si bon goût, mais peut-être a-t-elle mal compris... Une chose est certaine, à sa connaissance, il n'y a pas d'érables en France.

Elle aime la vie ici. Tout le monde travaille, mais sans jamais courir. Contrairement aux gens de son pays, personne ne crie après personne. Chacun sait ce qu'il a à faire et s'exécute sans rechigner. Même les enfants sont calmes ; ils sont calmes, mais vivants. Une chose qui l'impressionne par-dessus tout, c'est qu'ici chaque jour on prend un peu de temps pour ne rien faire, pour réfléchir, méditer, prier ou faire la sieste. L'autre jour, Mito lui a parlé de leurs croyances, ce qui n'a vraiment rien à voir avec la religion catholique. Pour eux, pas question de chercher à prendre les gens en défaut. Ils vivent en harmonie avec la nature. Tous sont là pour apprendre, et quand on apprend, on a droit à l'erreur. Marguerite trouve cela bien plus logique que les menaces continues de son Église. Faites des enfants, sinon... Aller à la messe chaque dimanche, sinon... Aimez votre prochain, sinon... Honorez vos parents, sinon... Comment un Dieu peut-il prendre plaisir à punir de la sorte ceux qu'il aime ? Comment un homme de Dieu, un curé, pour être plus précis, peut-il être aussi certain de détenir la vérité, alors qu'il n'est qu'un humain, tout comme ses paroissiens ? Quand Marguerite pense au curé de Pontpoint, elle se dit qu'il aurait beaucoup à apprendre des Sauvages ; mais encore faudrait-il qu'il ne veuille pas les convertir à sa religion. Un jour, elle a été témoin d'une discussion plutôt musclée entre le curé et le père de sa meilleure amie.

— Ma femme n'aura plus d'enfant, s'écriait le père, que cela fasse votre affaire ou non. Elle a failli mourir quand elle a eu le petit dernier.

— Je vous avertis, avait dit le curé sur un ton autoritaire, je vais l'excommunier si elle refuse de faire son devoir.

— Vous n'avez pas le droit !

— J'ai tous les droits ; tous, sans exception. Souvenez-vous, je suis le représentant de Dieu. J'accorde un an à votre épouse pour enfanter…

— À mon tour de vous avertir : nous allons tout faire pour éviter la famille. Il n'est pas question que je me retrouve seul pour élever mes enfants. Qui s'occupera d'eux si leur mère meurt en couches ?

— Vous ferez comme tous les autres hommes qui perdent leur femme, vous vous remarierez ou, si vous préférez, vous confierez vos enfants aux membres de votre famille.

— Il ne faut pas avoir de cœur pour parler comme vous le faites. Si c'est tout ce que vous aviez à me dire, je ne vous retiens pas.

Furieux, le curé était sorti en claquant la porte. Assise à l'arrière de la maison, la mère de l'amie de Marguerite pleurait à chaudes larmes quand son mari l'avait rejointe.

Ici, dans ce village, la vie est bien différente. Certes, tout le monde ne doit pas aimer tout le monde, mais on sent que tout un chacun se respecte. Même les enfants ont leur mot à dire, ce qui étonne chaque fois Marguerite. D'où elle vient, les gamins n'ont qu'à bien se tenir, sinon la majorité des parents ont la main rapide pour leur montrer le droit chemin. Elle a eu de la chance, jamais son père ni sa mère ne l'ont frappée, pas plus que Damienne d'ailleurs. Ses parents prenaient le temps de parler avec elle. Chez ses amis, les choses ne se passaient pas du tout comme cela. À la moindre erreur, les enfants étaient jugés sans aucun procès.

Tout de suite après le déjeuner, Mito vient chercher Marguerite pour aller à la pêche. Ce n'est pas la première fois qu'elle l'accompagne. Elle prend chaque fois plaisir à pêcher sur la glace avec lui. Sans discréditer Francis, avec Mito elle se sent en sécurité. Il connaît la mer et ses humeurs comme pas un. Il sait où le poisson se terre. En fait, il n'a qu'à mettre sa ligne à l'eau pour que ça morde presque instantanément; pourtant, ils ne pêchent jamais au même endroit. Il lui apprend des tas de choses sur les poissons. Grâce à lui, elle sait maintenant les reconnaître et peut les nommer dans sa langue à lui, ce qui semble lui faire plaisir. Ces courts moments passés en sa compagnie sont comme un vent de fraîcheur. Elle parle et il la comprend, du moins en partie. Avec lui, elle peut discuter simplement, sans être jugée. Elle sait qu'elle ne finira pas ses jours ici, mais elle se promet bien d'adopter quelques-unes des pratiques du peuple de Nita quand elle sera de retour en France. Dès qu'elle aura repris possession de ses biens, elle ouvrira une école pour les enfants de Pontpoint. Tant qu'elle vivra, tous auront la chance d'apprendre à lire et à écrire.

Chaque fois qu'elle pêche avec Mito, ils rentrent toujours trop tôt à son goût. C'est vrai qu'à la vitesse où il sort les poissons il faut peu de temps pour en pêcher suffisamment. Ici, on pêche pour manger. L'objectif des Sauvages n'est pas de vider l'océan, mais bien de prendre ce dont ils ont besoin pour se nourrir. Il en est d'ailleurs de même pour le bois qu'ils coupent, les fruits qu'ils cueillent, les légumes qu'ils cultivent. Ce peuple ne manque jamais de remercier la terre et la mer pour tout ce qu'elles lui donnent.

De retour au village, Mito invite Marguerite à venir fumer une partie des poissons. Elle est heureuse. Si l'Église avait décrété que trop manger de poisson fumé est un péché, eh bien ! elle compterait ce péché dans sa liste lors de chaque confession. Ah ! Elle pourrait toujours s'accuser du péché de gourmandise, mais si elle veut tenir le coup, elle doit se faire plaisir une fois de temps en temps. Au fond, elle se sent très bien, loin de tous les curés de ce monde.

— Cette fois, c'est toi qui le fumera. Moi, je vais te regarder.

— Avec plaisir ! s'exclame-t-elle. Je commencerai par nettoyer les poissons.

Elle prend un couteau et, d'une main assurée, coupe le ventre de chacun d'eux, de l'anus à la tête, afin d'enlever tout ce qui ne se mange pas. Mito la regarde travailler sans l'interrompre. « Elle a bien appris ses leçons, la petite, songe-t-il. Elle va me manquer. »

Quand elle revient à la maison de Nita, elle est fourbue. Elle a travaillé toute la journée sans relâche et, pour une fois, elle ne s'est même pas permis une petite sieste. Mito le lui a offert, mais elle a refusé. Elle a continué à s'affairer pendant qu'il se reposait. Elle était trop contente de lui montrer ce qu'elle sait. Elle tient fièrement un cornet fait d'écorce de bouleau dans ses mains, il est rempli de poisson fumé. Elle rejoint Nita et lui en offre. La vieille Sauvagesse en prend un bon morceau et le met au complet dans sa bouche, ce qui fait bien rire Marguerite. Ici, on a aussi le droit de prendre de grosses bouchées. Les yeux à demi fermés, Nita mâche doucement son poisson, pendant que Marguerite attend le verdict avec impatience.

— Très bon, lui dit-elle en français.

Surprise, la jeune femme éclate de rire.

— Depuis quand parles-tu ma langue ?

Là, c'est trop lui demander. Elle a bien appris quelques mots, mais elle est loin de pouvoir converser. Il faut dire qu'elle ne trouve pas cela facile d'apprendre à parler français. Aucun mot ne ressemble aux siens.

Sans attendre que Marguerite lui offre un autre morceau de poisson fumé, Nita se sert. Cette fois, elle est vite imitée par la jeune femme. En moins de deux, elles mangent tout ce qu'il y avait dans le cornet.

Nita emmène ensuite son amie au fond de la maison. Une des femmes est en train de lui coudre de nouveaux vêtements. C'est le temps de les essayer. Quand elle les voit, Marguerite ne peut s'empêcher de s'écrier :

— Ils sont vraiment très beaux !

La jeune Sauvagesse qui les lui a confectionnés se contente de sourire. Marguerite essaie d'abord un pantalon fait de peaux dont la fourrure se trouve contre son corps. Il est aussi souple que le plus léger des tissus. Il lui va comme un gant. Elle sera à la chaleur pour faire la tournée des collets. Elle met ensuite des couvre-chaussures faits de gros cuir. Dès qu'elle glisse son pied dedans, elle se sent au chaud. Peut-être qu'enfin elle ne gèlera plus des pieds quand elle ira dehors. La jeune Sauvagesse lui donne ensuite une chemise de corps, ainsi qu'un manteau fait complètement de fourrures, avec un grand capuchon qui lui recouvre le front et les joues. Et des moufles aussi ! Tout lui va à merveille. Marguerite est très contente. Elle sourit à la jeune couturière et tourne sur elle-même pour lui montrer à quel point tout ce qu'elle lui a confectionné lui va bien. Deux tours suffisent pour que des gouttelettes d'eau perlent à son front. « Je ne pourrai pas garder tout ça dans la cabane, pense-t-elle. Je vais mourir de chaleur. »

Elle enlève vite ses nouveaux vêtements. Avant de laisser la jeune couturière, Nita lui montre qu'elle est en train de lui en confectionner d'autres, cette fois pour la belle saison ; ils sont donc plus légers et plus fins. Marguerite remercie son amie pour tout ce qu'elle fait pour elle.

L'autre jour, pendant qu'elle pêchait avec Mito, il lui a demandé pourquoi elle vivait aussi loin des siens depuis si longtemps. Elle a pris le temps de lui raconter son histoire dans les moindres détails. Plus elle parlait, plus les yeux de Mito s'agrandissaient. Pour être certain d'avoir bien compris, il lui a fait répéter plusieurs passages. À la fin de son récit, il lui a dit, en lui mettant une main sur l'épaule :

— Des hommes comme ton oncle ne devraient pas exister.

Et Marguerite a répondu :

— J'avais envie d'aventure, et disons que j'ai été plutôt bien servie. Mais un jour, je vais retourner chez moi.

— Tu as raison de vouloir retrouver les tiens.

— À part mon oncle, je suis seule au monde.

— Alors pourquoi vouloir partir ?

— Parce que j'ai promis à mon mari et à ma servante de retourner dans mon pays d'origine et que je tiens toujours mes promesses. Je ne pourrais pas vivre tranquille en sachant que mon oncle profite de mes biens après m'avoir abandonnée au beau milieu de la mer. Je veux reprendre ce qui m'appartient.

— Je comprends.

Ses nouveaux vêtements dans ses bras, Marguerite remercie la jeune Sauvagesse, puis suit Nita qui la conduit jusqu'à sa couche. Elle dépose ses vêtements à côté de son lit, en prenant soin de les plier. Les deux femmes mangent une bouchée et décident d'aller chasser. C'est l'occasion idéale pour Marguerite de mettre ses vêtements à l'épreuve. Les deux femmes s'habillent. Nita prend un arc et des flèches et sort de la cabane, Marguerite sur les talons. Elles chaussent chacune une paire de raquettes. Dehors, le temps est magnifique. Il tombe de gros flocons aussi collants que la gomme de sapin. Elles se rendent au bout du village en empruntant le sentier principal. À chacun de leurs pas, malgré leurs raquettes, elles calent un peu dans la neige, ce qui ralentit leur cadence. Marguerite observe tout. Elle adore voir le sol et les arbres recouverts de blanc. Toute cette neige donne une impression de pureté à ce monde encore sauvage. Ici, les jours s'écoulent dans la paix, et cela lui plaît beaucoup.

La nature est si calme qu'aucun bruit ne se fait entendre. Les deux femmes poursuivent leur marche silencieuse en forêt. Elles profitent du moment présent à leur façon. Elles regardent partout autour d'elles. Tout à coup, Marguerite sent une présence derrière elle. Elle n'ose pas se retourner. Mue par une force invisible, elle crie à Nita de toutes ses forces. Plus vite que l'éclair, la vieille Sauvagesse se tourne, prend son arc et décoche une flèche. Un grand loup s'effondre lourdement dans la neige. Tout s'est passé si vite que la jeune noble n'a même pas eu le temps d'avoir peur. Quand elle regarde la bête que Nita vient d'abattre, elle sent une bouffée de chaleur la parcourir de la tête aux pieds. L'animal est si proche d'elle qu'il n'aurait eu qu'à approcher son nez pour la sentir. Elle peut dire qu'elle l'a échappé belle.

Voyant le désarroi de Marguerite, Nita s'approche d'elle et lui met une main sur l'épaule.

— Tout est fini. Viens, Yepa, on s'occupera de lui plus tard. Il n'y a plus de danger, maintenant.

Sans prendre le temps de s'apitoyer sur son sort, Marguerite suit son amie. Son instinct de survie l'amène tout de même à se tourner de temps en temps pour s'assurer qu'elles ne sont pas suivies.

Quelques heures plus tard, elles reviennent à la maison longue de Nita avec quelques lièvres et quelques perdrix bien grasses. Marguerite se dépêche d'enlever ses vêtements. Il est vrai que le temps était plutôt clément, mais pour une fois elle n'a pas gelé ; elle a les mains et les pieds bien chauds. Il lui faudra mettre ses moufles et ses couvre-chaussures à l'épreuve par temps plus froid ; elle sait que l'hiver lui en donnera l'occasion. Elle offre à Nita de s'occuper de leurs prises. Marguerite réussit bien son pain de maïs, mais elle n'est pas pour autant une meilleure cuisinière. Elle laissera donc à Nita la cuisson de la viande.

# Chapitre 43

Aujourd'hui, c'est un grand jour pour Marguerite. Après plus de deux mois passés au village de Nita, elle retourne sur son île. Le cœur serré, elle parle une dernière fois à Mito avant de partir.

— Tu peux revenir quand tu veux, lui dit-il. J'irai te voir avec Nita quand l'eau coulera.

— Vous allez me manquer.

— Toi aussi ! Nita va t'accompagner et elle ramènera le corps de ton amie. On s'en chargera.

— Merci ! Merci pour tout ! Vous m'avez sauvé la vie.

— Non, si tu es vivante, c'est parce que tu as choisi la lumière. Nita te donnera aussi des graines.

— Et un peu de sirop d'érable ? ne peut s'empêcher de demander Marguerite.

— Oui, et du sucre mou aussi, et de la farine de maïs. N'oublie pas, le sucre mou n'aime pas la chaleur.

— Et c'est pour cela que je devrai le manger vite. Je vais vous envoyer un cadeau par Nita. Un fusil et de la poudre.

Mito s'approche de la jeune femme et la serre dans ses bras. L'instant d'après, Marguerite sort de la maison de l'homme en se disant que s'achève ici une étape importante de sa vie. Elle ne reviendra pas au village, du moins elle l'espère de tout son cœur, mais elle se souviendra de chaque petit moment qu'elle y a vécu.

Son retour sur l'île, bien que souhaité, l'inquiète un peu. Les bêtes auront-elles profité de son absence pour élire domicile dans sa cabane ? Le simple fait que Nita emporte le corps de Damienne lui enlève un grand poids. Elle ne se voyait pas dormir une seule nuit près du corps de sa servante. Après le départ de Nita, elle en profitera pour brûler tout ce qui a appartenu à Damienne, sa paillasse comprise. Elle fera un grand feu dehors. Elle est ainsi faite. Quand quelqu'un quitte son monde, elle est incapable de garder quoi que ce soit qui lui ait appartenu. Elle n'aime pas les souvenirs qui lui rappellent la disparition de ceux qu'elle appréciait. Elle se contentera d'avoir avec elle le portrait de sa fidèle servante. Elle l'affichera près de ceux d'Adrien et de Francis.

Avant de rentrer dans la maison de Nita, elle la regarde afin de se souvenir du moindre détail. Ici, elle a pu retrouver l'équilibre, une forme de bonheur. La gentillesse des gens lui a permis de panser ses plaies, sans qu'elle s'en rende vraiment compte. Grâce à eux, elle peut maintenant songer à ses chers disparus sans éclater en sanglots. Elle sait qu'ils sont là et qu'ils veillent sur elle.

Nita l'attendait. Quand elle la voit, elle se lève et vient à sa rencontre. Marguerite lui fait signe qu'elle souhaite saluer les femmes et les enfants. Quelques minutes plus tard, elle revient. Elle est maintenant prête à retourner sur l'île. Les deux femmes s'habillent chaudement. Cette fin de février n'annonce pas la venue du printemps. Il fait aussi froid qu'en plein cœur de janvier. Marguerite repart avec beaucoup plus de choses qu'à son arrivée. Elles s'installent dans le traîneau et, la seconde d'après, Nita commande à ses chiens d'avancer. Une fois sur la glace, elle lâche un grand cri dans sa langue. Elle n'a pas besoin de le répéter deux fois. Ses chiens s'élancent à toute vitesse sur cette mer blanche, à perte de vue. Guidés par leur maîtresse, les chiens retrouveront leur chemin, comme chaque fois.

Marguerite se sent tiraillée. Elle est à la fois contente et triste de quitter le village et tous ses habitants. Elle sait que vivre seule sur l'île risque de ne pas être de tout repos. Elle devra faire en sorte de ne pas devenir folle puisqu'elle sera laissée à elle-même. Elle s'est promis de chanter plus souvent. Quand elle chante, elle se sent moins seule. Elle fera la lecture à haute voix aussi. Elle refuse de ne plus s'entendre parler. Et elle espère bien retrouver son petit ami le tamia. Elle lui dira comment elle se sent. Elle aura l'impression d'avoir de la compagnie.

Le paysage est aussi blanc que lorsque Damienne est morte. La mer est recouverte de glace. Le froid lui mord le nez. Marguerite se dépêche de remonter son col de fourrure. Aujourd'hui, après plusieurs jours d'essais, elle peut dire hors de tout doute que ses nouveaux vêtements sont efficaces par grand froid ; elle a enfin chaud aux mains et aux pieds, ce qui l'enchante. Pas une fois elle n'a souffert du froid depuis que la jeune Sauvagesse lui a confectionné des vêtements. Même que Marguerite apprécie davantage l'hiver.

Pour le reste du voyage, Marguerite ferme les yeux et se laisse conduire en toute confiance par son amie. Lorsque les chiens ralentissent leur cadence, elle jette un coup d'œil aux alentours. Elle voit l'île, elle la reconnaîtrait parmi cent. Un sourire se dessine sur ses lèvres. Quand elle en prend conscience, elle sait que c'était une bonne idée de revenir. Le paysage est en tout point semblable à celui du village de Nita : tout est blanc et glacé. D'une main habile, son amie dirige ses chiens vers le petit sentier qui mène à la cabane. C'est alors que Marguerite sent une grosse vague d'émotion la submerger. Elle redoute par-dessus tout l'instant où elle reverra le corps de Damienne. Si elle le pouvait, elle ne poserait pas ses yeux sur le cadavre de sa servante. Elle n'a pas envie de revivre ce matin de la fin de décembre ; ses souvenirs lui suffisent.

Une fois devant la cabane, Nita arrête son attelage, se tourne vers Marguerite et lui dit en français :

— Va plus loin.

Sans poser de question, la jeune femme s'exécute. Elle débarque du traîneau, prend ses bagages et se dirige vers l'abri pour le bois. Elle tourne ainsi le dos à la cabane. Nita ouvre la porte et file jusqu'à la paillasse de Damienne. Elle prend le corps raide de la vieille femme dans ses bras et l'installe sur le traîneau. Elle dépose vite une peau dessus. Elle commande ensuite à ses chiens d'avancer un peu, puis s'écrie :

— Yepa, viens.

Les deux femmes entrent dans la cabane. Marguerite n'est pas sûre d'elle. Elle n'ose pas regarder du côté de la paillasse de Damienne. En la voyant faire, Nita la prend par le bras et lui montre la couche de la vieille servante. Quand elle voit que le corps de son amie n'est plus là, Marguerite respire mieux. Comme si elle lisait dans ses pensées, Nita fait comprendre à sa jeune amie qu'elle va l'aider à sortir les effets de Damienne. En moins de quelques minutes, la place qu'occupait la servante est complètement vide. Il restera à tout faire brûler. Marguerite se sent toute drôle, comme si elle réalisait peu à peu que dans quelques heures à peine elle sera seule dans cette cabane, sans personne sur qui compter ; il n'y a que Nita qui lui rendra visite. Une partie d'elle-même sait qu'elle s'en sortira, alors qu'une autre est morte de peur à l'idée de dormir complètement isolée sur une île remplie de bêtes sauvages.

Les amies rentrent du bois et font un feu. Marguerite sait qu'elle devra être patiente avant d'enlever ses vêtements chauds. Le feu mettra certainement un peu de temps avant de rendre la place confortable. Les deux femmes apportent ensuite les bagages de Marguerite.

Nita demande à sa compagne de lui montrer ce qu'elle a pour se nourrir. Après avoir fait l'inventaire du coffre de bois et de l'armoire, la vieille Sauvagesse lui propose de faire la tournée des collets avec elle.

En deux mois, il en est tombé de la neige ! Elle a fondu, d'autres tempêtes ont fait rage, la pluie s'en est mêlée. Heureusement que Marguerite a prévu le coup en apportant une pelle, parce qu'aucun des pièges n'est apparent. Tous sont ensevelis sous la neige et la glace. Installée au-dessus du premier collet, elle brise la glace jusqu'à ce qu'elle parvienne à atteindre le piège. Un beau petit lièvre blanc, totalement gelé, attendait qu'elle vienne le libérer. Elle le met dans son sac et, ensemble, les deux femmes se dirigent vers le deuxième collet. Et la jeune femme reproduit les mêmes gestes. Quand elles reviennent à la cabane, le sac de Marguerite est rempli à ras bord de lièvres. Il fait plus chaud dans l'habitation, mais pas assez pour qu'elles se dévêtissent complètement. Elles déposent les lièvres près du feu et attendent qu'ils dégèlent un peu avant d'enlever leur peau. Pendant ce temps, Nita fait chauffer de l'eau. Elle ne l'a pas dit à Marguerite, mais elle a apporté une bonne portion de riz sauvage. Avant de laisser la petite, elle voulait lui faire plaisir. Ce n'est pas de gaîté de cœur qu'elle l'abandonne seule sur cette île. Elle aurait préféré que Marguerite demeure au village, mais Nita comprend pourquoi son amie préfère rester ici et, surtout, elle respecte son choix. Elle sait qu'un jour elle viendra lui rendre visite et qu'elle trouvera une cabane vide. En attendant, elle a l'intention de profiter de chaque seconde passée avec elle. Quand Marguerite voit Nita sortir un sac de riz de sa poche, elle lui saute au cou tellement elle est contente.

En attendant que le riz soit cuit, Marguerite prend un bout de pain qu'elle enduit d'une épaisse couche de beurre d'érable. Elle en propose à Nita, mais cette dernière décline l'offre. « Elle aime bien trop cela pour que je l'en prive, pense la Sauvagesse. Juste la regarder en manger me satisfait. »

Pendant qu'elles arrangent les lièvres, Marguerite se dit qu'elle garderait bien Nita avec elle un petit moment ; mais elle sait que son amie doit retourner au village si elle ne veut pas rester prisonnière sur l'île elle aussi. Un jour, les glaces sont solides ; le jour d'après, elles ne supportent plus le poids d'un homme. Marguerite le sait.

Nita et elle rangent les lièvres dans le coffre de bois. Au moins, maintenant, Marguerite a de quoi manger pour quelques semaines, ce qui rassure Nita. Le printemps venu, elle pourra pêcher et ramasser des crustacés sur la grève. Il y a tout ce qu'il faut pour la nourrir sur cette île. Puis viendra le temps des petits fruits.

Il est maintenant temps que Nita s'en aille ; Marguerite a le cœur gros. Elle lui donne un fusil et de la poudre pour Mito. Elle prend le temps de lui expliquer comment s'en servir, elle tire même un coup, ce qui fait sursauter son amie. Les deux femmes se regardent ensuite dans les yeux et, avant que Nita monte dans son traîneau, elles se serrent très fort dans leurs bras. Marguerite sait que Nita va revenir la voir, mais en attendant ce jour elle devra compter uniquement sur elle. Aujourd'hui, elle sait qu'elle en est capable. Elle envoie la main à son amie et essuie deux petites larmes au coin de ses yeux. Elle rentre dans sa cabane et ferme la porte derrière elle. C'est ici que commence sa nouvelle vie.

Marguerite se laisse tomber sur une chaise et prend le temps de réfléchir à tout ce qui lui est arrivé au cours des dernières semaines. Elle ferme les yeux et revoit les moments les plus cruciaux. La majorité d'entre eux la font sourire. Elle a été très heureuse au village de Nita. Elle a appris des tas de choses. Elle sait pêcher sur la glace et fumer le poisson. Elle a appris comment tresser des paniers, elle en a d'ailleurs rapporté quelques-uns. Elle sait comment fabriquer de petits pots en terre cuite et elle pourra se pratiquer dès que la terre sera dégelée. Mais faire du pain de maïs est ce qui lui plaît le plus. En se tournant, elle voit la farine que lui a donnée Nita et elle se dit qu'elle pourrait bien commencer cette nouvelle étape de sa vie en faisant du pain. Elle se met vite à l'œuvre et chantonne en travaillant. Qui aurait dit qu'elle reprendrait goût à la vie après la mort de Damienne ?

*** 

Le lendemain matin, dès qu'elle ouvre les yeux, elle court mettre du bois dans le feu. Il est sur le point de s'éteindre. Elle se dépêche ensuite de retourner se coucher. Aujourd'hui, rien ne presse. Certes, elle se fera un devoir de mettre le nez dehors au moins quelques minutes chaque jour, mais pour sa première journée elle peut bien s'attarder au lit.

Comme elle a rapporté une bonne pile d'écorce de bouleau, elle pourra en profiter pour préparer des exercices qu'elle donnera aux élèves qui viendront apprendre à lire et à écrire à son école. Elle commence à y réfléchir. Au bout de quelques minutes seulement, elle se lève, prend ce qu'il lui faut et va s'asseoir à la table. Elle sera bien mieux que sur sa paillasse pour écrire. Elle prépare un premier exercice de calcul, puis un autre de grammaire. Elle a la tête remplie d'idées. Elles fusent tellement vite qu'elle n'a pas le temps de les coucher sur le papier. Elle a bientôt noirci une bonne dizaine de morceaux d'écorce de bouleau. Satisfaite, elle arrête un moment pour manger. Elle sort son pain de maïs, le sent et en tranche un bon gros morceau. Elle prend ensuite le beurre d'érable et, à l'aide du couteau, en étend une bonne couche dessus. Elle déguste chaque bouchée.

Après le déjeuner, elle se remet au travail, mais avant de préparer d'autres exercices elle décide de dresser la liste des choses qu'elle devra absolument apporter avec elle lorsqu'elle retournera en France.

« — *Les lettres de Francis pour ses parents ;*

« — *Tous mes dessins ;*

« — *Les vêtements que Nita m'a donnés ;*

« — *Les graines de maïs ;*

« — *Le petit navire que Francis m'a offert ;*

« — *La pointe de fourrure que m'a confectionnée Damienne ;*

« — *Un ou deux paniers ;*

« — *Un ou deux petits pots ;*

« — *Tout le sirop d'érable qu'il restera.* »

Elle se lève et va mettre sa feuille bien en vue au pied de son lit, juste à côté des portraits de ceux qu'elle a aimés. Ainsi, elle pourra la voir dès qu'elle ouvrira les yeux et y ajouter des éléments au besoin. Elle retourne s'asseoir et continue à préparer des exercices pour ses futurs élèves. Elle a hâte de partager ses connaissances avec les enfants du village. Reste à savoir si les parents accepteront de les lui confier ; elle n'aura qu'à être convaincante. Elle passera d'une maison à l'autre s'il le faut, quitte à permettre aux parents récalcitrants d'assister aux cours eux aussi. Il faut dire qu'en France, à part les nobles, peu de gens savent lire et écrire, ce qui est très malheureux. « Plus nous gardons un peuple dans l'ignorance, plus nous l'empêchons d'évoluer et de se dépasser » se souvient-elle. C'est son père qui disait cela.

Elle passe une grande partie de la journée assise à la table. Puis vient un moment où elle a besoin de s'arrêter un peu. C'est alors qu'elle se souvient qu'au village elle faisait une petite sieste chaque jour. Elle se lève et va s'étendre sur sa paillasse. Curieusement, même si elle a bien dormi la nuit passée, elle s'endort sur-le-champ.

Une heure plus tard, elle se réveille en grande forme. Elle se lève et regarde à l'intérieur de la cabane. « Il est grand temps de faire quelques changements, se dit-elle. J'ai bien envie de mettre la table et les chaises à la place de la paillasse de Damienne » pense-t-elle. Elle passe le reste de la journée à déplacer le peu de choses qu'elle possède. Cela lui fait du bien. Enfin satisfaite, elle prend une grande respiration et s'exclame :

— Je jure que j'aurai quitté l'île avant Noël.

Puis elle entonne une chanson gaie. Elle chante si fort qu'on doit l'entendre jusque sur la grève, mais elle s'en moque éperdument. Elle a besoin de se sentir vivante et elle se promet de ne pas rester silencieuse une seule journée ; ce n'est qu'à ce prix qu'elle restera saine d'esprit.

Quand arrive l'heure du souper, elle est bien tentée de manger un bout de pain, mais elle se dit qu'il est important de déguster un bon repas chaud. Elle met son châle et sort, le temps de prendre un lièvre et un morceau de poisson fumé dans le coffre.

— C'est maintenant que je mets mes talents de cuisinière à l'épreuve, dit-elle à voix haute. Il vaut mieux que je réussisse si je ne veux pas dépérir à vue d'œil.

Elle prend ce dont elle a besoin et reproduit un à un les gestes de Nita et de Damienne. Elle met ensuite le tout à cuire en se croisant les doigts. En attendant que le repas soit prêt, elle décide de préparer un dessin d'adieu à l'attention de son amie. Le jour où elle quittera l'île, Marguerite le mettra bien en vue sur la table pour que la Sauvagesse le trouve. Nita ne sait pas lire, c'est pourquoi la jeune femme doit illustrer ce qu'elle aurait voulu lui dire.

*Ma très chère Nita,*

*Si tu lis cette lettre, c'est que je suis retournée chez moi ; un navire est enfin venu me chercher.*

*Je voulais te dire que tu auras toujours une grande place dans mon cœur et que je t'aimerai toute ma vie. J'avais constamment hâte que tu viennes me visiter sur l'île. Tu m'as permis de découvrir la force que j'avais au fond de moi pour surmonter mes épreuves. Grâce à toi, je suis devenue une femme accomplie et sûre d'elle-même. Quand je serai de retour chez moi, j'ouvrirai une école pour apprendre à lire et à écrire aux enfants de Pontpoint. J'ai tellement appris ici et au village que je ne pourrai plus passer mes journées à ne rien faire. Non, je veux que les autres profitent de ce que je sais.*

*Dis bonjour à tout le monde au village et remercie chacun des membres de ta communauté de s'être si bien occupé de moi. Embrasse bien fort Mito pour moi et dis-lui que je ne l'oublierai jamais lui non plus.*

*Je t'aime à jamais !*

*Ta petite princesse de l'hiver,*

*Yepa*

Sa lettre terminée – ou plutôt ses dessins –, Marguerite revoit le tout et inscrit le nom de Nita en gros sur un autre morceau d'écorce qu'elle placera sur le dessus après y avoir dessiné un gros ours. Quelques minutes plus tard, elle se couche en se disant qu'elle a suffisamment travaillé aujourd'hui.

# Chapitre 44

Il y a maintenant deux semaines que Marguerite est revenue sur l'île. Bien qu'elle ait dû surmonter quelques obstacles, elle a de quoi être fière d'elle. Elle a su s'occuper, malgré le temps morne. Aujourd'hui, c'est la cinquième journée de suite qu'il pleut, ce qui est plutôt étonnant pour un mois de mars. Normalement, à cette période de l'année, il fait beaucoup plus froid. Impossible d'aller dehors. On dirait que quelqu'un a ciré tous les sentiers jusqu'à ce qu'ils luisent comme un écu tout neuf. Le simple fait de sortir chercher du bois représente un danger. La neige fond à vue d'oeil. Pas question d'aller faire la tournée des collets, surtout que le coffre est encore plein de lièvres. Par contre, elle commence sérieusement à penser qu'elle devra fumer tout ce qu'il reste si le temps doux persiste. Elle ne peut pas non plus aller chasser ou pêcher sur la glace. Elle reste donc bien tranquille dans sa cabane, mais elle commence à en avoir assez d'être enfermée et de n'entendre rien d'autre que la pluie qui tombe.

Elle a fini de préparer les exercices pour les élèves de son école. Elle a utilisé presque tous les morceaux d'écorce que lui avait donnés Nita. Elle les a noircis des deux côtés. Avec cela, elle aura suffisamment de matériel pour un bon moment. Il ne lui restera plus qu'à transcrire ces exercices sur du papier lorsqu'elle sera de retour à Pontpoint. Elle a d'ailleurs réfléchi à ce qu'elle pourrait faire pour signifier sa présence sur l'île à un navire qui passerait. Elle croit que la meilleure façon serait de se placer debout, chaque jour, en fin d'après-midi, sur la roche plate et d'y rester au moins une bonne heure, beau temps, mauvais temps. Elle bougera les bras au-dessus de sa tête s'il passe un navire. Les jours sans vent, elle pourra allumer un grand feu, à condition que la mer soit aussi généreuse que l'année dernière en ce qui concerne le bois. Elle est parfaitement consciente que l'idéal serait de rester visible beaucoup plus longtemps que cela, mais elle a décidé de se fier à sa bonne étoile. Bien sûr, elle pourra aussi s'installer sur la roche pour lire. Elle pense qu'il vaut mieux attendre le début du mois de juillet avant de faire la vigie, puisque les trois navires de son oncle sont passés près de l'île le 9 juillet, une date marquée à jamais dans sa mémoire. De toute façon, les navigateurs ne peuvent pas partir de la France avant la mi-avril en raison des glaces. Par contre, si ses calculs sont bons, un navire peut quitter le Nouveau Monde à la fin de l'automne. C'est pourquoi elle se propose de signifier sa présence sur l'île au moins jusqu'à la mi-novembre. Elle est vraiment décidée à retourner en France et elle fera tout ce qui est en son pouvoir pour y arriver. Elle s'est juré de ne pas passer Noël sur l'île et elle espère de tout son cœur que son vœu sera exaucé. Aussi priera-t-elle afin que Dieu lui vienne en aide ; la prière ne peut pas nuire après tout.

Malgré le temps maussade, elle décide de sortir récupérer le morceau de bois tout au haut de l'arbre du temps. Elle s'entend encore demander à Damienne de le couper après que l'orage l'a brisé en deux.

— Il faudrait vraiment réparer l'arbre du temps. Je le ferais bien, mais je ne sais pas du tout comment m'y prendre. À moins que tu me donnes un coup de main.

— Ne vous inquiétez pas, je vais m'en occuper, avait-elle répondu. Demain, c'est promis !

Marguerite était revenue à la charge à quelques reprises, mais sans succès. Il lui arrive de penser que Damienne savait déjà que sa propre ligne de temps était brisée et qu'il était impossible de recoller les morceaux, comme le tronc de cet arbre.

Marguerite sort et se tient après tout ce qu'elle peut agripper. Malgré ses précautions, elle se retrouve au sol, sur le dos. Tout s'est passé si vite qu'elle n'a rien vu venir. La voilà mouillée de la tête aux pieds. Elle rit tellement qu'elle est incapable de se relever. La pluie est glaciale. Elle commence par se mettre à genoux et marche à quatre pattes jusqu'à l'arbre du temps. Elle s'agrippe à sa base pour se lever et, une fois debout, détache facilement toute la partie de l'arbre brisée par l'orage et se remet à genoux pour retourner d'où elle vient. En raison de l'état du sol, il vaut mieux qu'elle ne court pas de risques. Elle ne doit pas se faire mal, sans compter qu'elle n'attend pas Nita avant le mois de mai. Deux mois sans bouger, c'est bien plus qu'elle ne serait capable d'endurer.

Un souvenir lui revient soudainement en mémoire. Elle devait avoir huit ans à peine. C'est l'une des rares fois où elle a accepté d'aller jouer avec quelques enfants de son âge. Ils sont partis joyeusement en direction d'un château abandonné. Rémi, le plus vieux du groupe, a raconté aux autres qu'une méchante sorcière y habitait. Curieux, mais la peur au ventre, tous l'ont suivi. Une fois sur place, le petit groupe s'est arrêté devant la porte – enfin, ce qui avait jadis été une porte –, et ils se sont regardés. En réalité, aucun d'entre eux, même pas Rémi, n'était assez brave pour prendre les devants. Ils ont donc décidé de tirer au sort. Celui qui aurait le plus long morceau de bois devrait entrer en premier dans le château. C'est Marguerite qui avait été désignée. Si elle avait pu, elle aurait disparu sous terre, mais comme c'était impossible, elle a pris son courage à deux mains, a poussé la porte et a crié de toutes ses forces :

— Suivez-moi ! Je vais vous conduire à la vilaine sorcière.

Elle avançait d'un bon pas. C'est lorsqu'elle s'est retournée pour parler à ses amis qu'elle s'est rendu compte qu'aucun d'eux ne l'avait suivie. Furieuse, elle a couru jusqu'à la porte d'entrée, mais ses amis avaient disparu.

— Sortez de votre cachette, peureux ! s'était-elle écriée.

Elle est ressortie, a regardé de chaque côté, mais n'a vu personne.

— Vous n'avez pas fini d'entendre parler de moi, avait-elle hurlé.

Au moment où elle allait retourner chez elle, un violent orage s'était abattu subitement sur la région. Elle devait rapidement se mettre à l'abri. Elle a regardé autour d'elle et a constaté que le seul endroit où elle pouvait se réfugier était le vieux château. Sans réfléchir davantage, elle est retournée sur ses pas et a cherché une cachette. Jamais elle n'avait vu un tel orage. Les éclairs traversaient le ciel bord en bord. Le tonnerre faisait un vacarme d'enfer. Et la pluie occasionnait des coulées de boue. Marguerite se voit assise sur le bord large d'une fenêtre. Elle avait replié ses genoux sous son menton et, de l'endroit où elle était, elle pouvait facilement imaginer qu'une sorcière vivait là et qu'elle fabriquait toutes sortes de mixtures pour attirer les enfants. Le ciel changeait de couleur chaque seconde. Chaque fois que la fillette fermait les yeux, elle entendait de drôles de bruits qui lui faisaient très peur. Et la pluie ne finissait plus de tomber. Elle n'était pas totalement à l'abri. En quelques minutes seulement, ses vêtements étaient détrempés. Et dire qu'elle avait pris la peine de mettre une belle robe. Ses vêtements avaient maintenant l'air de vulgaires torchons. De grosses larmes coulaient sur les joues de Marguerite. Elle était déçue de ses amis, ils n'avaient pas le droit de l'abandonner ainsi. Et puis elle se mourait de peur dans ce vieux château. Et si la sorcière existait pour vrai ? Et si elle l'enlevait sur son balai ? Et si elle ne revoyait plus jamais sa mère ? Ni Damienne ? Les yeux fermés et les mains sur les oreilles, Marguerite a attendu patiemment que l'orage cesse pour retourner chez elle. Quand la fillette a ouvert la porte de la maison, Damienne a accouru jusqu'à elle et, en la voyant si mal en point, elle s'est contentée d'ouvrir ses bras pour que Marguerite vienne s'y blottir. Elle n'est plus jamais retournée au vieux château avec qui que ce soit et s'est permis de raconter de très vilaines histoires de sorcière à ses amis. «Je suis certaine qu'ils s'en souviennent encore» pense-t-elle en souriant.

Quand elle rentre enfin dans la cabane, elle pousse un grand soupir de soulagement. Elle est peut-être mouillée, mais elle s'en est plutôt bien sortie. Elle dépose le morceau de l'arbre du temps sur la table, celui sur lequel apparaissent les marques, et court vite se changer de vêtements. Grâce à Nita, elle a maintenant des pantalons pour l'intérieur et la belle saison. Elle revient à la table avec un bout d'écorce de bouleau et s'assoit. Elle prend le morceau de bois, regarde toutes les petites barres gravées par Damienne et fait le décompte. Elle y ajoute les jours passés au village de Nita. Dans moins de quatre mois, il y aura deux ans qu'elle est sur l'île. « Comme le temps passe vite » pense-t-elle. Elle ne peut pas dire que cela lui a paru long. Elle a fait du mieux qu'elle pouvait avec les moyens qu'elle avait. Le jour de leur arrivée, jamais elle n'aurait pu imaginer qu'elle survivrait. Elle se souvient d'avoir dit à Damienne qu'elle était prête à mourir et que le plus vite serait le mieux. Elle se rappelle aussi que sa servante lui avait répondu : « Moi aussi ! »

Elle retranscrit le nombre de jours indiqués sur l'arbre du temps sur son morceau d'écorce et l'accroche au mur, au pied de sa paillasse. Elle retourne à la table, prend le morceau de bois, l'observe une dernière fois et le met dans le feu. C'était le dernier objet qui lui rappelait Damienne. Elle le regarde brûler jusqu'à la fin. Marguerite s'ennuie de discuter avec sa servante. Mais c'est la sagesse de celle-ci qui lui manque le plus.

— Voyons, ma belle Marguerite, lui disait Damienne, vous ne pouvez pas faire cela.

— Et pourquoi pas ? demandait la jeune noble en piétinant sur place, d'une voix remplie d'impatience.

— Parce que vous devez respecter les adultes.

— Mais pourquoi je respecterais quelqu'un qui ne me respecte pas ? Tu ne l'as pas entendu, il m'a crié après comme si j'étais la dernière des imbéciles. J'ai beau être une enfant, il n'a pas le droit de me parler comme il l'a fait.

— Oui, mais ce n'est pas de sa faute, il est vieux.

— Ce n'est pas une excuse ! Il serait grand temps qu'il pense un peu avant de parler. Il ne peut pas blesser les gens de la sorte chaque fois que cela lui chante.

— Vous êtes bien sévère avec lui. Tout ce que je vous demande, c'est un peu de compassion. Il a perdu son fils aîné l'année dernière, et sa femme le mois passé ; je trouve que c'est bien suffisant pour qu'il commette quelques erreurs. Avez-vous seulement pensé à toute la peine qu'il doit ressentir ?

— Tu es trop bonne. C'est d'accord, je vais passer par-dessus, mais pour cette fois seulement.

C'était il y a bien longtemps à Pontpoint. Elle était allée rendre visite à l'un de leurs voisins à la demande de son père. Elle lui avait même apporté une tarte aux pommes. Alors qu'elle s'apprêtait à sonner, la porte s'était ouverte brusquement et le vieux monsieur lui avait hurlé au visage de s'en aller ; il lui avait dit qu'il n'avait besoin de personne, qu'elle n'était qu'une petite impertinente comme les autres. Sans même que Marguerite ait le temps de réagir, la seconde d'après il lui claquait la porte au nez. Elle était si fâchée qu'elle était retournée chez elle et avait filé à la cuisine, le regard noir. Elle avait déposé un peu brutalement la tarte sur la table et s'était assise au bout de celle-ci en se demandant comment elle pourrait bien faire payer à leur cher voisin l'affront qu'il venait de lui faire. C'est là que Damienne était arrivée et lui avait parlé.

Marguerite remet une bûche dans le feu et s'étend sur sa paillasse. Elle a bien mérité une petite sieste. Avant d'habiter au village de Nita, faire la sieste ne faisait pas du tout partie de ses habitudes. Chez elle et ailleurs en France, quand on sort du lit, c'est pour ne pas y retourner avant la nuit. D'ailleurs, faire la sieste, en France, serait vu comme une faiblesse. Marguerite aime ce moment de repos. Il lui permet de couper sa journée en deux et de repenser à ce qui s'est passé et à ce qui s'en vient. Elle ne dort pas chaque fois, mais elle se sent toujours de meilleure humeur lorsqu'elle se lève pour attaquer le reste de sa journée.

Quand elle aperçoit le petit navire que Francis lui a sculpté, elle le prend dans ses mains et le met contre son cœur. Elle a aimé cet homme plus que tout. Elle aurait donné sa vie pour lui. Ensemble, ils avaient tant de projets ! Assis sur la roche plate, ils ont rêvé de leur avenir plus d'une fois.

— Quand on retournera en France, disait-il, j'ouvrirai un petit atelier pour travailler le bois. Je ferai des meubles pour les nobles, je sais que j'en suis capable. À la maison de mes parents, j'ai fait plusieurs dessins des meubles que je veux fabriquer ; j'ai hâte de te les montrer.

— Et moi j'ouvrirai une école pour montrer à lire et à écrire à tous les enfants du coin. Nous pourrions nous installer à Pontpoint si tu veux bien, j'ai déjà une grande maison là-bas. Tu pourrais même utiliser l'un des bâtiments pour faire ton atelier.

— À la condition que tu acceptes que je te paie.

— Ce ne sera pas nécessaire, ce qui est à moi est aussi à toi.

— Non, je ne suis pas d'accord, je suis bien trop fier pour accepter que ma femme me fasse vivre. Cela, jamais ! Je t'avertis, je ne changerai pas d'idée là-dessus.

— Comme tu veux ; c'était simplement pour te faciliter la vie. Et Pontpoint ?

— Pas de problème pour moi, ce sera juste un peu plus long pour me faire une clientèle.

— Tout ira bien, tu verras. N'oublie pas que je connais tout le monde et mon père avait beaucoup d'amis. Ils seront enchantés de t'acheter des meubles, parce que je suis certaine que ce seront les plus beaux.

— Il y a autre chose. J'aimerais beaucoup voyager.

— Si c'est pour t'embarquer sur un autre navire, tu iras sans moi. Une fois que j'aurai réussi à retourner chez nous, personne ne parviendra à me convaincre de repartir.

— Non, rassure-toi. Je veux voir mon pays et ceux des alentours.

— Pour cela, aucun problème. Nous pourrions prévoir un ou deux voyages par année et, de cette façon, nous finirions par faire le tour de notre continent.

— Je suis partant. Le premier pays que je voudrais visiter est l'Angleterre.

— Alors nous irons. Et moi j'aimerais bien visiter quelques monastères.

— Des monastères ? Pourquoi ?

— En fait, je ne veux pas seulement les visiter, je veux aussi y passer quelques jours.

— Je ne comprends pas.

— C'est simple : j'aime la tranquillité des monastères. J'aime les lieux saints, me laisser porter par leur caractère sacré.

— Et moi qui croyais que tu n'aimais pas les curés.

— Les moines n'ont rien à voir avec les curés. Ils prient à longueur de journée. Jamais ils ne se permettent de juger qui que ce soit.

— Ah ! Je te promets d'essayer. Mais dis-moi, voudrais-tu avoir d'autres enfants après celui-ci ?

— Si c'est avec toi, j'en veux une bonne douzaine.

— Moi, je me contenterais bien de quelques-uns. Si tu veux avoir une école, il vaut mieux y penser. Tu ne pourras pas tout faire !

— Mais nous avons Damienne, elle va s'occuper des enfants !

— J'oubliais que, dans ton monde, cela ne fonctionne pas de la même façon que dans le mien. Quand même, douze, je trouve que c'est un peu trop.

— Ce n'était pas sérieux! Nous verrons bien. Nous allons commencer par mettre celui-là au monde, qu'en penses-tu?

— Tu as raison. Est-ce que je t'ai déjà dit à quel point je t'aimais?

— Non, il y a au moins quinze minutes que je n'ai rien entendu de tel.

Et ils éclataient de rire. Ils s'aimaient vraiment et ils ne pouvaient pas envisager vivre l'un sans l'autre.

Marguerite se dit que la vie est dure. Elle lui a enlevé tout ce qui lui était le plus cher. Son mari, son fils, sa servante! Elle ne connaît pas l'avenir, mais elle est bien tentée de croire qu'elle ne se remariera plus jamais. Quand on a connu le meilleur, il est difficile de s'imaginer qu'on pourra se contenter de moins.

Elle fredonne une chanson douce et, cette fois, elle s'endort bien avant la fin.

# Chapitre 45

Ce matin-là, pendant que Marguerite s'affaire à replacer sa corde de bois, elle entend du bruit derrière elle. Elle saisit son fusil et se retourne en vitesse. Quand elle aperçoit Nita, elle croit rêver. Elle se frotte les yeux du revers de la main, mais sa vieille amie est toujours là. C'est alors qu'elle se met à danser et à crier. Elle est folle de joie.

— De la visite ! s'écrie-t-elle. J'ai enfin de la visite ! Nita, c'est bien toi ? Je suis tellement contente de te voir ! Viens que je t'embrasse, ajoute-t-elle en riant.

L'instant d'après, les deux femmes sont dans les bras l'une de l'autre et restent ainsi un bon moment. Alors que Marguerite pleure à chaudes larmes – des larmes de joie, il va sans dire – Nita essuie deux gouttelettes au coin de ses yeux. Elle est très contente de revoir sa petite Yepa, mais le lui montrer par les larmes ne lui ressemble pas. Elle prend les mains de la jeune femme dans les siennes et les serre en la regardant dans les yeux. Même si elles ne parlent pas la même langue, elles arrivent quand même à communiquer.

Nita a apporté plusieurs choses à Marguerite, notamment du sirop d'érable. En le voyant, la jeune noble se dépêche d'en prendre une bonne gorgée à même le contenant, ce qui fait bien rire son amie.

— Une chance que mon père ne me voit pas faire, s'exclame-t-elle, il aurait honte de moi.

Voir sa petite Yepa heureuse rend Nita heureuse. Elle ne sait pas ce que son amie vient de dire, mais l'important est qu'elle aille bien ; en fait, elle se porte encore mieux qu'elle l'espérait. Nita s'était même dit qu'il y avait des chances qu'elle trouve

Marguerite totalement défaite, ou même morte, alors qu'au contraire elle a devant elle une femme solide et bien en forme. Elles passent le reste de la journée dehors. Marguerite lui montre son jardin. Elle aurait bien voulu l'agrandir, et ce n'est pas faute d'avoir essayé, mais la terre était bien trop dure à travailler ; elle s'est même demandé comment Damienne avait pu en venir à bout. Elles se rendent ensuite sur la grève ; elles y restent jusqu'à ce que ce soit l'heure de manger. Marguerite a expliqué à Nita par des gestes qu'il fallait éloigner le bois du rivage pour éviter que la mer vienne le reprendre. Le simple fait d'être avec quelqu'un fait beaucoup de bien à Marguerite. Elle sourit à son amie dès qu'elle croise son regard. Il est vrai qu'elle s'en est plutôt bien tirée depuis son retour ici, malgré ses petites périodes de découragement, mais elle doit admettre que ce serait beaucoup plus facile à deux. Vivre seule est l'une des choses les plus difficiles qu'elle ait expérimentées.

Plus la journée avance, plus Marguerite s'inquiète de voir partir Nita, à un point tel qu'il arrive un moment dans la journée où elle a de la difficulté à profiter de l'instant présent. Quand son amie s'en aperçoit, elle lui fait des signes avec ses doigts pour lui expliquer qu'elle passera sept jours avec elle. Elle saisit un bout de bois et l'indique même sur le sable. Il n'en fallait pas plus pour que Marguerite saute de nouveau de joie. Sept jours ! Elle aura de la compagnie pendant sept jours, ce qui veut dire qu'elles auront le temps de faire un tas de choses, comme aller chercher des œufs de canard, chasser, pêcher. Outre un navire qui viendrait la chercher, c'est le plus beau cadeau qu'elle pouvait recevoir. Elle ferme les yeux une seconde et remercie Dieu de cette belle surprise.

Marguerite passe une merveilleuse journée. Elle est tellement bien que seule la faim lui rappelle l'heure qu'il est. Avant de retourner à la cabane, elle ramasse ce dont elle a besoin pour manger. En cette période de l'année, nul besoin d'aller très loin, puisqu'il y a tout ce qu'il faut sur le bord de l'eau. Des gros crustacés qui rougissent au contact du feu ou de l'eau bouillante, des petites crevettes succulentes, des coquillages de toutes les grosseurs. Marguerite remplit son panier de crevettes et, ensemble, les deux femmes empruntent le sentier bras dessus bras dessous. Une fois à l'intérieur, Nita ouvre son sac et en sort du riz sauvage. Elle le montre à Marguerite en lui indiquant du doigt tout ce qu'elles ont rapporté à manger.

— Tu as raison, Nita, il ne manquait plus que le riz. Merci d'en avoir apporté, je l'aime tellement.

Ce soir-là, elles mangent toutes leurs petites crevettes, et tout leur riz ; elles sont tellement pleines qu'elles ne pourraient pas avaler une seule bouchée de plus. C'est alors que Marguerite réalise que, dans la cabane, il n'y a plus qu'une seule paillasse pour dormir. Comme la nuit est tombée depuis un bon moment déjà, il leur faudra attendre au lendemain pour aller chercher ce qu'il faut pour en construire une autre. Elle explique à Nita, par des gestes, qu'elles devront dormir ensemble. Pour toute réponse, celle-ci lui sourit.

Il y avait bien longtemps que Marguerite n'avait pas aussi bien dormi. Elle a même rêvé qu'elle gambadait dans la prairie avec son cheval. Il faisait un soleil de plomb. Elle l'avait amené jusqu'à la rivière ; et là, pendant que son fidèle compagnon se désaltérait, elle en profitait pour s'étendre sous un arbre et faire une petite sieste, comme ses amis le lui ont appris.

Quand Marguerite ouvre les yeux, Nita est déjà en train de préparer le déjeuner. Elle a même pris le temps d'aller chercher quelques œufs de canard ; elle sait à quel point Marguerite les aime. En la voyant, la jeune femme saute du lit et ne peut résister à l'envie soudaine d'embrasser son amie sur la joue.

— Tu ne peux pas savoir à quel point je suis contente que tu sois là !

Après le repas, elles partent chercher des œufs de canard, ce qui les occupe tout l'avant-midi. Leur panier est rempli à ras bord. Il leur faut aller les porter dans la grotte. Marguerite n'y est jamais retournée depuis le jour où Nita est venue l'y secourir. Avec son amie, elle a le courage de s'y rendre. Elle prend ce qu'il faut pour installer le panier dans le baril, ainsi qu'une chandelle ; elle se rappelle à quel point il fait noir là-dedans.

Une fois sur place, elle laisse Nita prendre les devants. Elle a l'impression d'être soudainement moins courageuse. Alors que son amie est déjà à l'intérieur, Marguerite hésite encore à entrer. Elle voudrait bien rayer cette période de sa vie, mais comment oublier qu'un jour on a réellement voulu mourir ? Elle ferme les yeux quelques secondes et revoit tout le chemin qu'elle a parcouru depuis. « Tout le monde a droit à l'erreur, même moi » se dit-elle. Dans la totale obscurité, Nita l'attend patiemment. Elle a une petite idée du combat que doit mener Marguerite pour venir jusqu'ici. Lorsqu'elle voit la petite flamme de la chandelle avancer vers elle, elle sourit en pensant qu'elle est bien courageuse, sa petite Yepa. Elles déposent les œufs dans le baril, mais ne s'attardent pas inutilement dans cet endroit humide, sombre et peu invitant. Dès qu'elle se retrouve à l'air libre, Marguerite respire mieux. Elle ne viendra pas ici pour passer le temps, mais simplement pour ramasser ses œufs.

Sur le chemin du retour, Marguerite fait un petit détour jusqu'au marécage. Elle veut montrer les plants de riz à Nita. La vieille Sauvagesse prend le temps de faire le tour complet du marécage, mais ne se mouille pas les pieds. À mesure qu'elle avance, Marguerite sur les talons, elle lui montre tous les plants de riz qui poussent. La jeune femme est agréablement surprise. Alors qu'elle croyait qu'il n'y en avait que quelques-uns, voilà qu'elle découvre qu'ils sont légion. En fait, il y en a partout. Nita tente de lui faire comprendre qu'elle reviendra avec Mito, à l'automne, pour l'aider à le récolter.

Alors qu'elles s'apprêtent à rentrer dans la cabane, elles entendent du bruit, comme si quelqu'un à l'intérieur était en train de tout saccager. Nita fait signe à Marguerite de se préparer à tirer, puis elle ouvre la porte. Devant elles se trouve une drôle de bête qui semble masquée. Elle les regarde et leur fait face d'un air fanfaron, comme si Nita et Marguerite étaient les intruses, et non pas elle. Nita fait signe à Marguerite de tirer. Celle-ci vise et atteint l'animal qui s'effondre sans même pousser un petit cri. Ce n'est qu'à ce moment qu'elle se demande pourquoi il fallait tuer cette bête. Nita explique à Marguerite, par des gestes et quelques mots, qu'une fois que cet animal a goûté à notre nourriture, il revient constamment nous en voler. Pire encore, par la suite, il se fait accompagner de ses pairs.

Le visiteur a fait du désordre dans l'habitation, mais Marguerite se console en se disant qu'elles sont probablement arrivées juste à temps. «Il avait l'air drôlement bien parti» pense-t-elle. Nita sort la bête et va la porter loin de la cabane; ce soir, les loups s'en chargeront. À son retour, elle trouve Marguerite étendue par terre, sans connaissance. Lorsque Nita a soulevé l'animal, Marguerite a vu la mare de sang au sol; elle a bien essayé de se contrôler, mais ses jambes sont devenues aussi molles que du coton et sa vue s'est embrouillée. Nita lui frappe doucement les joues pour qu'elle revienne à elle. Elle l'aide ensuite à s'étendre sur sa paillasse en prenant soin de lui tourner la tête afin qu'elle ne voie pas le sang qui tache encore le plancher. Puis la Sauvagesse se dépêche de nettoyer le tout. Pendant le repas, les deux femmes se moquent du petit bandit qui était bien décidé à élire domicile dans la cabane.

La semaine passe si vite que le matin où Nita signifie à Marguerite qu'elle doit s'en aller, celle-ci tombe des nues.

— Déjà ? lui demande-t-elle.

La vieille Sauvagesse lui répond d'un signe de tête. Elle ramasse ses affaires et les deux femmes prennent le chemin de la grève. En passant près des trois croix, Nita s'arrête et se recueille un petit moment devant chacune d'elles. Elle se dirige ensuite vers son canot. Elle dépose son sac sur un banc et se tourne vers Marguerite. Elle lui ouvre grand les bras. Elles sont bien serrées l'une contre l'autre, et aucune des deux n'ose parler. Dans quelques secondes, quelques minutes tout au plus, Nita retournera au village, le cœur gros, en se disant que sa jeune amie va lui manquer. Et Marguerite, de son côté, sait déjà qu'elle va s'asseoir sur la roche plate et qu'elle y restera tant et aussi longtemps que Nita ne disparaîtra pas complètement de sa vue. Elle sait aussi qu'elle se sentira bien seule sans sa compagne.

Fixant l'eau, Marguerite pense au bon temps qu'elle vient de passer avec Nita. «Je pourrais l'emmener en France» pense-t-elle en souriant, même si elle sait que c'est impossible. Pas plus qu'elle, Nita ne souhaite quitter les siens. Et puis, en raison de l'étroitesse d'esprit des habitants de Pontpoint et de la France, son amie ne serait pas bien accueillie. En raison de sa couleur de peau. De ses vêtements. De sa langue. De sa façon de penser. De ses croyances. Au fond, Marguerite l'aime beaucoup trop pour lui faire subir cela. Elle sourit en se disant qu'il vaut parfois mieux laisser les choses comme elles sont. Pour sa part, Marguerite a le goût de l'aventure, c'est vrai, mais pas assez pour passer le reste de sa vie dans le village de Nita, même si elle sait qu'elle y serait très bien. Là-bas, jamais elle ne s'est sentie comme une étrangère. Tout le monde l'a accueillie. Dès le premier jour, elle a senti qu'elle faisait partie du groupe. Elle était l'une des leurs et elle le serait encore si elle y retournait. Mais Marguerite a trop envie de revoir son pays, son cheval, ses terres, ses voisins. Et son oncle, pour lui dire sa façon de penser. Sa vie est à Pontpoint, tout comme celle de Nita est dans son village.

Il y a déjà un bon moment qu'elle ne voit plus le canot de Nita quand elle se décide enfin à retourner à la cabane. Elle ira cueillir des petits fruits et, si elle en trouve suffisamment, elle pourra faire un peu de confiture et la sucrer avec du sirop d'érable.

— Bonne idée! se dit-elle à haute voix. Et demain, j'en mettrai une bonne couche sur mon bout de pain.

\*\*\*

Ce soir-là, elle trouve la cabane bien grande sans Nita. Enrou-lée dans son châle, elle s'assoit au coin du feu et chante des chansons. Elle ne peut résister à l'envie d'en chanter quelques-unes que les enfants du village lui ont apprises. Comme elle n'a pas encore sommeil, même après avoir chanté tout son répertoire, elle prend un livre et lit comme si elle faisait la lecture à une vieille dame. Elle interprète chaque personnage et s'amuse follement, jusqu'à ce qu'un bruit, à l'extérieur, la fasse sursauter. Elle se lève d'un bond, saisit son fusil qui est toujours chargé et ouvre la porte d'un coup. Au même moment, un animal déguerpit à une vitesse folle, ce qui ne laisse à Marguerite ni le temps de tirer ni le temps de l'identifier. Elle va chercher une chandelle et avance un peu en direction de la corde de bois. Elle se souvient alors qu'elle a oublié de rentrer les quelques œufs qu'elle a ramassés sur la grève. Elle n'est pas fière d'elle. Après deux ans sur l'île, elle devrait savoir qu'il ne faut jamais laisser traîner de nourriture près de la cabane, ni dehors ni dedans. Tout ce qui se mange doit absolument être à l'abri des bêtes. Elle replace les quelques bûches qui sont tombées et rentre. Elle dépose son fusil, enlève son châle et décide d'aller dormir. Elle souffle la chandelle et se laisse tomber sur sa paillasse sans prendre la peine de se déshabiller.

La tête lui tourne. Elle pense à tout ce qu'elle a fait avec Nita. Elle aurait bien aimé que Mito vienne également. C'est alors qu'elle se souvient que Nita lui a remis un morceau d'écorce de bouleau de sa part. Trop excitée par la visite de son amie, Marguerite l'avait mis dans la poche de son tablier et n'avait pas pris le temps de le regarder. Elle se relève, allume une chandelle et s'assoit. Elle prend le morceau d'écorce et le considère. Étant donné que Mito ne sait ni lire ni écrire, il lui a fait des dessins. Elle les regarde une première fois sans trop comprendre. À la deuxième tentative, c'est comme si elle l'entendait lui dire :

*Ma petite Yepa,*

*Ici, tout va bien, mais tu nous manques. J'ai fumé du poisson et j'en ai donné à Nita pour toi. J'irai te voir bientôt. Je te serre dans mes bras.*

*Mito*

Elle est émue. Elle est touchée par les dessins de Mito. Si elle avait vu son message plus vite, elle aurait pu lui répondre à son tour par quelques dessins ; mais elle se reprendra lorsque Nita reviendra la voir. Heureusement, la vieille Sauvagesse lui a apporté une bonne pile de morceaux d'écorce de bouleau, ce qui lui a fait plaisir. Elle serre la lettre de Mito contre son cœur quelques secondes et sourit. Elle la range avec ses dessins et ajoute une note à sa liste de choses à apporter dans ses bagages quand elle retournera chez elle.

Elle a tout de suite aimé les « Sauvages », comme son oncle les surnommait ironiquement. Même après avoir passé plusieurs mois en leur compagnie, elle n'a jamais réussi à saisir pourquoi on les nommait ainsi. C'était le premier voyage de son oncle dans le Nouveau Monde et il n'en avait encore jamais rencontré un. Les Sauvages font bien sûr la guerre, comme tous les peuples, Mito lui en a parlé à quelques reprises ; mais à ce compte-là, ce n'est pas le seul peuple qui mériterait ce titre. Ce qu'elle aime le plus de ces gens, c'est sans contredit le respect qu'ils ont pour tout ce qui les entoure, vivant ou non.

— Regarde autour de toi et vois tout ce qui est vivant, lui avait dit Mito en fixant son regard sur Marguerite.

— Mais quand je regarde, je ne vois rien d'autre que ce qui est visible.

— Il faudra t'habituer à observer mieux. Si tu veux être une bonne chasseuse, par exemple, tu dois prévoir ce que ton gibier va faire avant qu'il s'exécute. Et ne tuer que par besoin et non par plaisir.

— Et les guerres ?

— Certaines sont nécessaires, mais la majorité d'entre elles ne le sont pas.

À force de parler le français, Mito faisait d'énormes progrès ; il s'améliorait beaucoup plus que Marguerite le faisait dans la langue de Nita. La jeune femme n'arrivait pas à se rappeler les mots qu'elle apprenait et qu'elle se répétait pourtant toute la journée. Avec sa patience d'ange, Mito lui donnait la chance de parler et la reprenait doucement pour qu'elle puisse s'améliorer. Malgré tout, le mieux qu'elle a pu faire, c'est de dire quelques mots, mais sans arriver à prononcer une phrase complète, si petite soit-elle. Elle n'était pas très fière d'elle. Elle se souvient d'un jour où elle essayait désespérément d'apprendre à broder une petite fleur et qu'elle n'y arrivait pas. Elle s'était faufilée dans la chambre de sa mère et lui avait dit en pleurnichant :

— Je suis bonne à rien, je n'arrive même pas à broder une simple petite fleur. Personne ne voudra de moi comme épouse quand je serai grande.

Sa mère lui avait dit doucement, en lui caressant les cheveux :

— Voyons, Marguerite, je te l'ai déjà dit. Personne ne peut exceller dans tout. Quand j'avais ton âge et que je n'arrivais pas à réussir quelque chose, ma mère me disait de laisser passer quelques jours et de réessayer plus tard.

— Et puis ? avait demandé curieusement la petite fille.

— Eh bien ! la majorité du temps, cela fonctionnait. Et pour certaines petites choses, je n'y suis jamais arrivé, mais ce n'est pas grave. Tu sais, je suis incapable de faire cuire des œufs sans briser le jaune.

— Mais c'est facile, maman ! L'autre jour, Damienne m'a montré comment faire et j'ai réussi du premier coup !

— Tu vois, c'est justement ce que j'essaie de t'expliquer. Tu n'es pas obligée de tout savoir faire. Allez, laisse ta broderie de côté et va jouer un peu.

Marguerite se dit qu'elle n'aurait pas pu avoir une meilleure mère que la sienne. Le seul petit problème, c'est qu'elle est décédée trop tôt. «Mais au moins, j'avais Damienne » pense-t-elle avant de se tourner sur le côté et de sombrer dans un sommeil profond.

# Chapitre 46

C'est avec impatience que Marguerite a attendu la venue du mois de juillet. Depuis le moment où elle s'est juré de ne pas fêter un autre Noël sur l'île, aucun jour n'est passé sans qu'elle s'imagine retourner en France. Elle y croit de plus en plus. Comme juillet commence aujourd'hui, elle s'installera sur la roche plate, en fin de journée, pour guetter la venue d'un navire et, surtout, lui signifier sa présence. Et elle devra compter sur la chance. Ses vêtements n'ont rien à voir avec ceux que portaient les femmes sur le navire ; mais avec leurs lunettes d'approche les marins verront qu'elle n'est pas une Sauvagesse mais bien l'une des leurs.

Elle commence sa journée en allant cueillir des petits fruits. Elle surveille les bleuets de près, mais elle devra attendre encore au moins trois semaines avant qu'ils soient mûrs. Son fusil sur l'épaule, elle prend quelques petits plats en terre cuite et sort de la cabane, le cœur léger. La visite de Nita n'est déjà plus qu'un lointain souvenir. Elle essaie de toutes ses forces de profiter du moment présent, mais c'est parfois difficile de vivre seule. Il lui arrive d'avoir envie de baisser les bras et de tout laisser tomber. Elle a beau chanter fort, lire à haute voix ou parler à son ami le petit tamia, il reste quand même qu'elle n'a personne avec qui discuter, échanger ou même se disputer. Elle s'ennuie une fois de plus de ses discussions avec Damienne ou Francis. Malgré tout cela, elle veut tenir la promesse qu'elle leur a faite.

Elle a mis quelques noisettes dans sa poche, au cas où elle verrait le petit tamia. Depuis que Damienne n'est plus, la réserve baisse beaucoup moins vite ; peut-être qu'elle n'aura pas besoin d'en cueillir un grand nombre cet automne. « À moins que j'en apporte en France, pense-t-elle. Je devrais ajouter les noisettes à ma liste. » Chaque fois qu'elle en prend pour son ami le tamia ou pour elle-même, elle revoit Damienne qui ne pouvait plus s'arrêter d'en manger ; ce qui, tout compte fait, se produisait chaque fois qu'elle en mettait une dans sa bouche.

Étant donné qu'elle a déjà ramassé tous les petits fruits à proximité de la cabane, elle n'a d'autre choix que d'aller un peu plus loin, ce qui n'a rien pour lui déplaire. Elle aime découvrir l'île. Dans un peu plus d'une semaine, elle y sera depuis deux ans ; et, malgré cela, elle est loin d'en avoir fait le tour. Il fait un temps magnifique en ce 1er juillet. Le soleil brille de tous ses feux et, contrairement à d'habitude, seule une petite brise s'est levée. Marguerite se propose même d'arrêter se rafraîchir à la source au retour de sa cueillette.

Ce n'est pas d'hier qu'elle aime cueillir des petits fruits. Cela remonte à sa plus tendre enfance. Pour lui faire plaisir, son père avait dit au jardinier de laisser pousser les plants de petits fruits sauvages dans le jardin. Petite, elle y allait chaque jour et revenait fièrement avec son trésor, qu'elle courait montrer à Damienne et, bien sûr, à sa mère, quand son père le lui permettait. Il faut dire que son plat n'était jamais plein, elle mangeait ce qu'elle ramassait au fur et à mesure, ce qui n'a pas tellement changé aujourd'hui. C'est lorsqu'elle était prête à rentrer qu'elle s'efforçait de déposer quelques fruits dans son plat. Les années ont passé et elle a toujours pris plaisir à cueillir des petits fruits, ce que Damienne n'a jamais compris d'ailleurs. Marguerite était la seule noble à aimer cela ; enfin, de toutes celles qu'elle connaissait. Elle se souvient, entre autres, d'une fois où elles étaient allées cueillir des fraises, pas très loin de la maison. Elles en avaient rapporté un plein panier – il serait plus juste de dire que Damienne avait presque tout cueilli. Au retour, elles les équeutaient dans la cuisine. Marguerite avait participé à la corvée sans rechigner ; elle était toujours volontaire quand elle pouvait manger en travaillant. Damienne la surveillait du coin de l'œil et commençait à s'impatienter drôlement. Elle se disait que si Marguerite continuait à manger les fraises à cette vitesse, ce ne serait pas la peine de faire des confitures. Au bout d'un moment, elle n'avait pas pu s'empêcher de lancer :

— Dites-moi, Marguerite, votre objectif est-il de manger toutes les fraises avant de faire les confitures ?

— Voyons, ma chère Damienne, avait répondu la jeune fille d'un air détaché, je n'en ai mangé que quelques-unes depuis que nous avons commencé. Et je te rappelle que j'en ai cueilli moi aussi.

— Au risque d'être impolie, je vous signale que j'ai cueilli presque tout ce qu'il y avait dans ce panier. Vous, vous les mangiez au fur et à mesure, comme maintenant. Je suis aussi bien de retourner chercher d'autres fraises, parce qu'il y aura tellement peu de confiture que votre père se plaindra et je serai bien obligée de lui donner raison.

— Arrête un peu, ce n'est pas la fin du monde, ce ne sont que des fraises !

— Je le sais très bien, mais on ne les a pas cueillies pour les manger, mais pour faire des confitures.

— Si c'est comme cela, il vaut peut-être mieux que je m'en aille.

— Je ne l'aurais pas dit de cette manière, mais pour être franche, plus loin vous vous tiendrez de la cuisine, mieux je me porterai.

Sans argumenter davantage, Marguerite s'était levée et elle était sortie de la pièce. Une fois dans sa chambre, elle s'était demandé quelle mouche avait bien pu piquer Damienne pour qu'elle s'en prenne à elle. Après tout, elle n'avait mangé que quelques fraises. Damienne était habituellement si patiente !

Quand elle repense à cet événement, Marguerite se dit que Damienne était bien tolérante, parce que la fillette lui refaisait le coup chaque fois que venait le temps de faire des confitures. Sous prétexte qu'elle lui donnerait un coup de main à la cuisine, elle mangeait tout ce qu'elle pouvait, et ce, même si elle n'avait pas participé à la cueillette.

Marguerite s'aventure assez loin de la cabane, dans un endroit où elle n'est encore jamais allée. Pendant que les canards volent allègrement au-dessus de l'île, en se faisant entendre de partout, elle marche en fixant le sol, à la recherche du moindre fruit prêt à être cueilli. Tout à coup, elle tombe sur une énorme talle. Un grand sourire se dessine sur ses lèvres. Elle s'assoit par terre et dépose ses petits plats à côté d'elle pour commencer sa dégustation. « Moi, je trouve cela tout à fait normal de goûter la marchandise avant d'en faire la récolte, se dit-elle. Pourquoi suis-je la seule à penser ainsi ? » Les petits fruits sont succulents, et sucrés à souhait. Elle se promet tout un festin maintenant, à même la réserve, et lorsqu'elle les aura fait sécher aussi.

Une fois habituée au son que font les canards, elle distingue d'autres bruits environnants. Plus elle écoute, plus elle jurerait entendre une chute. Lorsque cette idée lui effleure l'esprit, elle se dit que Francis lui aurait dit s'il avait trouvé une cascade. Elle continue à ramasser des fruits en laissant vagabonder son esprit, jusqu'à ce que sa curiosité soit plus forte que sa raison. Elle dépose son plat, dont elle a enfin réussi à couvrir le fond, et, son fusil à l'épaule, se lève pour aller vérifier par elle-même s'il y a bel et bien une chute à proximité. Elle n'a fait que quelques pas et, déjà, le bruit s'intensifie. Elle avance encore et voilà qu'au détour d'une grosse roche elle découvre une charmante petite chute qui descend le long de la paroi rocheuse. Elle se demande comment Francis a bien pu la manquer. Elle regarde de plus près et constate que de chaque côté poussent de grandes herbes. « Il ne pouvait pas l'entendre s'il ne faisait que passer son chemin, pense-t-elle. Moi, je l'ai entendue parce que je suis restée sur place suffisamment longtemps pour distinguer les bruits aux alentours. » Elle relève quelques fougères et décide d'aller voir plus haut. C'est la seule élévation importante de l'île et, pour dire vrai, ils ne s'y sont jamais aventurés ; ils étaient suffisamment occupés à leur arrivée. Comme Francis est parti en plein cœur de l'hiver, elle et Damienne ont pris la relève sans penser explorer plus loin. Elles voyaient bien qu'il y avait un plateau au milieu de l'île, mais elles n'ont pas eu la curiosité de s'y promener.

Elle s'agrippe aux petites épinettes noires qui résistent tant bien que mal aux grands vents de la mer. La mousse qui recouvre les roches rend sa montée difficile. Elle avance d'un pas pour mieux descendre de deux par endroits. Elle commence sérieusement à avoir chaud. Des gouttes de sueur coulent sur son front et lui brûlent les yeux, ce qui n'a rien d'agréable. Elle regarde vers le haut, puis vers le bas, et se demande combien de temps elle mettra encore pour se rendre au sommet. Elle réalise que cette ascension risque d'être bien plus longue qu'elle le croyait. Tout compte fait, elle décide de redescendre pour terminer sa cueillette. Elle explorera cette partie de l'île un autre jour. Au moins, maintenant, elle sait que cette chute existe.

De retour près de ses plats, elle se rassoit et poursuit sa cueillette. D'une certaine manière, elle s'ennuiera de cet endroit. La nature sauvage, la vie simple, l'abondance de petits fruits : tout cela lui manquera, c'est certain. Pourtant, tant de choses lui manquent de la France. C'est pourquoi elle sera très heureuse de retourner chez elle. Elle s'ennuie d'aller à la boulangerie chaque matin et de faire un brin de causette avec les gens qu'elle croise sur son chemin. Assister à la messe le dimanche matin lui manque, ainsi que les habitants de Pontpoint. Elle s'ennuie de rêvasser pendant le sermon du vieux curé, qui répète le même discours ennuyeux depuis des années, de faire venir la couturière et de lui commander de nouvelles toilettes. Brosser son cheval et lui donner des pommes, cela lui manque également. Il faudra qu'elle remplace Damienne à son retour. Elle sait déjà qui elle embauchera. Elle se souvient qu'un des fermiers, le voisin qui demeure à droite de son domaine, a plusieurs filles. Elle pense en particulier à la deuxième de la famille, Michelle. La dernière fois que Damienne lui a parlé de cette jeune fille, elle lui a dit qu'elle refusait de se marier, au grand désespoir de ses parents d'ailleurs. Leur différence d'âge n'est pas très grande, mais cela n'a pas vraiment d'importance. Tout ce qu'elle demande à sa servante, c'est de s'occuper de la maison, de faire les courses, le ménage et la cuisine, et de l'accompagner à l'occasion dans différentes sorties. C'est certain qu'elle espère trouver une perle rare comme Damienne, mais seul l'avenir lui dira si elle aura misé juste ou non.

Fidèle à ses habitudes, Marguerite mange plus de fruits qu'elle en met dans ses plats, mais il arrive un moment où elle se dit qu'elle devrait peut-être arrêter. Les fruits sont si abondants que ses récipients se remplissent très vite dès qu'elle cesse d'en manger. Fière, elle se relève et reprend le chemin de la cabane. Elle arrête à la source et prend le temps de se rafraîchir. C'est là que son petit ami le tamia vient la voir.

— Tiens, te voilà. Où étais-tu passé tout ce temps ?

Le petit animal se dresse sur ses pattes de derrière.

— Dis-moi, si je n'avais pas de noisette pour toi, viendrais-tu me voir quand même ?

Petit Roux ne bouge pas d'un poil et attend.

— Tu es vraiment mignon à voir. J'ai bien envie de te faire patienter encore un peu.

Voyant qu'elle ne lui donne pas ce qu'il veut, le tamia fait quelques pas dans sa direction. Elle sourit, met la main dans sa poche et lui lance une noisette. Il la saisit et s'enfuit sur-le-champ.

— Il est vraiment prévisible, se dit Marguerite à voix haute ; en tout cas, beaucoup plus que nombre d'humains.

Elle repense alors à une conversation qu'elle a eue avec son oncle, alors qu'il cherchait à la convaincre de venir avec lui dans le Nouveau Monde.

— Je t'assure, ma chère nièce, que c'est la chance de ta vie. Tu pourras ouvrir une école dès que nous serons là-bas. Le roi m'a fourni tout le matériel nécessaire. Le charpentier te fabriquera des bureaux et des chaises. Tu ne manqueras de rien, je te le promets sur la tête de ton père. Imagine, tu seras la première institutrice de tout le Nouveau Monde, ce n'est pas rien !

— Oui mais à qui vais-je pouvoir enseigner ?

— À tous les petits Sauvages du Nouveau Monde.

— Mais ils ne parlent sûrement pas notre langue…

— Justement, tu pourras leur apprendre. Je te le répète, personne ne te fera jamais une telle offre. Moi, c'est bien parce que tu es ma nièce et que j'ai un grand cœur, mais si cela ne t'intéresse pas, je peux très bien trouver quelqu'un d'autre et je ne t'aimerai pas moins pour autant.

— Attendez, je n'ai pas dit que je n'étais pas intéressée, mais j'ai besoin d'un peu de temps pour y réfléchir.

— Je te donne une semaine pour me faire connaître ta réponse, pas un seul jour de plus.

— J'ai besoin d'un peu plus de temps : disons deux semaines. Je ne suis pas toute seule ici. Je dois en parler à Damienne et m'assurer que tout se passera bien à la maison pendant mon absence. Nous serons quand même parties assez longtemps.

— Ne te trompe pas, ma chère nièce, je n'ai pas invité ta servante.

— Alors nous avons déjà un problème, parce que là où je vais, j'emmène ma servante. Si vous n'acceptez pas cette condition, il est inutile que je réfléchisse.

Marguerite se souvient qu'il s'était gratté le menton et, au bout d'une minute, il avait dit :

— C'est d'accord, mais je t'avertis, tu seras entièrement responsable de ses faits et gestes.

— Pas de problème. Je vous ferai connaître ma réponse dans deux semaines.

Près de deux ans et demi ont passé depuis cette discussion et Marguerite se mord encore les doigts de s'être fait prendre comme une débutante par les belles paroles de son oncle. Franchement, il aurait juste fallu qu'elle écoute un peu Damienne et elle se serait évité bien des désagréments. Et sa servante serait probablement encore de ce monde. Oui, mais elle n'aurait pas connu Francis et n'aurait pas mis au monde son petit Adrien.

De retour à la cabane, elle dépose ses plats remplis de fruits sur la table. Elle se sert ensuite à manger. Comme toujours, elle termine son repas par un petit quelque chose de sucré. C'est alors qu'elle réalise que ses provisions de miel ont passablement baissé ; elle en manquera avant la nouvelle récolte, surtout qu'elle devra en utiliser pour sucrer ses confitures. Et hier, elle a savouré la dernière portion de sirop d'érable. Elle s'en lèche encore les babines. Quant au sucre mou, il n'en reste plus depuis un bon moment déjà. Tout ce qu'elle peut faire pour l'instant, c'est espérer que Nita lui rapporte du sirop lors de sa prochaine visite.

Les icebergs ont commencé à défiler en face de l'île. Il faut qu'elle aille couper des morceaux de glace, ce sera la première fois cette année. Elle a l'impression d'avoir une boule dans la poitrine, mais cela ne l'inquiète pas outre mesure, puisqu'elle avait la même sensation l'année dernière au début de la saison. Et puis ce n'est pas comme si elle devait y aller tous les jours. L'année dernière, elle a eu besoin d'y aller trois fois seulement. Il vaut mieux qu'elle s'y mette si elle veut avoir le temps de revenir porter la glace et d'aller se planter debout sur la roche plate. Elle prend ce qu'il lui faut et emprunte le sentier qui débouche sur la grève.

Une fois sur place, elle regarde les icebergs un instant et se dit qu'elle a rarement vu quelque chose d'aussi impressionnant ; en tout cas, elle n'a jamais rien vu de tel en France. Une fois qu'elle a bien observé la scène, elle s'attache à la barque et la met à l'eau. L'heure est venue d'aller affronter les éléments. Elle rame jusqu'à un iceberg et s'en approche le plus possible afin d'être capable de sauter dessus. Au moment où elle allait se donner un élan, la montagne de glace s'éloigne subitement. La jeune femme freine vite son mouvement et évite de tomber à l'eau, mais elle se retrouve dans le fond de la barque. Un peu sonnée par sa chute, elle reprend ses esprits et fait une nouvelle tentative qu'elle réussit. Debout sur l'iceberg, elle regarde tout autour d'elle ; elle a l'impression de rêver tellement ce qu'elle a sous les yeux sort de l'ordinaire. Elle coupe des morceaux de glace avec sa hache et les lance dans la barque au fur et à mesure. Peu de temps après, il lui reste à peine une petite place pour s'asseoir et ramer. « Il était temps que j'arrête d'en mettre, la barque commence à s'enfoncer » se dit-elle.

Son embarcation est si lourde qu'il n'est pas question qu'elle la remonte sur la grève. Elle dépose les blocs de glace sur le bord de l'eau, avant de les transporter un à un jusqu'au petit sentier. Ensuite elle les apporte jusqu'à la cabane où elle fera en sorte qu'ils durent le plus longtemps possible. Chaque fois elle songe qu'aller sur l'eau pour couper de la glace, c'est peu de chose ; c'est après que le vrai travail commence.

Quand Marguerite dépose le dernier bloc de glace dans la grotte, elle est si fatiguée qu'elle irait se coucher, mais sa journée n'est pas terminée. Elle passe à la cabane en vitesse et prend le seul bout de tissu rouge qu'elle a conservé, un vieux ruban pour ses cheveux, et retourne sur la grève faire la vigie, au cas où un navire passerait devant l'île. Elle ne se fait pas d'illusion, il faudrait vraiment un coup de chance pour qu'il y en ait un à ce temps-ci de l'année, mais qui sait…

Debout sur la roche plate, les cheveux au vent pour ne pas être confondue avec une Sauvagesse, Marguerite observe le large pendant plus d'une heure. Ce jour-là, aucun navire ne passe. Déçue, elle retourne à la cabane et se prépare à manger, même si elle a une envie irrésistible de filer se coucher. Si elle veut réussir à quitter l'île, il faut qu'elle soit disciplinée et qu'elle ne se laisse pas abattre. Elle a choisi la lumière ! Eh bien ! elle fera tout pour rester de ce côté.

# Chapitre 47

Il y a déjà près de trois semaines que Nita est venue rendre visite à Marguerite. Comme convenu, Mito l'accompagnait. Marguerite a adoré les quelques jours passés en leur compagnie. Elle a encore appris de nouveaux mots dans la langue de ses amis et elle a pu parler français avec Mito. Chaque fois qu'elle s'entretient avec lui, elle a l'impression d'acquérir de la sagesse.

— Ma petite Yepa, toi seule possèdes la force nécessaire pour atteindre ton but.

— Oui, mais je n'ai aucun contrôle sur les navires qui passent par ici.

— Continue à rêver qu'un jour tu partiras, et alors que tu seras sur le point d'abandonner il y en aura un devant toi.

— Qu'est-ce qui vous fait croire cela ?

— J'ai foi en la vie. Tout est là, à notre portée, il suffit d'être à l'écoute. Il ne faut pas avoir peur d'échouer. Quoi que tu fasses, fais-le avec ton cœur.

Marguerite est restée sans bouger ; elle a réfléchi à ce que Mito venait de lui dire. Au bout d'un moment, il a ajouté :

— Et je sais que tu vas retourner chez toi. C'est pour cela qu'il vaut mieux être prêt à ce que nos chemins se séparent.

Ils ont terminé la soirée autour d'un feu sur le bord de la grève. Marguerite leur a raconté une fois de plus qu'elle rêvait d'ouvrir une école lorsqu'elle serait de retour dans son pays.

— Je suis certain que tu seras très bonne, a dit Mito. Car j'aime bien que tu m'enseignes des choses.

— Vous êtes si gentils tous les deux, a-t-elle ajouté. Penser que c'est peut-être la dernière fois que je passe du temps avec vous me brise le cœur. Pourquoi faut-il toujours laisser des gens qu'on aime derrière nous ?

— Parce que la vie est ainsi faite. D'où l'importance de vivre le moment présent, parce qu'on ne peut pas revenir en arrière. Ce feu, sur la grève, ce sera bientôt du passé ; il n'existera plus que dans notre mémoire et dans nos cœurs.

— Alors je veux que nous l'entretenions toute la nuit.

— Cela ne changera rien au fait qu'il devra mourir à son heure. Les gens meurent quand c'est le temps. Ce feu s'éteindra quand le moment sera venu.

— Je connais peu de Français qui parlent comme vous ; j'en aurai encore pour des semaines à réfléchir à toutes nos discussions. Merci !

— Tu n'as pas à me remercier, tu nous donnes bien plus que tu penses. Souviens-toi d'une chose : la vie met toujours sur notre chemin les gens qui nous aideront à avancer, à condition, bien sûr, que notre cœur soit assez ouvert pour les accueillir.

— C'est un bien beau compliment que vous venez de me faire.

— Ce n'est pas un compliment, c'est la stricte vérité. Tu es une grande personne et tu as une belle âme et un beau cœur.

Pendant que Mito traduisait les propos de Marguerite à Nita, celle-ci a regardé son amie et a hoché la tête. Par ce simple petit geste, Nita approuvait tout ce qu'elle venait d'entendre. Marguerite ne pouvait pas être plus heureuse.

Quand le feu s'est éteint, personne ne l'a rallumé. Il y a un maximum de mots à prononcer dans une journée et, quand il est atteint, c'est qu'il est temps d'aller dormir.

Il y a maintenant trois mois que Marguerite se rend chaque jour sur la roche plate pour guetter les navires. Jusqu'à maintenant, elle n'a pas manqué une seule journée, même quand ses amis étaient là. Elle profitait du moment où ils préparaient le souper pour aller faire la vigie pendant une heure. Elle n'a pas eu à leur donner d'explication, ils ont tout de suite compris l'importance que cette pratique avait pour elle.

Ce n'est pas toujours facile de rester sur la roche plate aussi longtemps à scruter l'horizon, mais quelque chose lui dit que cela portera ses fruits. D'ailleurs, elle ne s'imagine pas passant un autre hiver ici. Non ! Elle quittera cette île au cours des prochaines semaines et c'est tout. Elle ne fêtera sûrement pas Noël à Pontpoint, mais elle sera en chemin pour s'y rendre.

Elle a quand même tout préparé pour l'hiver, il vaut mieux être prévenant. Elle a cordé plus de bois qu'elle n'en brûlera. Son séjour au village de Nita, au début de l'année, lui a donné une bonne longueur d'avance sur ce plan. Elle a déjà tendu ses collets, fumé beaucoup de poisson, séché des tas de petits fruits, fait des confitures. Et là, elle a décidé d'aller chercher un nid d'abeilles. Elle s'est souvenue de tout ce que Damienne faisait. Elle croit qu'elle n'a rien oublié. Dans le pire des cas, tout ce qu'elle risque, c'est de se faire piquer. Chargée de tout son attirail, elle emprunte le sentier qui mène à la chute en chantant. La semaine dernière, elle y a repéré des nids. Elle en a vu trois, mais comme elle est seule, elle n'en aura besoin que d'un seul, à moins qu'elle aime tellement son expérience qu'elle décide de récidiver.

Une fois sur place, elle répète les gestes de Damienne. Cette activité n'est pas sans lui rappeler un très mauvais souvenir. Marguerite se fige soudainement ; elle est incapable de bouger. Elle revoit la scène avec Adrien dans les moindres détails. C'est alors qu'elle se met à pleurer, tellement qu'elle a du mal à respirer. De grosses larmes coulent sur ses joues, mais elle ne se donne pas la peine de les essuyer. Elle reste là, sans bouger, et les larmes l'empêchent de voir. Elle se rappelle ce que Mito lui a dit : « Les choses durent le temps qu'elles doivent durer, ni plus ni moins longtemps et on n'y peut rien. »

Elle ne saurait dire combien de temps elle est restée là, immobile. À un certain moment, elle a cessé de pleurer. Ses yeux se sont asséchés et elle a senti une grande paix l'envahir. Elle a regardé le nid d'abeilles et elle s'en est emparée. Elle pose les mêmes gestes que Damienne, et pourtant les abeilles l'ont tout de même encerclée. On aurait dit qu'elles étaient enragées, mais à bien y penser, peut-être avaient-elles raison de l'être. Après tout, ce n'est pas tous les jours qu'on se fait déloger de sa maison. Les petits insectes ne se sont pas contentés de tourner autour d'elle, plusieurs s'en sont donné à cœur joie et l'ont piquée, tellement qu'elle a failli abandonner la partie. Son goût du miel étant trop fort, elle a pris une grande respiration et s'est dit qu'elle allait y arriver. Quand elle a enfin déposé le nid sur la table, à l'intérieur de la cabane, elle était aussi piquée qu'une pelote d'épingles, mais heureuse de pouvoir enfin goûter au miel. Elle avait eu son lot de piqûres et elle savait très bien que le pire était à venir. Dès qu'elle en aura terminé avec le miel, elle ira chercher quelques feuilles pour diminuer l'effet de brûlure.

Marguerite regarde le nid d'abeilles, au centre de la table, et sourit. Elle s'est fait piquer trente-deux fois, mais cela en valait la peine. Elle a réussi. La seconde d'après, elle ne peut s'empêcher de crier à tue-tête :

— Je suis une championne ! J'ai réussi à prendre un nid d'abeilles. Je jure de manger du miel jusqu'à ce que j'aie mal au cœur.

Elle avait parfaitement raison de penser que le pire était à venir. Chaque piqûre ressemble maintenant à une petite montagne rouge et brûle comme du feu. Si elle ne se retenait pas, elle s'arracherait la peau aux endroits où elle a été piquée. Heureusement, elle a beaucoup de miel à extraire, de sorte qu'elle réussit à penser à autre chose. Lorsqu'elle a fini de s'occuper du nid d'abeilles, on dirait presque qu'elle est tombée dans le miel tellement elle en a partout.

— C'était une belle prise, s'exclame-t-elle à haute voix.

Étant donné que cette tâche a nécessité plus de temps que prévu, elle décide qu'elle s'occupera de la cire le lendemain. Pour l'instant, il est urgent qu'elle aille chercher quelques feuilles pour se soulager un peu. Elle ira ensuite se poster sur la roche plate. Le vent soulagera ses piqûres, surtout lorsqu'elle aura appliqué une bonne couche de feuilles mâchées dessus.

* * *

Ces années passées sur l'île lui auront permis d'apprendre beaucoup de choses. D'ailleurs, elle sait bien qu'elle ne pourra plus vivre comme avant lorsqu'elle sera de retour à Pontpoint. Ce n'est pas qu'elle a changé à ce point, mais plutôt qu'elle voit les choses différemment. Par exemple, elle sait qu'elle s'adressera à son oncle une seule fois, le temps de reprendre ce qui lui appartient. Après, elle rayera définitivement cet homme de sa vie. Elle fera tout pour conserver le moins de souvenirs possible de lui. De toute façon, on aime se rappeler les belles choses, pas les mauvaises. Cette histoire lui aura permis de reconnaître les personnes de cette trempe. Elle s'est fait prendre une fois, et c'est bien suffisant pour le reste de ses jours.

Installée à son poste, elle sourit en regardant au loin. Elle s'imagine qu'un navire arrive soudainement dans son champ de vision et que les marins la voient sur la grève. Elle se demande bien ce qu'ils penseront. Peut-être croiront-ils qu'ils ont une vision… Peut-être ne prendront-ils même pas la peine de venir vérifier qui elle est… Elle se dit que, à leur place, elle ne pourrait pas partir sans en avoir le cœur net. Elle irait voir. Elle ne pourrait vivre avec le remords d'avoir abandonné quelqu'un au beau milieu de la mer. Il vaut mieux penser que les capitaines ne sont pas tous les mêmes. Aucun homme sensé ne pourrait passer son chemin sans venir voir de quoi il s'agit exactement. De toute façon, elle n'a pas d'autre choix que de faire confiance à la vie. Elle fait tout ce qu'elle peut, même si c'est bien peu.

Quand elle cesse de faire la vigie, elle est exténuée. Elle se dépêche de rentrer à la cabane avant de se laisser aller au découragement. Le temps commence sérieusement à presser. Il fait de plus en plus froid et, dès que l'hiver sera là, ses chances d'être secourue par un navire diminueront beaucoup.

— Bon, je n'ai aucune envie de m'apitoyer sur mon sort aujourd'hui, se dit-elle à voix haute. J'ai réussi un coup de maître avec le nid d'abeilles, et je vais fêter cela.

De retour à la cabane, elle arrive face à face avec Petit Roux. Bien installé sur la corde de bois, il la regarde. Elle ne peut résister à ce petit animal.

— Salut, toi ; attends, je vais te chercher quelques noisettes. Je peux même te les tremper dans le miel si tu veux.

Le tamia ne réagit pas. Il attend patiemment qu'elle lui donne son cadeau. Quand elle revient avec quelques noisettes – de l'année dernière puisque celles de cette année sont en train de sécher –, elle s'approche et les dépose sur un morceau de bois, à proximité de son ami.

— Tiens, ce soir, je veux que tu fêtes avec moi. Je t'en ai donné une bonne dizaine, de quoi t'occuper quelques minutes. Dis donc, je devrais te suivre pour voir où tu caches toutes les noisettes que je te donne.

Marguerite n'a pas terminé sa phrase que le petit tamia est déjà loin. Elle le regarde faire quelques allers-retours et sourit. Cet animal minuscule suffit à lui seul à embellir sa vie, surtout qu'il arrive toujours au moment où elle en a le plus besoin.

Ce soir-là, elle trouve le temps bien long. Elle fait de la fièvre en raison de ses piqûres. Plus la soirée avance, plus elle a des frissons. Elle fait de gros efforts pour ne pas se cacher sous plusieurs peaux. Elle s'étend sur sa paillasse sans aucune couverture et combat la fièvre du mieux qu'elle peut. Quand elle s'endort, la fièvre descend. Elle a réussi à surmonter cette épreuve. Au matin, malgré les nombreuses boursouflures qu'elle a sur les bras et dans le cou, elle est en grande forme, prête à attaquer une nouvelle journée.

# Chapitre 48

Il fait de plus en plus froid. Trop froid pour porter des vêtements légers et trop chaud pour enfiler des vêtements d'hiver. C'est pourquoi, chaque fois qu'elle sort, Marguerite se couvre d'une peau ou deux pour résister au vent glacial qui vient de la mer.

Hier, il a neigé. Si elle ne s'était pas retenue, elle se serait mise à pleurer toutes les larmes de son corps. Aujourd'hui, c'est le 10 novembre. Il ne lui reste plus que quelques jours pour apercevoir un navire. Elle ne veut toujours pas passer Noël sur l'île. Elle a alimenté le feu avant de sortir de la cabane. Il fait si froid qu'elle ne peut pas le laisser s'éteindre ; sinon, par la suite, un certain temps est nécessaire avant que l'habitation redevienne confortable.

Aujourd'hui, elle a opté pour ses vêtements d'hiver. Elle sait qu'elle aura chaud, mais à tout prendre elle préfère cela à geler. Comme chaque jour, elle se dresse sur la roche plate et regarde au loin. Le soleil est encore très haut et très brillant. C'est vrai qu'elle a décidé de venir un peu plus tôt ; tant que le soleil sera là, le temps sera plus clément. Elle réalise vite qu'elle ne tiendra pas le coup longtemps habillée de la sorte. C'est pourquoi elle retire son manteau. Heureusement, elle a pris son châle avec elle. Elle l'attache autour de son cou. Elle ignore pourquoi, mais quand elle a chaud au cou, on dirait qu'elle a chaud partout. « Là, ce sera beaucoup plus facile » pense-t-elle.

Voilà maintenant près d'une heure qu'elle est là. C'est alors qu'elle croit avoir une vision. Au loin, elle aperçoit ce qui semble être un navire. Elle n'ose pas se réjouir trop tôt. Elle rêve sûrement. Elle cligne des yeux et regarde de nouveau, mais elle voit toujours la même chose. Il n'en fallait pas plus pour lui donner des ailes. Elle agite les bras en tenant son ruban rouge.

Elle prie de toutes ses forces pour que les marins la voient. Elle saute maintenant sur place. Il faut absolument qu'elle attire leur attention ; ils ne doivent pas poursuivre leur chemin sans elle. Les minutes s'écoulent comme des heures ; elle n'a pas l'impression qu'il se passe quelque chose à bord du navire. Elle est dans tous ses états. Au moment où elle se dit qu'elle pourrait utiliser la barque pour rejoindre le bateau, elle réalise qu'une embarcation vient d'être mise à l'eau.

— Mon Dieu, s'écrie-t-elle sans arrêter d'agiter les bras, faites que ce soit pour moi. Je vous en prie, il faut que vous entendiez ma prière, parce que je n'aurai pas la force de passer un autre hiver sur cette île.

Elle ne perd ni le navire ni l'embarcation de vue. Elle fixe son regard sur eux et ne laisse monter en elle aucune pensée qui pourrait miner son espoir de retourner dans son pays. L'embarcation s'approche de plus en plus de l'île, et Marguerite commence à distinguer deux formes à son bord. Elle est folle de joie. Elle n'a aucune idée de l'identité de ces marins ni du nom du navire, mais cela n'a aucune importance. La seule chose qui lui importe, c'est qu'ils l'emmènent loin de cette île, loin de tous ses mauvais souvenirs, et qu'ils la ramènent en France. L'embarcation est de plus en plus près. Si elle ne se retenait pas, la jeune femme se jetterait à l'eau pour aller à la rencontre des deux marins. Quelque chose lui dit qu'il vaut mieux qu'elle reste bien visible, jusqu'à ce que la barque soit sur la grève. Les minutes qui suivent lui semblent éternelles. Elle a l'impression que le temps s'est arrêté. Les marins ne finissent plus de s'approcher.

Quand, enfin, ils débarquent de la chaloupe pour venir à sa rencontre, elle se jette à leur cou et s'écrie :

— Je m'appelle Marguerite de Roberval. J'ai été abandonnée par mon oncle, le sieur de Roberval, sur cette île, voilà maintenant plus de vingt-huit mois. Dites-moi que vous retournez en France !

— Oui, si tout va comme on l'espère, on devrait y être dans un peu moins de trois mois.

— Est-ce que je peux venir avec vous ?

— Si vous acceptez de dormir sur le pont, comme tout le monde, je ne vois pas d'inconvénient. Allez chercher vos affaires, on vous attend.

Elle n'ira pas seule à la cabane prendre ses choses. Il n'est pas question que ces marins disparaissent sans elle.

— Je n'irai pas sans vous, dit-elle d'un air décidé. Il y a près de deux ans et demi que j'attends ce moment, alors pas question de le rater. Suivez-moi, j'ai besoin d'aide.

Elle se sent comme sur un nuage. Elle ne pourrait pas être plus contente ; mais en même temps elle ne réalise pas encore que dans quelques minutes, une heure, tout au plus, elle quittera l'île pour toujours. Sur le chemin qui les conduit à la cabane, elle regarde plusieurs fois derrière elle pour être bien certaine que ses sauveteurs sont toujours là. Une fois à l'intérieur, elle invite les deux marins à s'asseoir et elle saisit sa liste au pied de sa paillasse. Telle une automate, elle met tout ce qu'elle souhaite apporter sur la table. En la voyant faire, un des marins lui dit :

— On a juste une petite embarcation, vous comprenez. On ne pourra pas tout apporter.

— Ne vous inquiétez pas, dit-elle, tout ce que je veux emmener tiendra dans mon sac. Pour mes vêtements chauds, je les garderai sur mon dos.

— Vous allez sûrement faire des jaloux. À bord, personne n'a de vêtements comme les vôtres. Ce n'est même pas encore l'hiver et on gèle déjà comme des rats.

— Servez-vous, lance Marguerite. Il y a des peaux, ici ; elles vous tiendront au chaud.

— Merci, ma petite dame, répondent-ils en chœur avant de se servir.

— Vous pouvez aussi prendre le panier de noisettes, elles sont très bonnes ; j'ai aussi des fruits séchés.

— Vous êtes sérieuse ? On peut emporter tout ce qu'on veut ?

— Oh ! oui ! Vous ne pouvez pas imaginer à quel point je suis heureuse de retourner en France.

— Nous aussi, ma petite dame, de dire l'un des deux.

Avant de sortir de la cabane, Marguerite met la lettre pour Nita bien en vue, au centre de la table. Elle vérifie sa liste une dernière fois et, avant de fermer la porte sur cette vie qu'elle n'avait pas choisie mais qui lui a tant apporté, elle jette un dernier coup d'œil à l'intérieur. Elle fait de même une fois dehors.

Les bras chargés, les marins, accompagnés de Marguerite, prennent le sentier qui mène à la grève. Ce n'est qu'une fois assise dans l'embarcation que la jeune femme se détend.

— Cette fois, c'est vrai, je retourne chez moi.

À mesure que l'embarcation s'éloigne de l'île, de nombreux souvenirs la submergent. Elle revoit Francis et se remémore toutes les fois où ils ont fait l'amour sur la grève. Elle se rappelle son fils, quand il lui a offert son premier sourire. Elle se souvient de Damienne qui faisait la cuisine comme pas une. Et Nita. Et Mito.

Quand son île n'est plus qu'une pointe de terre parmi tant d'autres, elle s'essuie les yeux et sourit.

— Vous avez eu de la chance, ma petite dame, dit l'un des marins, on était vraiment sur le point de quitter l'endroit.

— Je ne vous remercierai jamais assez d'être venus me chercher.

— Ce n'est pas nous que vous devez remercier, c'est le capitaine. Il est aussi curieux qu'une fouine. Il n'aurait pas fait un bon voyage s'il n'avait pas pu identifier ce qu'il apercevait du navire.

— Alors je le remercierai. Tant qu'il ne s'agit pas du sieur de Roberval, je suis certaine de bien m'entendre avec lui.

— Rassurez-vous, il s'appelle Jean Fonteneau.

— Mais tout le monde l'appelle Alfonse, ajoute l'autre.

C'est alors qu'un déclic se fait dans la tête de Marguerite. Si elle ne se trompe pas, c'est le capitaine qui accompagnait son oncle quand ils sont partis pour le Nouveau Monde il y a plus de deux ans. Elle ne le connaît pas beaucoup, mais suffisamment pour savoir qu'il n'a rien en commun avec son oncle. Tout de même un peu inquiète, elle ne peut s'empêcher de demander aux marins :

— Et il est comment ?

— C'est un homme bon.

— Je suis contente d'entendre cela.

Quand elle met le pied sur le navire, tous les regards se posent sur elle. Elle offre son plus beau sourire à chacun. Elle est tellement heureuse d'être là qu'elle ne porte plus à terre. Au moment où le navire remonte les ancres, le capitaine vient la saluer personnellement. Il la regarde d'abord en se disant qu'elle ne lui est pas inconnue. Il se demande où il a bien pu rencontrer cette femme. C'est alors que Marguerite vient à sa rescousse en lui disant :

— Bonjour, monsieur. Vous avez raison de croire qu'on se connaît.

À mesure qu'elle parle, Marguerite ravive la mémoire du capitaine.

— Je suis Marguerite de Roberval, ajoute la jeune femme, la nièce du sieur de Roberval. J'étais de l'expédition de 1542. Mon oncle m'a lâchement abandonnée sur une île avec ma servante le neuf juillet de la même année.

À ces mots, le capitaine se contente d'ajouter :

— Bienvenue à bord, Marguerite. Je suis heureux de voir que vous avez survécu.

— Et ce n'est pas grâce à mon oncle, croyez-moi.

— Vous dormirez dans ma cabine.

— Il n'en est pas question. Je vous remercie, mais je préfère dormir sur le pont. Ne vous inquiétez pas pour moi, je suis habillée chaudement, mes amis les Sauvages m'ont offert des vêtements. C'est un grand honneur pour moi d'être à bord de votre navire, monsieur.

— Pour moi de même. Vous pouvez être assurée que je vais vous emmener à bon port.

— Pourvu que ce soit en France, ce sera parfait pour moi.

Sur ces mots, le capitaine tourne les talons. Les deux marins escortent la jeune femme jusqu'au pont, où elle devra dormir, puis lui font visiter le navire. Quand ils la laissent enfin seule, elle dépose son sac au sol et regarde au loin. Elle veut absolument voir son île une dernière fois. Elle se souviendra avec plaisir de tout ce qui l'a rendue heureuse sur cette île, mais jamais elle n'y reviendra pour quelque raison que ce soit. Son goût de l'aventure a été comblé pour des décennies à venir.

# Épilogue

*Le 12 février 1545 – Port de La Rochelle*

Marguerite ne tient plus en place depuis plusieurs jours ; elle attendait ce moment depuis si longtemps ! Il est quatre heures du matin quand le navire accoste au port de La Rochelle. Sitôt la passerelle jetée sur le quai, elle se dépêche de débarquer. Elle a un urgent besoin de fouler le sol natal après une si longue absence. Elle prend une grande respiration et regarde tout autour d'elle. C'est fou ce que l'endroit a pu changer en près de trois ans. Elle sourit, même qu'elle se retient d'éclater de rire. Elle ne peut pas dire à quel point elle est contente d'être ici. Elle se sent comme une petite fille à qui on vient d'offrir sa première poupée. Elle jubile.

Évidemment, personne ne l'attend sur le quai. Elle laisse débarquer tout le monde avant de retourner à bord pour remercier le capitaine. Il a été charmant avec elle. Un jour, alors qu'il était venu la rejoindre sur le pont, elle lui avait demandé s'il avait des nouvelles de son oncle.

— Tout ce que je sais, c'est qu'il s'est retiré quelque part, mais je ne saurais vous dire à quel endroit. Et vous, racontez-moi ce qui vous est arrivé.

— J'espère que vous avez du temps, parce que j'ai passé plus de vingt-huit mois sur cette île.

— J'ai tout mon temps ; venez, nous serons plus à l'aise en haut.

Il l'avait écoutée raconter son histoire sans l'interrompre une seule fois. Lorsqu'elle a eu fini, il lui a dit, en lui mettant une main sur un bras :

— Vous êtes très courageuse, Marguerite. Peu de femmes auraient survécu à toutes ces épreuves ; vous avez de quoi être fière de vous.

— Vous savez, la chose dont je suis le plus fière, c'est d'avoir réussi à retourner chez moi. Je ne vous remercierai jamais assez d'avoir eu la curiosité d'envoyer vos hommes sur mon île.

— Je vous l'ai dit, je me suis souvent demandé ce qui vous était arrivé, et quand j'ai vu une forme au loin, sur une île, eh bien ! je n'ai pas pu m'empêcher de croire que c'était peut-être vous.

À ces mots, Marguerite lui a sauté au cou et l'a serré très fort.

Quand elle retourne voir le capitaine, celui-ci lui demande s'il peut la déposer quelque part.

— Je veux bien, répond-elle, surtout que je n'ai pas une seule pièce de monnaie sur moi.

— Vous n'avez qu'à me dire où vous voulez aller.

— Chez le roi. Disons que j'ai quelques petites affaires à régler avec lui, avant de retourner à Pontpoint.

— Suivez-moi.

Une fois devant le château, elle prend congé du capitaine et se présente à la garde.

— Bonjour, je suis Marguerite de Roberval, la nièce du sieur de Roberval. Je veux voir le roi ou sa sœur, Marguerite d'Angoulême.

— Est-ce qu'ils vous attendent ?

— Depuis très longtemps, se contente-t-elle de répondre.

Quand elle ressort du château, Marguerite n'est plus la même femme. La sœur du roi lui a donné une robe et a demandé à sa servante de la coiffer. Elle lui a aussi offert une paire de chaussures et un manteau assorti à sa toilette. Dans ses mains, elle tient un papier signé du roi, papier qui l'autorise à reprendre possession de tous ses biens sur-le-champ, et ce, que son oncle les ait vendus ou non. Une voiture l'attend pour la ramener chez elle. Le sourire aux lèvres, elle passe le voyage les yeux rivés à la fenêtre pour ne rien manquer du paysage.

Quand elle aura réglé ses comptes avec son oncle, elle ira rendre visite aux parents de Francis. Après, elle ouvrira son école.